D0333476

ECHT SANNE

Van Marjan van den Berg verscheen eerder:

Ze is de vioolmuziek vergeten
Van den Berg stort in!!

Sanne
Uit het leven van Sanne
Dag Sanne
Sanne, Sanne
Alleen Sanne
Gewoon Sanne
Gelukkig Sanne
Zo Sanne

echt SANNE

MARJAN VAN DEN BERG

Omslagontwerp: Wil Immink Design
Omslagillustratie: © Masterfile/Ben Seelt
Auteursfoto: © NHD/Bart Homburg
Typografie en zetwerk: ZetSpiegel, Best

www.mistraluitgevers.nl
www.fmbuitgevers.nl
www.marjanvandenberg.nl

Mistral uitgevers is een imprint van Foreign Media Books bv,
onderdeel van Foreign Media Group.

ISBN 978 90 499 5107 8
NUR 340

‘Ik ben hier zo gelukkig. Zullen we maar blijven?’ vraagt Sanne, als ze op de een na laatste avond van de vakantie op het balkon staat van hun hotelkamer.
‘Je zou Rinke wel missen. En Wichard. En Yvonne. En juffrouw...’ begint Rob.
‘Ja, je hebt gelijk,’ zegt ze meteen. Maar toch... Het waren zulke heerlijke onbezorgde dagen op Samos. Ze maken lange wandelingen langs duizelingwekkende kloven, onder een waterval door, over hoogvlaktes en langs verlaten strandjes. ’s Avonds eten ze in een restaurantje waar de Grieken zelf ook eten, een bruine zaal met formica tafeltjes en portretten van voorvaderen met forse snorren en kromzwaarden aan de muur. De bediening is vriendelijk en al gauw worden ze begroet als oude bekenden. Rob heeft meteen de eerste avond uitgelegd dat hij geen kaart hoeft, maar dat de kok maar moet beslissen wat ze eten. Zo is het iedere avond een verrassing wat ze voorgeschoteld krijgen. Sanne is iedere keer weer opgelucht als ze een visschotel krijgt. Bij vlees is ze altijd bang dat het orgaanvlees is.
Als Rob na een uitleg van de kok een keertje heel bedenkelijk naar zijn bord kijkt en aarzelend aan Sanne vraagt: ‘Weet je wat er in dat worstje zit?’ roept Sanne meteen: ‘Dat wil ik niet weten, hoor!’
Tijdens hun lange wandelingen picknicken ze met vers brood, komkommer, tomaten, gekookte worstjes, verse fetakaas, tzatziki, olijven, fruit, mineraalwater en koude thee. Sanne geniet met volle teugen en Rob geniet met haar mee.
Iedere ochtend ontbijten ze uitgebreid op een terras aan zee. Daarbij bespreken ze de wandeling van die dag en stippelen een route uit op de gedetailleerde kaart. Rob leest de routebeschrijving en Sanne staart over het water waarop in de verte de ranke vissersbootjes dobberen. Zo intens gelukkig voelt ze zich, het is bijna griezelig.

‘Zo zou het altijd moeten zijn hè?’ heeft ze een keer tegen Rob gezegd. ‘Zo puur, zo oer. Eten, drinken, lopen, slapen. Onder die blauwe hemel, bij deze geuren en kleuren, zo intens.’ Rob knikte meteen, maar zei wel: ‘Zou het niet juist het contrast zijn dat je zo gelukkig maakt? Ik bedoel, als je niet weet hoe lange grijze winters zijn, kun je misschien niet echt genieten van die blauwe lucht. Net zoals je pas weet hoe heerlijk het is om gezond te zijn als je een keertje goed ziek bent geweest.’
‘Misschien wel,’ heeft Sanne geknikt. Maar meteen bedacht ze dat ze eigenlijk grijze dagen genoeg heeft gehad om voor eeuwig van die blauwe lucht te kunnen genieten. Daar heb ik dat contrast echt niet meer voor nodig.
Ze maken die dag de laatste wandeling en om een uur of acht ’s avonds wandelen ze samen naar hun eigen eettentje. Het is druk op alle terrassen; de mensen eten buiten, voeren de zwerfhonden die er in het zomerseizoen goed doorvoed uitzien en lachen en zingen met elkaar. Er staat een heerlijk verkoelende bries van zee en Sanne geniet van elke stap die ze zet.
‘Je bent mooi.’ Rob heeft het die dag wel een paar keer gezegd en ze ziet het zelf, in de spiegel. De vakantiedagen hebben haar goed gedaan, de zon heeft haar huid prachtig gebruind en haar ogen stralen voor het eerst sinds lange tijd iedereen weer onbevangen tegemoet. Rob stapt trots naast haar, haar hand in de zijne.
‘We gaan buiten eten als er plaats is, goed?’ vraagt hij. Ze knikt meteen. Buiten. Zoveel mogelijk buiten. Morgen gaan ze met de bus naar het vliegveld en dan is het voorbij. Nu nog even zon en licht en lucht.
Ze worden als vanouds hartelijk welkom geheten bij hun eigen eettentje.
‘Outside? Of course,’ zegt Nikos, de zoon van de eigenaar. Met een buiging leidt hij ze naar een tafeltje. En als Rob vertelt dat het hun laatste avond is, knikt hij ernstig en legt even zijn hand op die van Rob en Sanne.
‘You will be back,’ zegt hij dan plechtig. Sanne knikt ontroerd.

'Die Grieken,' grijnst Rob.
'Prachtig,' zegt Sanne. 'Ik moet er bijna van snikken. Nee, echt waar.' Als Rob de tranen in haar ogen ziet glanzen, schiet hij oprecht in de lach.
'Sanne, je moet hier inderdaad maar blijven. Je hebt de ziel van het land en alle emotie en temperament te pakken!'
Dan klinkt er opeens een stem naast hen: 'Rob de Wolf? Nee maar! Ik dacht al meteen, die stem ken ik!' Een blonde vrouw staat op van haar stoel en spreidt haar armen uit om Rob te begroeten. Ook Rob staat op.
'Sophie! Wat een verrassing!' Ze omhelzen elkaar, innig. En lang. Te lang, vindt Sanne, die oogcontact heeft met de tafelgenote van Sophie en een gezicht trekt van: 'Nee, ik weet niet wie dat is en jou ken ik ook niet!' De roodharige dame loopt op Sanne af.
'Ik ben Hetty. Vriendin van Sophie. Aangenaam,' zegt ze. Ook Sanne stelt zich voor en daarna wachten ze samen tot er een eind komt aan de omhelzing.
'Ik zal hem nu maar eens los laten, hè? Kijk dan Hetty! Dit is Rob! En jij bent...? Ik ben nu Sophie.' Sanne krijgt een hand en Sophie kijkt haar aandachtig aan om te zien welk effect die naam op Sanne zal hebben.
'Nu Sophie?' herhaalt Sanne. Ze kijkt naar Rob voor een nadere verklaring, maar Rob knikt en lacht en zegt meteen uitnodigend: 'Jullie komen natuurlijk gezellig bij ons aan tafel zitten. Goed?'
Sophie straalt hem tegemoet. 'Leuk!' zegt ze.

'Ben je hier met een vriendin? Fantastisch dat ik je hier tegenkom! Fantastisch!' Sophie heeft binnen een paar tellen de schikking van de tafel zo aangepast dat ze dicht naast Rob zit. Sanne is zo overrompeld dat ze niet eens de kans heeft gekregen om

een woord te zeggen. Ze zit nu naast Hetty, tegenover Rob en Sophie. Tot haar ergernis kijkt Rob haar suffig glimlachend aan, nog steeds zonder haar voor te stellen aan de twee vrouwen. Maar als hij haar blik opvangt, wendt hij zich naar Sophie en zegt: 'Laat me eerst Sanne eens even correct aan je voorstellen.'
'Nee! Laat me raden!' giert Sophie uitgelaten. 'Ze is je zuster. Natuurlijk. Je zuster die hard aan rust toe was, overspannen door werk en andere vervelende toestanden. Nee! Het is een collega en je bent hier gewoon aan het werk. Of is het een scharreltje?' Nu keert ze zich plagend naar Rob, tikt hem met een felrood gelakte nagel op zijn wang, gooit haar stem omlaag en bromt: 'Biecht het maar op! Je voelde je natuurlijk lelijk in de steek gelaten door je Sophietje en nu heb je jezelf een tussendoortje gegund. En maar niet bellen. Foei toch, Robbie!' Sanne kijkt vol afgrijzen toe. Wat gebeurt hier in hemelsnaam? Rob is zo overdonderd door de laatste toespraak van Sophie, dat hij onduidelijk begint te mompelen, totdat Sanne het helemaal zat is.
'Pardon?!' zegt ze. Ze voelt zelf hoe ze kijkt. Super uit de hoogte. Heel autonoom en ver boven iedereen verheven. Sophie kijkt haar verwonderd aan. 'Pardon?' herhaalt Sanne smalend. 'Ik ben zijn vrouw.' Ze kijkt Sophie en Rob aan, haar wenkbrauwen opgetrokken, haar mond een streep.
'Je vrouw?' herhaalt Sophie aarzelend. Rob zit roerloos.
'Inderdaad.' Sanne kijkt naar Rob en denkt: Als je nu niet dadelijk als een vent reageert, heb ik de rest van mijn leven een hekel aan je. Ze schrikt van de plotselinge vlaag van woede en walging.
'Ja. Al anderhalf jaar,' zegt Rob, ineens ontnuchterd.
'En mevrouw is?' informeert Sanne verder, nu Sophie haar stom van verbazing zit aan te staren.
'Sophie is een oude vriendin,' begint Rob. Maar dan heeft Sophie zichzelf alweer in de hand en valt hem in de rede met: 'Wij hadden een stormachtige affaire tot een kleine drie jaar geleden. Het begon tijdens de ziekte van Robs vrouw en het duurde totdat hij zich niet kon vinden in de eisen die ik aan onze relatie stelde.

Mijn klok, nietwaar? Tiktik. Voor het te laat is, verwacht je nog iets van de liefde van je leven.' Ze zegt het bitter en kijkt verwijtend opzij.
'Daar gaan we het hier toch niet over hebben,' sust Rob nerveus.
Sanne aarzelt even. Ze hoeft nu alleen maar te zeggen dat ze haar laatste vakantieavond met Rob samen wil eten. Dat is voldoende om de dames te doen besluiten hun eigen tafeltje weer op te zoeken. Ze kijkt even opzij naar Hetty. Die zit als een standbeeld en zwijgt in alle talen. Rob kijkt Sophie bijna smekend aan.
'Je hebt gelijk. Het is hier te heerlijk om de sfeer te verpesten, nietwaar?' zegt Sophie meteen weer liefjes.
'Net zo leuk dat jullie elkaar weer ontmoeten,' zegt Sanne vals.
'Het is altijd goed om bij te praten met oude vrienden, toch? Zoveel vrienden van vroeger heeft Rob niet.'
'Nee, dat is gek. Wel collega's natuurlijk. Maar vrienden...,' beaamt Sophie nadenkend.
'Zullen we wat te drinken bestellen?' vraagt Rob wanhopig.
'Lekker!' zegt Sanne zonnig. Ze wendt zich weer naar Sophie en vraagt: 'Was dat vroeger al? Of hadden jullie wel gezamenlijke vrienden?'
'Nee joh, wij moesten ook de langste tijd nogal stiekem met elkaar omgaan, natuurlijk. Nee, als we elkaar zagen, waren we samen. Niemand erbij dus,' vertelt Sophie.
'Nikos!' roept Rob. Hij ziet er heel ongelukkig uit, maar Sanne is vastbesloten om nog lang geen eind aan dat lijden te maken. Tot haar verrassing krijgt ze ook nog hulp van Hetty. Die vraagt: 'Maar jullie hebben toch ook nog wat gehad na het overlijden van Robs vrouw?' Sophie knikt ijverig en Rob staat op om Nikos te roepen.
'Nikos! Waar is die jongen?'
'Ga toch zitten, hij komt zo wel. We zitten hier toch prima? We hebben alle tijd,' sust Sanne hem. Hij kijkt haar wanhopig aan. Sanne gooit nog wat extra olie op het vuur met: 'Goed dat je hen hebt uitgenodigd om met ons mee te eten. Gezellig.'

'Toen we echt samen waren, hadden we ook weinig aanloop. We hadden ook een latrelatie, dat is toch anders. Als je dan samen bent, wil je er niemand bij. Zo gaat dat gewoon. Bovendien, toen nam je al een beetje afstand. Maar dat heb ik pas achteraf bedacht,' peinst Sophie hardop tegen Rob. Ze legt haar hand op zijn arm en zegt: 'Ik dacht, je wacht wel. Je belt als je eraan toe bent. Maar je belde niet.' Nu grijpt Hetty in.
'Sophie, schrijf een brief of zo. Dat kan je hier en nu toch niet bespreken? Laten we het ergens anders over hebben. Goed?' Dankbaar kijkt Rob haar aan, maar Sophie fluistert toch nog: 'Ik had het zo anders verwacht.' De stilte hangt dreigend boven de tafel. Tot Nikos arriveert met de witte wijn. Sophie en Hetty knikken meteen. Ja, wij willen ook graag. Nikos schenkt de glazen in en ze kijken gevieren zwijgend toe.
'Heerlijk,' zegt Sanne, met een knik naar Nikos. Ze heft haar glas en zegt zonder een spoortje spot in haar stem en op haar gezicht: 'Op oude vrienden.'

'Het was heel gezellig,' zegt Hetty na de tweede kop koffie. 'Maar we gaan nu terug naar ons appartement. Morgen moeten we om zes uur al aan de haven zijn. We varen met een boot langs eilandjes. Ga je mee, Sophie?' Het is een dappere poging om een eind te maken aan een vreselijke avond. Sanne grijpt de aangeboden kans aan en staat op om Hetty een hand te geven. Dan keert ze zich met uitgestoken hand naar Sophie en zegt: 'Ontzettend leuk dat jullie ons op onze laatste avond wilden vergezellen. Goed idee van Rob om jullie uit te nodigen.' Sophie moet nu wel opstaan om Sanne de hand te schudden, maar terwijl ze dat doet, kijkt ze naar Rob. Die ontwijkt haar blik, staat op en neemt afscheid van Hetty. Meteen daarna werpt Sophie zich in zijn armen en zegt luid en duidelijk: 'Ik bel je in Nederland,

oké? We hebben zoveel bij te praten. We gaan gauw lunchen, samen. Je hoort van me, Robbie.' Ze pakt zijn gezicht tussen haar handen en kust hem. Rob staat als een standbeeld en ondergaat het gelaten. Ze laat hem los, keert zich met een ruk om en zegt: 'Kom Hetty.' Samen lopen ze het terras af en Sanne kijkt hen na. Ze blijft kijken tot ze de hoek om zijn.
'Ziezo,' zegt ze. Maar Rob kijkt haar niet aan. Hij roert in zijn koffie en ze ziet hoe hij nijdig zijn lippen op elkaar klemt. Dan kijkt hij haar aan en vraagt: 'Waarom deed je dat?'
'Wat?'
'Zo geanimeerd doen, zo van "oude vrienden" en "o, wat gezellig".' Hij zegt het met een nagemaakt kinderachtig stemmetje en kijkt Sanne woedend aan.
'Pardon?' zegt Sanne. Ze voelt nu haar eigen woede omhoog komen. 'Mag ik je er even aan herinneren dat jij de dames bij ons aan tafel uitgenodigd hebt? Dan zou het wel heel vreemd zijn als ik me niet vriendelijk had opgesteld, nietwaar? Het waren per slot van rekening jóúw gasten!'
'Dat zei ik in een opwelling. Ik heb daar helemaal niet over nagedacht. Jij had makkelijk iets kunnen zeggen waardoor we niet de hele avond met elkaar opgescheept hadden gezeten. Jíj liet het gebeuren!' Rob maakt een wanhopig gebaar.
'Dus als jij mensen aan tafel uitnodigt, moet ik eerst gaan informeren of je dat wel meent? Kom nou.' Sanne lacht neerbuigend.
'Je bent gewoon woedend omdat ik je nooit iets over Sophie heb verteld. Dat is het,' zegt Rob.
'Inderdaad. Zeker. Verder neem ik jou serieus. Ik sta niet als partner naast je om je vervolgens te corrigeren. Als jij iets stoms uithaalt, krijg je van mij alle gelegenheid om met je billen lekker op je eigen blaren te gaan zitten. Zullen we afrekenen?' Sanne kijkt hem koeltjes aan en ze ziet dat hij wanhopig piekert of het toch niet inderdaad helemaal zijn schuld is. Maar het is zijn schuld, dat weet ze zeker. Hij nodigde die vrouwen uit aan tafel. Op onze laatste avond. En ik heb hem laten voelen hoe fout die keuze was. Klaar. Uit. Ze herhaalt haar laatste woord nog maar eens.

‘Afrekenen? Of nog een koffie? Met een afzakkertje?’ En die toevoeging is toch een kleine opening om de avond alsnog redelijk gezellig af te sluiten. Rob aarzelt maar heel even. Dan neemt hij haar uitnodiging met beide handen aan.
‘Lekker. Dan nemen we nog een likeurtje.’
‘Mooi. Nikos komt er al aan,’ wijst Sanne.
Als Nikos de koffie en de likeur op tafel zet, verbreekt Rob de stilte pas.
‘Ik zal je alles vertellen. Later. Goed?’ vraagt hij. Hij steekt zijn hand uit over tafel. Sanne pakt zijn hand en zegt: ‘Dat is niet nodig, hoor.’ Tegelijk vraagt ze zich af: waarom zeg ik dat? Ik wil alles weten. Je had het me alleen eerder moeten vertellen. En nu die dreiging dat Sophie contact met hem zal opnemen. Dat ze dat zal doen, daar is Sanne van overtuigd.
‘Nee, ik wil het je vertellen. Ik wil helemaal geen geheimen hebben voor jou,’ zegt Rob oprecht. Sanne glimlacht en zegt: ‘Het heeft geen haast, lief. Ik weet toch wat ik aan je heb?’ En ze denkt: ik weet helemaal niks van je. Geen idee of je te vertrouwen bent als je blootgesteld wordt aan de verleidingskunsten van Sophie. Geen flauw idee. Wanneer ken je iemand? Wanneer ken je iemand echt? Wanneer weet je zeker dat je iemand voor honderd procent kunt vertrouwen? Nooit toch zeker? Maar je moet wel doen alsof. Want niemand vindt het leuk om te horen dat zijn partner hem niet helemaal vertrouwt. Nee, dat wil je niet weten. Zou Rob mij vertrouwen? Ben ik helemaal te vertrouwen? Jakkes, wat een gedachten op deze prachtige avond.
‘Wat is het hier heerlijk, hè?’ zegt Sanne, in een poging al het gepieker uit haar hoofd te verdrijven. Ze neemt een slokje van haar cointreau. De zee ruist en af en toe voert de zachte wind een vleugje jasmijngeur over het terras.
‘Nu wel,’ zegt Rob. ‘Ik voel me er echt schuldig over.’ Even maar bedenkt Sanne dat zij alles heeft laten gebeuren en dat hij er lang niet alleen schuldig aan is. Maar dan schudt ze dat gevoel weer weg. Voel je maar schuldig, denkt ze. Net goed. Die Sophie met dat blonde haar en die gemanicuurde nagels, nee, het zit haar

niks lekker. Als Rob uit schuldgevoel besluit niet in te gaan op Sophies uitnodiging voor een lunchafspraak, is dat mooi meegenomen.
'Kom, we wandelen over het strand terug,' zegt ze.

'Dus toen kwam die Sophie bij ons aan tafeltje zitten,' vertelt Sanne aan Yvonne. Die ligt bijna over het restauranttafeltje heen om geen woord te missen van Sannes verslag. Ze veegt lachtranen uit haar ogen en zegt: 'Ja, maar je had ze wel zelf uitgenodigd!'
'Ja. Ik weet het,' zegt Sanne somber.
'Je kunt er nog niet echt om lachen, hè?' concludeert Yvonne. Sanne schudt haar hoofd en doopt een stukje brood in het pannetje kaasfondue.
'Ik denk maar steeds dat die Sophie nog wel eens de achtervolging kan gaan inzetten,' zegt ze.
'Nou ja, Rob kust de grond waarop je loopt! Waar maak jij je nou zorgen over? Wat een onzin haal je in je malle hoofd!'
'Zou jij je niet bedreigd voelen als Nelleke ineens een geliefde van vroeger tegenkwam?' vraagt Sanne. Yvonnes gezicht betrekt. Ze kijkt somber voor zich heen, haalt haar schouders op en zegt dan plompverloren: 'Weet je, dat zou me op dit moment echt geen donder uitmaken.'
'Ach, meen je dat?' Sanne kijkt haar vriendin bezorgd aan. Maar Yvonne lacht alweer.
'Nee, echt. Het is een beetje over met de liefde, denk ik. Nelleke woont al een tijdje weer op haarzelf. Ik wilde jou daar niet mee lastigvallen. Maar ik denk niet dat het nog goed komt. Exit Nelleke. We beginnen weer van voren af aan!' Ze lacht, maar Sanne ziet een stil verdriet achter haar ogen.
'Is het voor haar over met de liefde of voor jou?' vraagt ze.

Yvonne zegt: 'Allebei. Nu tenminste wel. Maar het begon bij haar. Ze voelde zich beperkt, ze voelde zich opgesloten, ingesloten, benauwd, vastgelegd, geketend, weet ik wat nog meer. Ik heb nog nooit zoveel verwijten te horen gekregen van wie dan ook als de laatste maanden van Nelleke. En ik maar roepen: Ga dan! Ga reizen! Ga uit! Vind ik allemaal prima!' Yvonne zwaait ter illustratie met haar armen en de ober die aankomt met twee glazen witte wijn, moet snel uitwijken.
'Sorry!' proest Yvonne.
'Geeft niet, mevrouw. Alles is nog heel,' zegt de man bedaard.
Als hij weer weg is, vraagt Sanne: 'Hoe vindt Renéetje het?'
'Die vindt het prima. Weet je wat ze zei? Ze zei: "Nelleke heeft nog nooit echt met me gespeeld. Ze speelde alleen maar met me als jij het zag." Knap hè, dat zo'n klein kind dat doorheeft. Nelleke vindt het veel lekkerder om aandacht te krijgen dan om aandacht te geven. Eigenlijk heb ik er al die tijd een kind bij gehad. Nou ja. Klaar. Uit. Niet meer over zeuren. Laten we het nog even over die Sophie hebben.'
'Nee! Sssst!' Sanne legt haar wijsvinger over haar lippen en kijkt naar het stel dat op dat moment het restaurantje binnenkomt.
'Wie zie je?' vraagt Yvonne.
'Cathy en Willem,' sist Sanne.
Yvonne kreunt. Ze fluistert tegen Sanne: 'Laat je zakken. Toe dan. Vooruit. Laat je uit je stoel glijden, zo onder de tafel. Laat je zakken!' En als ze ziet hoe stomverbaasd Sanne naar haar kijkt, krijgt ze acuut een aanval van de slappe lach. 'Zoals jij kijkt! Ik dacht even, ze doet het!' giert Yvonne. Cathy heeft al lang in de richting van het lawaai gekeken en gezien dat Sanne daar zit. Sanne groet lief en verrast en Cathy komt meteen op hun tafel af.
'Zo'n pret, Yvonne? Dag zusje van me. Zitten jullie hier zo lekker met z'n tweetjes. Is Rob er niet? En jouw vriendin... Hoe heet ze ook alweer?' Sanne is opgestaan om haar zus en zwager te begroeten. Yvonne hikt nog na van de vreselijke lachbui, maar staat ook op.

‘Zo Willem, alles goed?’ vraagt ze aan Sannes zwager. Die knikt en grijnst.
‘Je hebt rode strepen van het lachen,’ zegt hij.
‘Onbetamelijk, zoveel lawaai als jullie maakten,’ zegt Cathy bestraffend, terwijl ze Sanne drie zoenen geeft.
‘Sanne was stil. Ik was de enige die kabaal maakte,’ zegt Yvonne.
‘Ze is de hele avond al zo uitbundig,’ zegt Sanne.
‘Nou, we zullen jullie niet verder ophouden, hè? Kom lieverd,’ zegt Willem. ‘Ik heb een tafel gereserveerd. We hebben iets te vieren.’
‘Maar misschien kunnen we hier wel aanschui...?’ Cathy wijst en vraagt: ‘Gezellig toch?’
‘Het is onze trouwdag. We gaan samen eten en elkaar diep in de ogen kijken en straks heb ik nog een verrassing voor je,’ zegt Willem kordaat. Yvonne smoort weer een lachaanval en Cathy zegt vertederd: ‘Ach Wim, wat lief.’ Ze keert zich naar hun tafel en meldt: ‘Dan laten we jullie in de steek. Jammer. Andere keer maar. Ik ga nu in een donker hoekje romantisch doen met een aanbiddende echtgenoot. Dag!’ Als ze weer tegenover elkaar zitten en Cathy en Willem helemaal achterin de zaak een plaats hebben gekregen, bekent Yvonne: ‘Die zus van jou valt toch best mee. Ik had zo’n grappige opmerking nooit van haar verwacht. Het leek verdraaid wel een vleugje zelfspot.’
‘Ze valt ook best mee. Ze heeft lichte drakentrekjes, maar verder, ach...’ Sanne lacht er vergoelijkend bij. Ze zijn de dessertkaart aan het bestuderen als Yvonne oppert: ‘Nu kunnen we het wel weer even hebben over die Sophie!’ Maar Sanne schudt haar hoofd.
‘Ik heb helemaal geen zin om het over die Sophie te hebben,’ zegt ze. Op dat moment zegt Cathy achter hen: ‘Kijk nu toch eens wat ik van Wim heb gekregen? Kijk dan!’ Ze duwt haar hand met diamanten ring bijna tegen Sannes neus. En meteen voegt ze eraan toe: ‘Wie is eigenlijk Sophie? Ken ik die?’

Sanne en Yvonne bewonderen uitgebreid de ring om Cathy's vinger, maar Cathy is niet van haar vraag af te brengen.
'Ik zie het wel! Je hebt wat te verbergen, hè? Jawel! Beken maar! O, ik weet het al. Is Sophie misschien dat blondje waar ik Rob laatst mee zag bij La Place?'
'Dat moet echt een paar lieve centen gekost hebben,' prijst Yvonne, in een dappere poging alle aandacht weer op Cathy's ring te focussen. Maar zo makkelijk laat Cathy zich niet van haar onderwerp afbrengen, zeker niet nu ze ziet hoe Sanne schrikt.
'Ik zie het aan je! Dit is bingo! Kind, wat erg?! Hoe lang zijn jullie nu getrouwd? Ik zei al tegen Wim, dat ik het helemaal niet vertrouwde, toen ik hem daar zag zitten. Een vrouw voelt dat, nietwaar?' Cathy is inmiddels op de lege stoel naast Yvonne gaan zitten en knikt Sanne bemoedigend toe.
'Ik ben er voor je, hoor. Je stort je hart maar uit. Is die man nu helemaal niet goed snik! Wim zei nog dat hij ook wel eens luncht met iemand en dat dat niks betekent, maar een vrouw voelt dat feilloos aan. Er was daar iets. Een lading, zeg maar. Hij groette wel vriendelijk, maar hij nodigde me bijvoorbeeld ook helemaal niet uit bij hem te komen zitten. En dat zou je toch verwachten, is het niet? Ik ben zijn schoonzusje immers? Dat heb ik ook tegen Wim gezegd, ik zei...' Yvonne onderbreekt haar met: 'Cathy, dit lijkt wel solotoneel. Hou eens even op! Misschien heb je Rob met een collega zien lunchen en hadden ze een zakenbespreking. Natuurlijk nodigt hij je niet uit om daarbij te komen zitten!' Sanne zwijgt nog steeds en staart naar haar zusje. Die schudt haar hoofd en zegt: 'Zakenlunch? Daar hoeft die collega toch zeker zijn hand niet bij vast te houden, of wel? Nee, dat heb ik echt gezien. Ze liet zijn hand los, toen hij iets zei. Maar ze had zijn hand vast. Zeker weten. Dus dat was Sophie?' Nieuwsgierig vragend kijkt ze naar Sanne. Yvonne zegt: 'Hij had een splinter in zijn vinger.'
'Hè? Waar heb je het over?' vraagt Cathy kregelig.
'Rob,' zegt Yvonne. 'Ja, dat kan best. Rob had een splinter in zijn vinger en zijn collega keek eens goed of ze die splinter kon ver-

wijderen. Ze zag dat hij nogal diep zat, zei dus dat ze geen kans zag de splinter eruit te halen en liet zijn hand los. Klaar. Raadsel opgelost.' Halverwege het verhaal van Yvonne gingen Sannes neusvleugels al te trillen en nu barst ze in lachen uit. Yvonne giert meteen met haar mee. Maar Cathy zegt verontwaardigd: 'Jullie maken er maar een grapje van. Nou, ik zou niet zo lachen als mijn man met vreemde vrouwen in een café rondhing!'
'Je zei net nog dat ze bij La Place zaten!' roept Yvonne nu verontwaardigd. 'Nee, bij V&D zit je lekker anoniem! En trouwens, Sophie is een vriendinnetje van Renée en die gedraagt zich zo vreemd dat ik het daar uitgebreid met Sanne over had. Sjonge, jij bent echt een dramaqueen, Cathy!'
'O, ik dacht...' mompelt Cathy bedremmeld.
'Je fantasie gaat af en toe lelijk met je op de loop, zus. Nou, laat me nu die ring eens uitgebreid bekijken. Je moet zo terug, trouwens. Kijk, je echtgenoot staat al ongeduldig naar je te wenken,' wijst Sanne naar Willem die gebaren maakt naar zijn mond. 'Volgens mij moet je rennen. Je eten wordt koud.' Onderwijl bewondert ze de ring van haar zusje.
'Hij is echt prachtig, Cathy. Wat een lieverd is Willem toch.'
'Ik ga gauw. Ja, lief hè? Gelukkig dat ik het mis had met die Sophie. Maar je moet altijd op je hoede blijven. Als je een man niet meer kan boeien, dan gaat hij er vandoor. Neem dat van mij aan. Wij hebben ook wel eens op het randje gebalanceerd. Maar als je veel praat, dan komt het allemaal goed. Dat zie je,' zegt Cathy, terwijl ze tevreden naar haar ring kijkt. Dan gaat ze terug naar haar eigen tafeltje.
'Veel praten. Ja, als het daarop aankomt, is je zuster inderdaad onfeilbaar,' spot Yvonne.
'Maar evengoed zat Rob met een blonde dame in La Place,' mompelt Sanne verdrietig.
Ook al is de rest van de avond hartstikke gezellig, de gedachte aan Rob en de blonde dame in La Place laat Sanne niet met rust.
'Vraag het hem gewoon, hè?' raadt Yvonne haar aan bij het afscheid. 'Anders blijf je ermee rond lopen.'

Maar er gaan dagen voorbij waarin Sanne geen kans ziet Rob te confronteren. Ze verzint honderd manieren om hem te vragen met wie hij daar zat. Was je met Sophie in La Place? Nee. Te direct. Heb je Sophie nog ontmoet? Straks zegt hij nee. Dan weet ik nog niets. Je hebt Cathy nog gezien bij La Place, hè? Dat slaat helemaal nergens op! Heeft Sophie nog contact met je opgenomen? Heb je een blonde collega waarmee je wel eens gaat lunchen? Had je een splinter in je vinger? Jakkes jakkes jakkes! Haar hoofd is geen moment bevrijd van de gedachte dat Rob iets te verbergen heeft. Onderwijl draait het leven door. Ze past op Rinke, werkt op de administratie, staat achter de bar, maakt wandelingen met Hazel, kookt het avondeten, doet de was en strijkt Robs overhemden. Op een ochtend staat ze voor de spiegel, kijkt zichzelf eens goed aan en zegt hardop: 'Ik baal. Ik baal enorm. Ik wil de waarheid. Nu. Vandaag.' Ze slaakt een diepe zucht en vraagt er aarzelend achteraan: 'Maar hoe?'

Een etentje. Een etentje is altijd een goed idee. Stoppen met piekeren, glazen oppoetsen, kaarsen aansteken en dan, op het goede moment, gewoon vragen met wie Rob in La Place zat te lunchen. De hele ochtend duikt Sanne in haar kookboeken, 's middags stroopt ze de winkels in het dorp af en daarna geeft ze al haar aandacht aan het dekken van de tafel. Als Rinke komt aanhuppelen, zet ze net een bloemstukje op tafel van wilde bloemen die ze heeft geplukt toen ze Hazel uitliet.
'Dat is mooi,' bewondert Rinke.
'Maar wel erg levendig,' ziet Sanne, terwijl ze voorzichtig een snuitkevertje van tafel in haar hand veegt.
'Ga je hem doodmaken?' informeert Rinke.
'Nee, ben je mal! Kevertjes zijn vast heel nuttig in de natuur. Al

weet ik niet zo gauw waarvoor. Maar we gaan hem lekker buiten zetten. Bij de bloemen. Ga je mee?'
Rinke knikt en loopt voor Sanne uit om alvast een goede plek te zoeken voor de kever.
'Doe maar hier!' wijst ze. Sanne laat het beestje op een blaadje wandelen en zegt: 'Ziezo. Hier zit heel wat beter dan bij mij op de tafel.'
'Papa maakt beesten altijd dood,' vertelt Rinke ernstig.
'Dat is een gebrek in zijn opvoeding. Daar zal oma eens gauw iets aan doen,' zegt Sanne. 'Spinnen laat hij toch wel leven?'
'Ja, want spinnen eten muggen,' vertelt Rinke.
'Dat is tenminste iets,' concludeert Sanne.
'Ik ga weer,' zegt Rinke.
'Goed hoor meisje. Zeg je papa gedag?'
'En ik zeg het van de kevertjes.'
'En torretjes en andere beesten,' voegt Sanne toe. 'Als jij het hem vertelt, hoef ik het niet meer te doen.'
'Goed.' Rinke knikt nog maar eens serieus en gaat op pad. Sanne kijkt haar vertederd na. Daar loopt een klein mens met een grote boodschap. De boodschap dat je geen kevertjes mag doodmaken. God, wat houd ik van dat kind. Ze blaast eens diep naar de plukken haar op haar voorhoofd en zegt hardop: 'Nu glazen en bestek poetsen.' Onderwijl bedenkt ze de volgorde voor haar dineetje met Rob. Eerst maar eens aan de vispakketjes met tilapiafilet. Die kan ze van tevoren maken. En de tomaten-gembersalsa natuurlijk. Hmmmm. De rucolasalade met groene asperges kan op het laatste moment wel en als de pakketjes in de oven staan, bak ik de krieltjes. Als toetje verse fruitsla van de groenteboer. En mezelf bedwingen om niet eerst alle ananas eruit te pikken. Ze glimlacht en neuriet mee met de radio. Vlak voordat Rob thuis komt, loopt ze nog even een rondje met Hazel en ze geniet van het zachte weer en van de geluiden van kinderen die lachen en spelen bij het zwembad.
Op het zandpad naar het dorp ziet ze juffrouw Schaap aankomen, die met een mand sperziebonen onderweg is naar de camping.

‘Lekker! Voor de keuken?’ groet Sanne. Schaapje knikt. ‘Van de tuin. Rokus heeft ze een halfuur geleden pas geplukt. Verser kan niet. En een soepcourgette. Kijk eens wat een monster!’ Ze heeft haar mand op de grond gezet en laat de courgette zien.
‘Daar kan de hele camping van eten,’ lacht Sanne.
‘Ik heb ook een bos selderie en nog wat peterselie. Steef kan zijn hart ophalen. Alleen de geur al,’ geniet Schaap.
‘Ik loop met u mee terug. Ik heb vanavond een speciaal etentje voorbereid. Heerlijk. Ik loop nu al te genieten,’ vertelt Sanne. Schaapje kijkt haar opmerkzaam aan, maar zegt niets. Zwijgend lopen ze samen naar de camping, af en toe voelt Sanne de natte neus van Hazel tegen haar hand als om haar te laten weten: ‘Ik ben er nog, hoor.’ Als haar huis in zicht komt, verbreekt Schaapje de stilte met: ‘Zo zou het altijd moeten zijn, hè? Zo in evenwicht. Zo lopen genieten van de dag die je zomaar toegeworpen krijgt en waar je iets goeds mee aan het doen bent.’
‘Nou ja, iets goeds?’ weifelt Sanne.
‘Je vindt het te weinig hè?’ vraagt Schaapje. Ze houdt haar pas in en kijkt Sanne aan.
‘Ach, weinig... Niet belangrijk genoeg. Wat heb ik vandaag nou helemaal voor goeds gedaan? Gekookt heb ik. O ja! Ik heb Rinke geleerd dat je kevertjes gewoon buiten moet zetten en dat je ze niet hoeft dood te maken!’ Ze lacht erom.
‘En dat vind jij niet belangrijk? Je had vandaag liever de werking van penicilline ontdekt? Nou lieverd, dat hoeft niet meer hoor. Dat heeft iemand anders al gedaan.’ Schaapje kijkt haar bestraffend aan en zet er de pas weer in. Sanne heeft even moeite om haar bij te houden en als ze het tempo te pakken heeft, zegt ze: ‘Ik vind soms dat ik maar zo’n klein leventje heb. Ik maak niet echt een verschil, toch? Het is niet als met die ontdekker van penicilline. Die heeft heel wat mensenlevens gered.’ Schaapje schudt vermoeid haar hoofd.
‘Niet iedereen kan mensen redden. Maar we kunnen wel allemaal kevers redden. Toch is er een bijzonder mens voor nodig om dat te erkennen.’

‘Dan zetten ze later op mijn grafsteen: “Ze hield van kevers”,’ spot Sanne. Schaapje schraapt geïrriteerd haar keel en klemt haar kaken op elkaar. Nu heb ik haar boos gemaakt, beseft Sanne. Bij het pad waar Schaapje rechtsaf moet, houden ze allebei hun pas in. Schaapje keert zich naar Sanne en zegt: ‘Ik houd juist van je omdát je van kevertjes houdt. En Rob trouwens ook. Dat vergeet je iedere keer maar weer. Maar dat zou je juist vanavond goed moeten onthouden. Dag Sanne!’ Ze marcheert het zijpad op en laat Sanne verbijsterd achter.

Rob ziet er moe uit, als hij met een klap zijn koffertje op tafel zet. Maar Sanne ziet zijn ogen oplichten als hij de tafel ziet.
‘Zo,’ zegt hij. ‘Speciale avond?’ Hij slaat zijn armen om haar heen en wiegt langzaam met haar heen en weer in de keuken.
‘Diner bij kaarslicht,’ lacht Sanne.
‘Dan ga ik eerst even makkelijke kleren aantrekken,’ besluit hij.
‘Schenk ik alvast de wijn in,’ belooft Sanne. Even later zitten ze tegenover elkaar aan tafel. Ze toosten en luisteren naar de glazen die nazingen.
‘Hè, wat lekker,’ geniet Rob.
‘Die salsa is fantastisch,’ zegt Sanne tevreden.
‘Je raadt nooit wat we vandaag hebben meegemaakt. Komt er een sollicitant voor die functie op binnen/buitenland, je weet wel, voor Verhoeven in de plaats, en die kerel is stomdronken! Ik zag hem binnen komen en heb Patricia van de balie nog gevraagd waarom ze die vent in vredesnaam had binnen gelaten, dus die vertelde al in een lachstuip dat de man kwam solliciteren! Had je Peter moeten zien! Stoom uit zijn oren! Die zat met iemand van personeelszaken, met de chef van binnen/buitenland, met Verhoeven die graag wil meebeslissen over zijn beoogde opvolger en dan hijzelf nog, de hoofdredacteur! Moet je

optellen wat die mensen in zo'n half uur kosten! Peter had hem meteen een doosje pepermuntjes toegeschoven, want zijn kegel was niet te harden!' Rob vertelt het hele verhaal in geuren en kleuren.
'Zijn cv was trouwens fantastisch. Tot en met een correspondentschap in Washington én in Moskou! Er zal wel niks van geklopt hebben. Ongelooflijk toch? Wat zou zo iemand bezielen?'
'Misschien moest ie solliciteren? Van het CWI?' oppert Sanne.
'Geen idee. Ik heb meteen aangeboden om zijn cv te checken. Stiknieuwsgierig ben ik. Je bent een journalist of niet, toch? Maar Peter wilde er niks van weten. Die is nog steeds razend!' Rob veegt een lachtraan uit zijn ooghoeken. 'En jij? Heb jij nog wat meegemaakt?' Ze haalt haar schouders op en wil al zeggen: 'Nee. Niks.' Tot ze opeens aan Schaapje denkt. Ze begint te vertellen over het bloemstukje en het kevertje dat eruit kwam scharrelen.
'Rinke wandelde zo prachtig weg, vastberaden om haar vader eens te wijzen op het nut van alle kevertjes en torretjes. Ik keek haar na en besefte maar weer eens hoe dol ik ben op dat kind,' vertelt Sanne. Rob kijkt haar vertederd aan.
'Weet je,' zegt hij. 'Ik ben zo dol op je als je dit soort verhalen vertelt. Dat vind ik zo lief, zo heerlijk.' Hij neemt genietend nog een hapje van zijn vis en heft zijn glas.
'Wat een heerlijke avond,' zegt hij warm. Schaapje had gelijk, bedenkt Sanne. Kevertjes zijn wel belangrijk. Hartstikke belangrijk zelfs. Ik mag haar wel eens bedanken voor dit inzicht. En verzoend met alles zegt ze: 'Cathy had je laatst nog gezien in La Place, vertelde ze.'
'Ja! Dat is waar! Dat heb ik je nog helemaal niet verteld. Maar ik had ook echt geen tijd voor haar. Ik zat met een vrouw aan tafel voor dat verhaal over blijf-van-mijn-lijfhuizen. Dus ik heb haar eigenlijk een beetje onaardig gedag gezegd, uit angst dat ze bij ons zou komen zitten. Dan had ik haar misschien moeten uitleggen wie die vrouw was. Je kent je zus. Die dramt net zo lang door tot ze alles weet. En het had me al zoveel moeite gekost om iemand te spreken te krijgen. De organisatie is heel voorzichtig

geworden, sinds die vrouw vermoord is door haar echtgenoot, vrijwel op de stoep van zo'n huis. Het is echt moeilijk om zo'n adres geheim te houden,' vertelt Rob. En al die tijd denkt Sanne: Wat ben ik een achterdochtig akelig mens geweest! Almaar lopen denken dat Rob iets stiekems aan de hand had en dat die blonde vrouw ongetwijfeld Sophie geweest moet zijn. Bah, wat een sufferd ben ik toch. Ik heb dagen lopen verknallen voor mezelf, terwijl er helemaal niets aan de hand was. Ze ziet zichzelf, nu het langzaam donker begint te worden, weerspiegeld in de ruiten. Ik ben mooi, ziet ze. Ik mag best trots zijn op mezelf. Rob kijkt haar aan en zegt: 'Je gloeit helemaal in dat kaarslicht. Wat ben je toch een mooie vrouw. Er komt nog eens een dag dat ik niet meer naast je mag lopen. Dat ik eerbiedig op drie passen afstand moet blijven!' Ze lacht hem toe en zegt: 'Mallerd.'
'O ja! Dat moet ik je ook nog vertellen!' roept Rob. Er volgt een nieuw verhaal over een collega die van de apotheek verkeerde zalf had meegekregen en nu thuis zat met een raadselachtige uitslag.
'Stuurt ie een foto op via de mail! Dus die hebben ze bij systeembeheer meteen de volgende dag op alle computers gezet! Je had ze die ochtend moeten horen. We hebben zo gelachen!' Rob zit helemaal op zijn praatstoel en Sanne bedenkt dat ze eigenlijk nu wel gewoon kan vragen naar Sophie. Net als ze hem wil vragen of Sophie nog contact met hem heeft gezocht, zegt hij: 'En weet je wat ik vanavond helemaal zo heerlijk vind? Dat je niet over Sophie bent begonnen. Daar ben ik zo blij mee. Daarom ga ik je nu vertellen wat er afgelopen tijd is gebeurd. Ik durfde dat eerst helemaal niet. Ik heb geen idee of je er nog over liep te tobben. Maar nu, nu is alles goed. Nu kan ik je alles wel vertellen, toch?' Rob kijkt Sanne vragend aan. 'Want er is een heleboel gebeurd,' voegt hij er met een zucht aan toe.

Rob kijkt haar ernstig aan en Sanne wacht gespannen af. Wat is er allemaal gebeurd met Sophie? Rob haalt diep adem en herhaalt nog een keer: 'Nu kan ik je alles vertellen. Toch?' Hij knikt langzaam en Sanne houdt haar adem in. Er valt een stilte. Toe dan, denkt Sanne. Schiet op! Maar ze zwijgt en wacht af. Dit is typisch Rob, bedenkt ze meteen. Ik moet ook niet ongeduldig worden als hij het verhaal zo ongeveer bij de schepping begint en via de zondeval en de verbanning uit het paradijs eeuwen later uitkomt bij het onderdeel waar het werkelijk om gaat. Laat hem maar in zijn eigen tempo vertellen. Niet opjagen. Niet zeuren.
'Zoals je weet hebben Sophie en ik...' begint Rob. Daar gaat ie al, denkt Sanne. Maak je borst maar nat voor een lange inleiding. Och Heer, geef ons geduld. Ze betrapt zich er pas op dat ze met haar nagels tegen haar glas trommelt, als Rob daar even verstoord naar kijkt.
'Het heeft niet eens zo lang geduurd,' vertelt Rob.
'Je hoeft niet in details te treden, hoor,' maant Sanne, maar ze lacht hem zo vriendelijk toe dat hij het wel moet opvatten als een bemoediging om nare herinneringen over te slaan. Hij zucht nog een keer heel diep en zegt dan: 'Van de week belde Sophie dat ze me wil spreken. Niet via de telefoon, zoals ik haar voorstelde. Ze was na twee zinnen al in tranen en vertelde me hoeveel gevoelens er losgemaakt waren door ons weerzien. Ze zei dat ze vastbesloten was geweest me nooit meer in haar leven toe te laten vanwege een heel duidelijke reden. Maar nu had ze zich bedacht. Nu wil ze me zien. En ze klonk zo dwingend, dat ik niet meer weet of het goed is dit gesprek te vermijden. Ik heb haar gezegd dat ik erover zal nadenken. Ik wil het ook met jou bespreken. Zal ik met haar gaan praten? Wat vind jij?' Hij kijkt haar onzeker aan en Sanne haalt opgelucht adem. Dus hij heeft haar nog niet gezien! Terwijl zij al die tijd bang is geweest dat ze elkaar heimelijk ontmoetten!
'Natuurlijk moet je dat doen. En dan meteen duidelijk voor de laatste keer. Logisch toch?' antwoordt Sanne vol overtuiging.
'Ik ben zo blij dat je zo reageert,' zegt Rob opgelucht. 'Want ik

wilde het niet zonder overleg doen. Niet stiekem, achter je rug om. Maar ik voel wel dat het beter is dat ik haar nog een keer ontmoet. Ik vind het fantastisch dat je zo reageert.' Hij kijkt haar vol bewondering aan.
'Ik heb een groot hart, maar ook een helder verstand. Ik ga gewoon met je mee,' zegt Sanne. Rob bevriest even.
'Mee?'
'Ja. Mee. Maak maar een afspraak. Dan is het maar meteen helder,' knikt Sanne.
'Maar ik kan toch nooit in vertrouwen met Sophie praten als jij erbij zit?' vraagt Rob, totaal perplex.
'Waarom niet? Je hebt toch niets te verbergen? Nou dan!' Sanne leunt achterover, totaal tevreden over deze oplossing.
'Het lijkt me zo'n rare toestand worden. Sophie klapt natuurlijk meteen dicht en vindt dan dat we niet echt kunnen praten en dan ben ik nog niet van dit gelazer af,' werpt Rob tegen.
'Dan ga ik in een hoekje zitten. Ergens waar ze me prima kan zien, maar waar ik haar niet kan horen. En dan zeg jij haar maar dat we afgesproken hebben om na het gesprek nog ergens naar toe te gaan of zo. Dan voelt ze meteen dat jij helemaal voor mij kiest en dat er tussen jullie niks is,' ratelt Sanne. Ze raakt steeds meer overtuigd van de juistheid van haar voorstel. Natuurlijk laat ze die twee niet alleen ergens gaan zitten drinken en eten. Zo wordt het straks nog een gezellig uitje en dan halen ze mooie herinneringen op en vervolgens... Nee, ze gaat mooi mee. Klaar uit. Ze kijkt Rob uitdagend aan. Maar ze schrikt van de blik die ze terugkrijgt. Hij ziet er oprecht gekwetst uit en zegt: 'Sanne, ik ga geen afspraak maken met Sophie als jij me niet vertrouwt. Dan bel ik haar wel en zeg haar dat ik haar absoluut niet meer wil zien en ook niet meer met haar wil praten. Want dat je mee wil, dat is gewoon omdat je als de dood bent dat ik iets stoms zal doen. En ik heb dit juist aangekaart om je te laten zien dat ik open en eerlijk tegen je wil zijn. Dan moet je me dat beetje vertrouwen ook kunnen geven. Als ik met Sophie ga praten, ga ik alleen. Niet met jou als een soort engel der wrake op de achter-

grond. Dat is echt niet nodig. Sophie zal uit mijn woorden wel begrijpen dat mijn loyaliteit onvoorwaardelijk bij jou ligt. Daar is zo'n demonstratie echt niet voor nodig.' Hij legt zijn mes neer, waar hij tijdens zijn laatste woorden ruitjes mee maakte in het tafelkleed, vouwt zijn handen ineen en buigt naar voren, steunend op zijn ellebogen. Dan zegt hij: 'Sanne. Ik hou van je. Jij houdt van mij. Dat is onze basis. Daar moet je niet aan twijfelen.' Ze voelt hoe de tranen in haar ogen springen. Wat net nog een prima plan leek, is ineens een motie van wantrouwen geworden.
'O, verdorie,' zegt ze, 'je hebt gelijk. Natuurlijk heb je gelijk.' Ze likt een traan weg die langs haar neus glijdt. Rob lacht en wrijft met zijn wijsvinger over het tranenspoor.
'Malloot,' zegt hij. Dan staat hij op en zegt: 'Ik maak meteen een afspraak met Sophie.'

Terwijl Rob met zijn agenda bij de telefoon staat, ruimt Sanne de tafel af. Ze probeert zo weinig mogelijk lawaai te maken, want ze wil absoluut verstaan wat Rob afspreekt. Alsof hij het niet aan je vertelt, bedenkt ze met de nodige zelfkritiek. Maar toch, ze kan zich niet bedwingen. Ze hoort hoe hij afspreekt in een trendy café, met zo'n interieur dat haar altijd doet denken aan een woonkamer met designmeubelen. Ergens geeft die keuze haar een gevoel van rust. Als hij een bruine kroeg had gekozen, had ik het erger gevonden, beseft ze. Want een bruin café, dat is voor ons. Een tafeltje met een Perzisch kleedje en allemaal rommel aan de muren en aan het plafond, en dan zo'n gezellige kastelein of een moederlijke barmevrouw, hmmmmm, en gouwe ouwe nummers in de jukebox...
'Tot dan,' zegt Rob en meteen hangt hij op. Vragend kijkt ze hem aan.
'Volgende week woensdag om vijf uur. Dan stop ik even eerder

op de krant en ga ik er meteen naar toe,' zegt hij. Hij glimlacht. 'Weet je trouwens hoe die tent tegenwoordig heet? Februari! Malle naam hè? Sophie zei: "Tot in Februari dan maar." Grappig toch?'
Nou, reuze komisch van Sophie, denkt Sanne, terwijl ze een vage glimlach produceert.
'Kunnen we misschien wel iets aardigs mee doen: een verhaal over kroegen met grappige namen. Of bedrijven met een toepasselijke naam. Of juist niet. Ik heb ooit gehoord over een houthandel, waarvan de eigenaar 'Rot' heette. Rothout. Komisch hè? Toch eens nakijken of daar meer voorbeelden van te vinden zijn,' zegt Rob. Sanne lacht nu voluit. Hij is alweer met zijn werk bezig, beseft ze. Hij denkt al niet meer aan de afspraak.
'Koffie?' vraagt ze. Rob knikt.
'Wat een heerlijke avond, al met al,' zegt hij even later, als ze samen buiten zitten met een kop koffie. Hazel ligt met haar kop op zijn voeten en kwispelt als hij haar even achter haar oren kriebelt.
'Heerlijk,' geniet Sanne oprecht mee.
Maar ondanks alle vertrouwen hangt de afspraak van Rob als een zwaard van Damocles boven haar hoofd. Geen moment is het echt uit haar gedachten en als Yvonne haar een paar dagen later opbelt, kan ze haar mond niet houden.
'Rob heeft nu een afspraak met Sophie,' flapt ze eruit en als Yvonne meteen roept dat ze dat toch wel een riskante onderneming vindt, legt Sanne de hele situatie uitgebreid uit.
'Mijn grootmoeder zou zeggen dat je de kat niet op het spek moet binden,' waarschuwt Yvonne. Dus vertelt Sanne ook over haar aanvankelijke voornemen om mee te gaan.
'Natuurlijk!' jubelt haar vriendin meteen. 'Dat is het! We gaan samen! Je weet hoe laat. Je weet waar. Dus, wat let ons?'
'Nee, gek! Dat ziet ie toch meteen! Ik ga hem daar niet stiekem zitten te bespioneren, hoor,' zegt Sanne verschrikt.
'Maar ik heb een plan. Een fantastisch plan. We gaan in een boerka!' oppert Yvonne opgewonden.
'Je bent mal,' lacht Sanne.

‘Nee, luister nou! We gaan volledig gesluierd. Dan kan toch best? Niemand die ons herkent. Briljant! Dat ben ik!’
‘Je bent gestoord. Hoeveel orthodox islamitische vrouwen gaan er doorgaans compleet gesluierd naar een café? Volgens mij mogen ze dat niet eens!’ Maar Yvonne is niet te houden.
‘Als je niet mee wilt, dan ga ik alleen! Het is te leuk om niet te proberen. Echt waar. Om vijf uur, zei je toch?’
‘Ik wou dat ik je niks had verteld,’ verzucht Sanne.
‘Ik kan ook als man. Met een snor. Of zoiets. Want die boerka is inderdaad geen goed idee in een café. Je hebt ook een chador. Is dat nou met zo’n luikje? Weet jij dat?’ Yvonne fantaseert maar door en Sanne zegt vermoeid: ‘Weet ik niet, hoor. Yvon, hou nou eens op met die onzin. Rob gaat erheen, komt terug en vertelt vervolgens aan mij hoe of wat. Klaar. Einde verhaal.’
‘Net klonk je nog heel wat minder zeker van je zaak,’ werpt Yvonne tegen.
‘Ik weet het. Ik moet dat eens afleren,’ verzucht Sanne.
‘Nou, als je het woensdag niet meer kunt harden, dan bel je maar weer,’ biedt Yvonne grootmoedig aan. ‘Of ik ga wel even om een hoekje kijken, als je dat wilt. Ik woon er toch vlak bij!’
Als het eindelijk woensdag vijf uur is, kijkt Sanne om de vijf minuten op de klok. Om zes uur bedenkt ze dat ze er goud voor over zou hebben, als ze nu een blik zou mogen werpen in Februari om Sophie en Rob te zien zitten. Om zeven uur aarzelt ze. Zal ze Yvonne bellen?
‘Hazel, ga je mee?’ De labrador staat meteen kwispelend bij de deur en samen lopen ze naar buiten. Nu nergens aan denken. Gewoon een eind wandelen. Het is nog zo lekker licht. Heerlijk, zo’n zomeravond. Ze stapt stevig door. Hazel, die regelmatig uitgebreid staat te snuffelen, moet af en toe een sprint trekken om haar weer in te halen. Als ze vleermuizen ziet, stopt ze even om naar de lucht te kijken. Af en toe scheert er een vleermuis langs, slaat een snelle hoek en suist weer in een andere richting. ‘Prachtig,’ fluistert ze vol bewondering. In de verte klinkt de roep van een uil. Als ze om negen uur thuiskomt, ziet ze meteen

dat Rob er nog niet is. Om tien uur begint ze ongerust te rekenen. Hoe lang zou dat gesprek moeten duren? Toch geen uren? Om halfelf vraagt ze hardop voor de spiegel: ‘Waar zou ik een boerka kunnen kopen?’ en om elf uur slaat de volledige paniek toe.

Als ze om halftwaalf Hazel uitlaat, is Rob nog steeds niet thuis. Ze loopt naar de weg, in de hoop zijn auto te zien aankomen, want er is nauwelijks verkeer. Op de camping klinken uitgelaten stemmen van vakantiegangers die nog laat genieten van de zachte zomeravond. In de kantine is het druk en ze ziet door het raam dat Wichard achter de bar staat te lachen met een aantal gasten. Een kampeerder passeert haar met zijn hond, een speelse boxer die het niet kan laten om naar de veters te duiken van iedereen die hem voorbijloopt of -fietst.
‘Wat een mooie avond,’ groet hij.
‘Nou,’ beaamt Sanne.
‘We hebben zo’n heerlijke dag gehad, vandaag. We hebben een lange wandeling gemaakt naar het meer. Prachtig is het daar. En weinig mensen. Lekker hoor. Ik moet er niet aan denken om naar zo’n reservaat te gaan in Turkije of Egypte of zo. En dan de hele dag met een gekleurd polsbandje om in de rij staan voor je eten en drinken. Vreselijk,’ babbelt de man.
‘Ja. Dat lijkt mij ook niks,’ zegt Sanne.
‘Mijn zwager heeft het laatst gedaan. Hij kwam met een darminfectie thuis. En zijn vrouw zat onder de jeukbultjes. Allergische reactie, schijnt het. Die warmte is niet goed voor een mens, hè?’
‘Nee, dat denk ik ook niet.’ Sanne aait de boxer in de wetenschap dat ze toch voorlopig niet met goed fatsoen kan doorlopen.
‘De mensen hebben geen idee hoe prachtig hun eigen land is. Je

moet het weer mee hebben. Natuurlijk, dat is zo. Maar dat is overal zo. En de laatste tijd mogen we toch helemaal niet klagen over onze zomers. Toch?' De man kijkt haar vol verwachting aan.
'Voor al dat mooie groen moet je ook wel een paar buitjes overhebben,' knikt Sanne.
'Dat vind ik nou ook. Mijn Mien heeft een hekel aan regen. Maar ik zeg altijd, kind, als het nooit regent, zitten we hier binnen de kortste keren in een woestijn. Zo werkt dat. Ja, zo is het toch?' Hij staat nu vlak voor haar en hij ziet eruit alsof hij van plan is om alle meteorologische gegevens van de laatste twintig jaar uitgebreid met haar door te nemen. Maar dan ziet Sanne de koplampen van Robs auto.
'Doet u de groeten aan uw vrouw?' vraagt ze gehaast. En verontschuldigend: 'Ik zie net mijn man aankomen! Kom Hazel.' Ze arriveert op het parkeerterrein, net op het moment dat Rob uit de auto stapt.
'Lieverd, wat ben je laat!' zegt ze ongerust. Hij kijkt haar verdrietig aan.
'Het is zo ellendig,' zegt hij triest.
'Wat? Wat is ellendig?' vraagt Sanne.
'Uw vrouw huppelde meteen naar u toe,' knikt de man met de boxer die achter Sanne aangelopen is. 'Wat een enthousiast welkom, hè?'
'Ja, inderdaad,' zegt Rob vriendelijk.
'Ik zeg altijd maar: Als de vrouw nog zo op de man afhuppelt, is er niks mis met het huwelijk,' lacht de man.
'Nee, nee,' lacht Rob mee.
'Ja, ik stond net nog met haar te praten, maar ineens was ze weg! Ze hoorde de auto, natuurlijk, hè.' De man emmert maar door en Sanne wipt ongeduldig van haar ene been op haar andere. Ga weg, man! Hou je mond en loop door. Wat was er ellendig? Wat?
'En ze blijft maar huppelen,' wijst de man nu.
'Dat komt omdat ik zo nodig naar de wc moet,' zegt Sanne impulsief. En naar Rob: 'Ik ga rennen. Ren je mee?'

'Meteen,' glimlacht Rob.
'Dag!' groet Sanne en ze zet het op een lopen. Hazel wordt helemaal opgewonden van deze plotselinge renpartij en springt enthousiast om haar heen.
'Die moet nodig!' grapt de man Rob nog na. Maar die zegt niks meer terug. Hij rent achter Sanne aan met zijn koffertje in z'n hand. Pas halverwege het grote kampeerveld houdt Sanne haar pas in en samen staan ze uit te hijgen in het donker.
'Wat ging jij hard,' steunt Rob vol bewondering.
'Ik wist niet dat ik het in me had,' beaamt Sanne. 'Maar ik wilde koste wat kost van die ouwe Neel af.' Rob schiet in de lach en zegt: 'Net zat ik nog helemaal stuk na alles wat er vanavond is gebeurd en nu sta ik alweer te lachen.' Hij slaat zijn armen om Sanne heen en kreunt: 'Wat houd ik toch van je.' Even staan ze samen stil tegen elkaar aan geleund midden op het kampeerveld. Dan zegt Rob: 'Kom. Thuis zal ik je alles vertellen.' Gearmd lopen ze naar huis met Hazel tussen hen in.
Pas als ze samen op de bank zitten met een glas rode wijn begint Rob wat te ontspannen.
'Het was echt een drama,' zegt hij hoofdschuddend.
'Vertel.' Sanne vouwt haar benen onder zich en kijkt hem uitnodigend aan.
'Het is allemaal zo ingewikkeld.' Hij staart langs haar heen en lijkt te proberen alle woorden op een rijtje te krijgen. Als het lang duurt, zegt Sanne: 'Anders vertel je gewoon de kern van het hele verhaal. Gooi het er gewoon uit. Dan kun je later de details wel aanvullen.' Hij knikt bedachtzaam en zegt dan plompverloren: 'Ik heb een kind. Een zoon. Bijna drie jaar oud. Dat zegt Sophie tenminste. Echt heel verwarrend allemaal. Ze wilde het eerst niet zeggen. Maar uiteindelijk moest ze het wel vertellen. Ik ben daar heel erg van in de war.' Sanne kijkt hem verbijsterd aan.
'Een zoon?' Ze herinnert zich heel helder wat Sophie zei in Griekenland. Over haar klok. De biologische klok. Tiktik. En nu zegt ze dat ze al een kind heeft? Wat raar!

Een zoon. Van Rob. Sanne zit even als bevroren op de bank. Rob heeft zijn handen voor zijn gezicht geslagen en steunt zacht. Als ze zijn houding ziet, denkt ze vrijwel onmiddellijk: Is dat nou zó erg? Een kind. Goed dat dat kind nu zijn vader leert kennen. Rob weet zelf hoe belangrijk dat is. En uiteindelijk heeft zij ook Theo, de dochter van Frank, volledig in haar hart gesloten en heeft ze nog steeds van tijd tot tijd contact met haar. Dus zegt ze hardop tegen Rob: 'Dat is toch niet het einde van de wereld? Wie weet wat een leuk contact je met hem krijgt. Ik zou er maar niet zo over inzitten, als ik jou was. Accepteer het met liefde. Dat is de enige juiste manier, denk ik.' Rob steunt en zegt: 'Dat had ik ook al bedacht. Maar Sophie wilde eigenlijk niet eens vertellen van het kind. En ze wil absoluut niet dat ik contact met hem krijg. Ik weet verdomme zijn naam niet eens!' Hij slaat hard met zijn vuist op de salontafel.

'Sophie wilde het eigenlijk niet vertellen? Kom nou! Zij wilde toch met je praten? Wat een flauwekul,' kritiseert Sanne.

'Nee, echt,' werpt Rob tegen. 'Ze versprak zich op een gegeven moment. Ze zei dat er iets was waardoor ze me nooit kan vergeten en daarop heb ik doorgevraagd. Ze was helemaal niet van plan om mij over de jongen te vertellen.' Sanne trekt een smalend gezicht.

'Dat is geen verspreking, Rob. Dat is meer aas dat je uitgooit om de vis aan de haak te slaan. Zo werkt dat. Ze gooit iets uit om iemand te laten happen. En jij hapte. Dit is echt onzin. Mevrouw speelt een spelletje en jij bent de pion.' Sanne kijkt hem hoofdschuddend aan. Kan iemand zo naïef zijn? Maar Rob houdt vol.

'Ik ben journalist, Sanne. Ik ben opgeleid om op zulke dingen te letten en ik heb doorgeprikt. Ze wilde het niet prijsgeven, maar uiteindelijk vertelde ze me alles. In tranen. Ze was heel erg van streek en wil me absoluut niet meer zien uit angst om het kind

met mij te moeten delen. Terwijl ik vind dat die jongen recht heeft op zijn vader.' Hij zucht alweer en schudt moedeloos zijn hoofd.
'Ze moet maar solliciteren bij Goede Tijden, Slechte Tijden. Rob, denk eens nuchter na,' pleit Sanne.
'Jij accepteert het kind niet. Dat is het,' concludeert Rob. Nu voelt Sanne woede opkomen.
'Luister naar me. Ik accepteer ieder kind dat op mijn pad komt. Zeker als dat een kind van jou is. Maar ik wil dat je heel kritisch nadenkt of Sophie wel deugt. Of die niet hard bezig is jou te manipuleren. Weet je, als ze binnen een week belt of mailt of sms't dan heb je het bewijs. Ik durf er ik weet niet wat onder te wedden. Ik eet mijn trouwhoed op als ze niks meer van zich laat horen. Nee echt, ik maak geen grapjes!' Ze kijkt hem heel ernstig aan en hij glimlacht.
'Dat is een heel grote hoed,' zegt hij.
'Ja. Ik weet dit zó zeker. Binnen een week zit ze weer op je nek. Dit is echt een spelletje. Wacht maar af.'
'Ik wacht af,' besluit Rob.
Als Sanne even later in de badkamer haar tanden staat te poetsen, bedenkt ze plotseling: 'Misschien is er helemaal geen kind!' Ze houdt even haar borstel stil en kijkt zichzelf aandachtig aan. Geen kind? Nee. Dat zou heel goed kunnen. Als je wel een kind hebt, dan gebruik je dat niet zo. Stel dat je een kind hebt. En je wilt niet dat dat kind contact heeft met zijn vader. Die vader weet van niks. Zou je dan ooit contact zoeken? Al loop je hem tegen het lijf? Al houd je nog van die man? Nee, natuurlijk niet. Dan ontwijk je hem. Wanneer zoek je wel contact? Als je hem terug wilt. Natuurlijk. Sophie wil hem terug. Een gezinnetje vormen met het kind als inzet. Of ze wil hem kwetsen. Dat kan ook. Jij hebt een kind en je mag hem lekker niet zien. Terwijl ik weet hoe belangrijk je dat zelf vind. Als er een kind is...
'Rob, heb jij Sophie verteld over je vader?' vraagt ze aan Rob, die al in bed ligt. Ze hoort hoe hij zijn boek dichtklapt en op het nachtkastje legt. Dan pas antwoordt hij: 'Ja. Kort. Hoezo?'

‘Voor of nadat Sophie vertelde over haar zoon?’ Sanne spoelt haar borstel uit en wacht af.
‘Ver ervoor,’ zegt Rob. ‘Toen dat onderwerp eenmaal ter sprake is gekomen, ging het nergens anders meer over. Maar hoezo?’
‘Nee, gewoon. Ik moet er nog langer over nadenken. Denk je dat je kan slapen?’ Rob knikt en trekt haar naar zich toe. Ze kust hem op zijn neus en op zijn mond en zegt: ‘Niet piekeren, hè?’
‘Ik ben veel te moe,’ geeft Rob toe. ‘Zo gauw ik mijn ogen dichtdoe, ben ik weg.’
‘Welterusten,’ zegt Sanne. Ze laat zich naar haar kant van het bed rollen en voelt nog even de hand van Rob op haar heup.
‘Slaap lekker,’ zegt hij. Bijna meteen daarna hoort ze aan zijn diepe ademhaling dat hij slaapt.
Sanne ligt op haar rug en staart in het donker. Ze denkt: Dus zo gauw Sophie hoorde hoe belangrijk het voor Rob was om zijn vader op te sporen, had ze ineens een zoon... Ik moet maar eens op zoek naar Sophie. Dat lijkt me een verstandig idee.

‘Ik moet eens met je praten, mam,’ zei Wichard bedachtzaam, toen ze Rinke ophaalde voor een wandeling.
‘Het is druk, hè? Je ziet er moe uit,’ merkte Sanne bezorgd op.
‘Alles is volgeboekt. Daar gaat het eigenlijk ook om. Het wordt te veel werk voor mij alleen. Ik moet er iemand bij hebben en dat wil ik niet buiten jou om doen.’ Hij staart de camping over, zijn ogen half dichtgeknepen voor de felle zon. Overal om hen heen klinken de geluiden van de vakantie: lachende kinderen, geschreeuw en geroep bij het zwembad. Daarachter heerst relatieve rust, daar zitten mensen voor hun tent, hun caravan of hun huisje te lezen of te praten. Topdrukte voor de camping en topdrukte voor Wichard.
‘Denk je aan een hele baan erbij?’ vraagt Sanne. Wichard schudt

zijn hoofd. 'Dat kan niet op jaarbasis. Ik denk aan een tweede man op contract. Alleen voor het hoogseizoen en deels voor de planning van het komende jaar. We moeten blijven groeien en ik heb wel plannen, maar geen tijd om ze uit te werken.'
'Maar waar haal je zo iemand vandaan?' vraagt Sanne zich hardop af.
'Ik heb vanavond een gesprek. Er staat een stel op de camping en daar heb ik al een paar keer leuk contact mee gehad. Hij is een heel speciaal type en ik denk dat hij dit wel een leuk project vindt om erbij te doen. Kom er vanavond bij zitten. Ik ben benieuwd wat jij ervan vindt. Om een uur of acht. In de kantine. Red je dat?' Wichard kijkt haar vragend aan en ze ziet aan de wallen onder zijn ogen hoe verschrikkelijk moe hij is.
'Ik zal er zijn,' belooft ze. 'Ga jij dan nog even naar bed? Een middagdutje kan er toch wel af, nu je zulke lange dagen maakt?'
Hij schudt vermoeid zijn hoofd.
'Ik moet de voorraad even nalopen en nieuwe bestellingen doorgeven met Steef. Misschien kan ik vanavond op tijd onder de wol. Tot vanavond, mam.' Ze staat hem nog steeds na te kijken, als Rinke ongeduldig aan haar hand trekt.
'Oma, kom nou! We gaan Hazel ophalen en dan gaan we wandelen, hè? Gaan we bosbessen plukken?'
'Goed hoor. Als er nog wat staat. Dan kunnen we jam maken. Voor in de yoghurt,' belooft Sanne.
'Ja, leuk! Kom!'
De middag gaat heel snel om en als Rob thuiskomt, eten ze met z'n drietjes. Rinke babbelt heel wat af aan tafel en Sanne bedenkt dat ze door die kleine drukke dame al een tijd lang niet heeft gedacht aan Sophie en het vermeende kind, zoals ze het in gedachten betitelt. Als Rinke eindelijk haar mond houdt en de yoghurt naar binnen lepelt met het zielige beetje bosbessengelei dat Sanne heeft weten te maken van de paar bessen die ze konden vinden, zegt Rob: 'Je had gelijk, trouwens. Die hoed hoef je niet op te eten.'
'Dus ze heeft...?' vraagt Sanne.

‘Ja. Ze belde vandaag. Ze vindt dat we op een rare manier uit elkaar zijn gegaan en heeft daar toch nog wat aan toe te voegen, zei ze.’
‘Juist. En?’ Sanne kijkt Rob vragend aan en doet een manhaftige poging om haar gezicht verder op de neutrale stand te zetten. Niet triomfantelijk kijken omdat je het bij het juiste eind had, niet doen. En ook niet geërgerd, omdat je die nieuwe ontmoeting helemaal niet ziet zitten. Neutraal, Sanne. Aan het gezicht van Rob ziet ze dat ze er wonderwel in slaagt, want hij zegt berustend: ‘Ik heb toegestemd in een afspraak. Weet je, ik moet zeker weten of het mijn kind is. Mijn zoon. Ik kan niet anders.’ Hij haalt machteloos zijn schouders op en Sanne denkt: Je slaat een stapje over. Misschien is er helemaal geen kind. Maar ze zegt niets, want Rinke kijkt op en vraagt: ‘Heb jij een kindje, oom Rob?’ Sanne vertrekt geërgerd haar mond om Robs loslippigheid en zegt: ‘Nee, oom Rob is bezig met een verhaal over kinderen. Maar dat is nog een beetje te ingewikkeld voor kleine prinsessen. Kom, lieverd, heb je je toetje op? En heb je oom Rob al verteld waar die heerlijke bosbessengelei vandaan komt?’ Dat helpt meteen. Rinke barst los in een uitvoerige beschrijving van zoek-, pluk-, en kookpartij en Sanne heeft alle tijd om haar gedachten te laten gaan tijdens het afruimen. Als ze de laatste pan in de vaatwasser zet, trekt ze de conclusie: zo snel mogelijk op zoek naar het adres van Sophie en dan maar eens rechercheren. Ik vraag Yvonne wel om hulp, besluit ze. Maar dan is het de hoogste tijd om naar de kantine van Het Raetsel te gaan voor de afspraak met Wichard.
‘Oma, mag ik hier slapen?’ vraagt Rinke.
‘Tuurlijk pop,’ zegt Sanne meteen. ‘Dan brengt Rob je lekker naar je bedje. Ik moet nu weg, dan zal ik meteen tegen papa zeggen dat je hier blijft. Goed?’ En tegen Rob: ‘We hebben het er nog wel over. Niet piekeren, hè?’ Hij schudt zijn hoofd en lacht. ‘Ik heb hier afleiding genoeg,’ zegt hij, en hij wijst op Rinke die nu op haar knietjes naast de hondenmand zit en met haar armen om Hazels nek roept: ‘Jij bent toch zóóó’n lieve hond! De ààállerliefste van de hele wereld.’

Morgen Yvonne bellen, neemt ze zich voor, als ze Rob en Rinke een kus geeft en naar de deur loopt. Of Daan en Abel misschien? Die belden nog om haar te zeggen dat ze thuis zouden zijn in de vakantie vanwege een totale opknapbeurt van hun flat. Misschien moet ze daar maar eens langs?

Als Sanne de deur van het restaurant opent, komt het gebabbel en de gezelligheid haar tegemoet. Alle tafels zijn bezet met gasten die genieten van de kookkunst van Steef Patrijs, die inmiddels zo vaardig is geworden in de keuken dat het restaurant ook buiten het seizoen in de weekenden is geopend en druk bezocht wordt. Wichard staat bij de bar en kijkt toe. Twee meisjes uit het dorp staan in de bediening en de bar wordt bemand door de zoon van de slager, die in de stad een horecaopleiding volgt en nu in dit vakantiebaantje zijn plekje helemaal gevonden heeft.
'Ga maar weg,' knikt hij tegen Wichard die hem tot dan toe steeds geholpen heeft. 'Ik red het best en anders weet ik u wel te vinden.' Wichard knikt hem dankbaar toe en zegt tegen Sanne: 'Kom mam, dan stel ik je voor aan de man waar ik een voorstel aan wil doen. Ze zijn net klaar met het dessert, dus dat komt goed uit.' Hij loopt voor haar uit naar een tafel in de hoek, waar een jonge man en een jonge vrouw zitten met een glas rode wijn in hun hand. Zij kijkt meteen lachend op als Wichard groet en hij komt overeind, lijkt even te zoeken naar een knoop van zijn colbert, dat hij natuurlijk niet draagt, en maakt een formeel aandoende buiging naar Wichard en Sanne.
'Een eer, kerel, een eer!' zegt hij.
'Mam, dit is Anthonie Kaerels met a-e en zijn vriendin Gitta. Anthonie, Gitta, dit is mijn moeder, Sanne van den Broek.'
'Mevrouw, wat énig om met u kennis te mogen maken,' verwelkomt Anthonie en dat klinkt zo onecht, dat Sanne geen enkele

aanstalten maakt om hem uit te nodigen 'Sanne' te zeggen in plaats van mevrouw. Gitta is nu ook opgestaan en schudt haar hand.
'Leuk om Wichards moeder te ontmoeten,' knikt ze. 'Hij heeft het al vaak over u gehad. En we hebben u natuurlijk wel eens zien lopen met Rinke en met Hazel.' Dat klinkt leuk en Sanne knikt het meisje hartelijk toe.
'Ik heb begrepen dat Wichard iets bijzonders met jullie wil bespreken. Of beter gezegd, met jou, Anthonie.' Wichard schiet in de lach om haar directe aanpak en Anthonie slaat beide handen tegen zijn borst en roept: 'Wat heb ik nu weer misdaan?' Hij rolt met zijn ogen, een trucje waar Gitta en Wichard braaf om lachen. 'Eerst maar eens zitten en wijn voor mevrouw en meneer.' Hij steekt zijn arm de lucht in en knipt met zijn vingers, zonder oogcontact te zoeken met de twee meisjes die rondlopen. Sanne ergert zich, maar houdt haar mond. Eén van de meisjes heeft het vingergeknip opgemerkt. Ze fronst duidelijk zichtbaar haar wenkbrauwen, komt aangelopen en gaat zonder iets te zeggen naast Anthonie staan. Die knipt zonder haar op te merken door en zegt tegen Wichard: 'Ik ben razend nieuwsgierig wat je te bespreken hebt, kerel. Waar blijft die bediening eigenlijk?'
'Die staat al een tijdje naast je,' wijst Sanne.
'Waarom zeg je dan niks?' zegt Anthonie verontwaardigd tegen het meisje dat onverstoorbaar staat te wachten op de bestelling.
'Neemt u me niet kwalijk,' zegt het kind nuchter. 'Ik zag u knippen met uw vingers en concludeerde dat u blind was. Ik wilde u niet laten schrikken en wachtte af tot één van uw begeleiders u zou laten weten dat ik er was.' Sanne lacht meteen hardop, maar Anthonie steigert.
'Blind? Hoezo, blind?!'
'Omdat je knipte met je vingers. Het is hier gebruikelijk dat je even oogcontact zoekt en vrij discreet wenkt, zeg maar. Maar misschien is dat wel streekgebonden,' legt Sanne uit, om meteen na haar uitleg weer in een lachgolf te belanden.

‘Sorry. Ik vind het zo grappig,’ zegt ze. Anthonie snuift geërgerd en geeft het meisje door dat hij graag twee, nee, nog vier glazen rode wijn wil hebben. De huiswijn.
‘Zeker meneer,’ zegt het meisje formeel en ze loopt weg.
‘Ik heb je al vaak gezegd dat ik het zo’n onaardige manier van bestellen vind,’ zegt Gitta dapper.
‘Maar het werkt tenminste wel,’ verdedigt Anthonie zichzelf. En tegen Wichard: ‘Wat zeg jij ervan? Het is jouw tent.’
‘Ik vind mijn personeel erg gevat, vanavond. Maar niet in die mate dat ik me geroepen voel om ze daarop aan te spreken,’ zegt Wichard vriendelijk.
Bravo, denkt Sanne.
Als de rode wijn op tafel staat opent Wichard met zijn voorstel. ‘Alleen in het seizoen en een stuk in het najaar, als voorbereiding op het nieuwe seizoen. Als de samenwerking bevalt, graag een optie op het nieuwe jaar. Als je kunt, met ingang van zo gauw mogelijk.’ Anthonie trekt met de achterkant van zijn mes ruitfiguren in het tafellaken en zegt: ‘Je weet dat ik ook nog mijn eigen handel heb, hè? Dat moet wel door. Daar wil ik tijd en ruimte voor.’ En tegen Sanne: ‘Aandelen en dat soort stuf. De telefoon en de computer zijn in mijn ogen heilige attributen.’
‘Dat kan er makkelijk tussendoor. Dat doe je nu ook in je vakantie,’ zegt Wichard. ‘Ik wil jullie in die periode een huisje aanbieden op het terrein. Misschien wel zo makkelijk?’
‘O nee, als ik het doe, rijd ik heen en weer. Dat is geen probleem. Maar ik moet wel wat zaakjes regelen voor ik je help. En wat staat er tegenover, jongen?’
‘Dat bespreken we straks. We worden het vast wel eens,’ zegt Wichard.
‘Ik vind het wel oké. Kan jij eindelijk eens een paar uurtjes lekker maffen,’ knikt Anthonie. En hoewel dat heel aardig klinkt, weet Sanne dat er iets helemaal fout zit met die Anthonie.

Het is laat als ze thuis komt en haar hoofd tolt nog van het gesprek met Anthonie en Wichard.
'En?' vraagt Rob slaperig, als ze in bed stapt.
'Handige scharrelaar,' zegt Sanne.
'O jee,' antwoordt Rob.
'We hebben het er nog wel over. Welterusten, lief,' zegt Sanne.
Nog lang ligt ze wakker. Ze luistert naar de diepe ademhaling van Rob en piekert na over Anthonie Kaerels. Gelikt mannetje, dat is het. Die obligate grapjes en die zogenaamd ondeugende complimentjes. Jakkes. Dat joch had ook zo'n aparte manier van praten. Zo'n beetje het toontje van een autoverkoper, maar dan wel eentje met een penthouse in Amsterdam-Zuid. Ze grijnst in het donker om die typering. Hartstikke raak, weet ze. Ach, het is maar voor een seizoen, sust ze zichzelf. Het is geen contract voor het leven. En als die jongen Wichard wat ruimte kan geven en wat rust, dan is het toch prima? Als Wichard maar niet tegen dat gebral opkijkt. Maar dat zal toch niet? Hij staat daar toch mijlenver boven? Nee, Wichard laat zich niet imponeren door die windbuil. Wichard heeft al zoveel meegemaakt in het leven en als hij zou willen kon hij makkelijk een cabrio rijden met al die extra's waar dat meneertje Anthonie zo seminonchalant over pocht. Ze herinnert zich Wichards kalme commentaar toen ze bij het afscheid opmerkte dat ze wel erg moe werd van Anthonie. 'Ach mam, dat is allemaal maar het buitenkantje. Zo praten ze in zijn wereldje. Maar hij heeft heel wat in zijn mars. Een indrukwekkend cv. Je moet voorbij dat gebral kijken. Dan zie je heel iets anders.' Ze vertrouwt erop dat Wichard gelijk heeft. Dus niet piekeren. Slapen. En morgen op zoek naar Sophie. Langzaam doezelt ze weg.
Maar de volgende dag komt er niets van haar speurtocht. Rinke is er en omdat Rob vrij heeft, maken ze met z'n allen een lange wandeling door het bos en over de zandverstuiving. Hazel dolt om hen heen en af en toe mag Rinke op Robs schouders omdat het voor haar kleine benen een complete marathon is. Uiteindelijk zitten ze in het pannenkoekenrestaurant en daar mag Rinke

uitzoeken wat ze maar lust. 'En Sanne ook,' knikt Rob. 'Dan neem ik die met rozijnen en rum. Dat kan wel na zo'n wandeling,' besluit Sanne meteen. Rob gaat voor spek en Rinke voor banaan. Hazel neemt genoegen met een bak water en de paar brokjes die Rob in zijn broekzak had gestopt.

'Ik moet maandag weer naar school,' vertelt Rinke tussen twee happen door.

'Wat een gek idee. Dan is de vakantie toch echt voorbij,' beseft Sanne.

'Papa zegt dat wij altijd een vakantiegevoel hebben. Omdat we op een camping wonen,' zegt Rinke.

'Ja, dat is zo. Ik heb ook altijd een vakantiegevoel. Daarom is de klap extra hard als ik wakker word en besef dat ik aan het werk moet,' knikt Rob.

'Ga jij me brengen, maandag? Oma?' vraagt Rinke. Sanne belooft het meteen.

'Ik vind het een eer,' lacht ze.

'Dan ga ik naar groep drie,' legt Rinke aan Rob uit.

'Als ik even niet oplet, ben je aan een brommer toe,' voorspelt die somber. 'Mensenkinderen, wat vliegt de tijd.'

Pas als ze die eerste schooldag Rinke heeft uitgezwaaid, een babbeltje heeft gemaakt met de nieuwe juf, geknikt heeft naar alle jonge moeders op het schoolplein, met Hazel teruggewandeld is naar huis en een kop koffie voor zichzelf heeft gezet, dan pas zoekt ze op de computer naar informatie over Sophie. Ze tikt eenvoudigweg de volledige naam 'Sophie van Eyck' in en geeft het zoekprogramma Google de opdracht om te zoeken naar documenten waar die naam in voorkomt.

'Kinderlijk eenvoudig,' mompelt Sanne, voor de zoveelste maal verbaasd over de reikwijdte van internet. Het meest recente artikel van Sophie is gepubliceerd in een glossy magazine, onderdeel van een grote uitgeverij voor week- en maandbladen. Als ze de website van het blad opzoekt, ziet ze dat de naam van Sophie in het colofon staat bij de tekstredactie. Ze noteert het adres van de redactie en wil afsluiten. Maar vlak voordat ze met haar muis

het programma wil afsluiten, bedenkt ze zich. In een opwelling tikt ze de naam van Anthonie Kaerels in. Ze heeft zoveel hits, dat ze er ongeduldig van wordt. Niet nu. Later maar. Eerst maar eens plannen maken voor Sophie. Ze belt Yvonne.
'Kind, wat heb je weer een maffe plannen! Daarbij vergeleken is mijn boerka-plan kinderspel!' giert Yvonne na haar korte uitleg. 'Wat wil je nou eigenlijk precies?'
'Posten bij haar werk, haar achtervolgen naar huis en dan speuren of ze inderdaad een kind heeft,' legt Sanne kordaat uit.
'Wat zalig idioot!' geniet Yvonne. 'Maar ik kan niet. Ik moet voor een congres naar Zürich. Overmorgen vertrek ik, vandaag zit ik nog op mijn werk en morgen moet ik wassen en nog wat dingen kopen en zo. Dat wordt niks. Ik ben zes dagen weg. Na die tijd graag!'
'Ik wil niet zo lang wachten. Ze heeft Rob al gebeld om een nieuwe afspraak en ik wil eigenlijk voor die tijd weten hoe het zit met dat kind. Weet je, ik ga Daan en Abel bellen,' beslist Sanne.
'O, als je die maar in de hand kunt houden. Ik zou ze niet allebei in je auto zetten, want die knallen van de spanning dwars door het dak,' zegt Yvonne met een toon vol ingehouden jaloezie. 'Ik wou dat ik erbij kon zijn!'

'Dit is zó leuk! Zullen we een detectivebureau beginnen, Daan?' juicht Abel. Geen moment hebben de beide heren geaarzeld toen Sanne voorstelde om Sophie te schaduwen. Integendeel. 'Vanavond meteen? Hoe laat gaan die lui naar huis, zeg? Vanaf een uur of vier? Fantastisch! Zeg Abel, we gaan op jacht met Sanne. Ik leg het je zo uit! Nee, kind, dat komt allemaal goed. We pikken je om halfvier op bij het station. We hebben een nieuwe auto en die heeft getint glas! Komt dat even goed uit! Zet maar een

donkere zonnebril op, schat. Ja, ja, ik leg het zo uit! O, die jongen is zo nieuwsgierig!' gilde Abel meteen, toen Sanne het hele verhaal had uitgelegd. En nu zitten ze gedrieën in de auto. Daan heeft de motor aan laten staan, want het is overal betaald parkeren. 'We weten toch niet hoe lang we blijven. Dus dat is zonde. Als we controle aan zien komen, rijden we meteen weg,' legt hij uit. 'Daan is de laatste tijd zo op de penning. Hij is aan het sparen voor zo'n sloepje. Ken je die? O, die zijn zo leuk. En dan een beetje dobberen met ons sloepje door de grachten. Hij houdt zo van dat soort vertoon, hè?' legt Abel uit. 'Moet je hem horen! Hij heeft dit vreselijke vehikel uitgezocht,' schudt Daan, met een handgebaar wijzend op de gloednieuwe SUV-wagen van waaruit ze het gebouw in de gaten houden. 'Daar komen weer een zootje van die blonde meiden. Er komt alweer een glossy langs! Jemig Sanne, dit wordt een hels karwei!' brult Abel. Sanne heeft het idee dat de auto van tijd tot tijd schudt van de pret. Ze zien zoveel mensen, dat Daan een uitgebreider signalement wil van Sophie.
'Blond, dat zegt toch helemaal niks! Dat kun je zo weer verven. Wie is er nu naturel blond? Nou, lang niet zoveel als er rond lopen. Sjonge, iedereen die ook maar voor een moment in de nabijheid van Leco is geweest, is sowieso al hoogblond. En dan al die andere kappers met een overschotje aan waterstofperoxide. Kom op, meid, denk na. Heeft ze volle lippen? Griekse neus? Of Afrikaans dopje? Wenkbrauwen in boog? Of recht? Jukbeenderen? Hoog? Onzichtbaar? Kin?' Hij kijkt Sanne vorsend aan.
'Geen idee!' kermt Sanne. Ze weet wel hoe Sophie er ongeveer uitziet en ze is er van overtuigd dat ze haar meteen herkent als ze haar ziet, maar om haar nu zo in detail aan Daan te beschrijven? Dat wil niet lukken.
'Ik denk nooit zo na over het uiterlijk van mensen,' bekent ze. 'Ik heb er niet eens woorden voor om dat precies te beschrijven. Ik merk die details helemaal niet op. Ze is blond. Iets langer dan ik, schat ik. Slank. Meer weet ik niet.'
'Maatje? Achtendertig? Veertig?' Abel vuurt de volgende vraag

af. Sanne kreunt. 'Weet ik ook niet. En ook haar schoenmaat niet. En haar beha-maat, daar heb ik ook geen idee van. Dus voordat jullie vragen of ze een B-cup of een C-cup heeft, hou er maar over op.'
'Dus geen dubbel-D. Dat zou je zijn opgevallen,' knikt Abel wijs, waarop Daan de zoveelste lachbui krijgt.
'Het is hier warm, hè? Zet de airco maar wat hoger, Daan. En begin maar te rijden, want daar komt de parkeerpolitie,' wijst Abel. Daan rijdt rustig weg, Sanne ziet twee parkeerwachten uitstappen en langs de rij auto's lopen. Drie rondjes moet Daan rijden voordat het wagentje van de parkeerwachten weg is. Dan staan ze weer te wachten, te kijken en commentaar te leveren.
'Die werken vast voor een stripblad,' wijst Abel op twee artistieke types met slobberige broeken en hemden.
'Meidenblad,' knikt Daan, als er twee superslanke piepjonge meiden langslopen.
'Seksblad,' zegt Sanne als ze een gezette slonzige man ziet langshobbelen. Hij draagt een flodderig slordig kostuum en hij veegt met een geruite zakdoek het zweet van zijn voorhoofd.
'Dat is wel erg stereotiep. Foei, wat een vooroordeel,' berispt Daan haar.
'Nee, jullie niet dan? Met die twee jonge meiden?' Ze heeft inmiddels een beetje spijt gekregen van haar actie. Ze zitten nu al bijna twee uur in de auto en ze heeft nog niemand gezien die ook maar een beetje op Sophie lijkt.
'Misschien heeft Sophie wel een vrije dag,' zegt ze somber.
'We doen dit ook helemaal verkeerd! We hadden even naar de redactie moeten bellen en moeten informeren. Laten we dat voor de volgende keer doen. Ik bel wel. Zeg ik wel dat ik haar mondhygiënist ben of zo. Dat ik een afspraak wil verzetten en dat ik haar mobiele nummer kwijt ben. Ja, dat kan toch?' oppert Abel.
'Dat ik niet aan zoiets gedacht heb,' verzucht Sanne.
'God, daar komt die parkeerpolitie alweer! Gas, schat! Ze hebben je in de smiezen!' waarschuwt Abel. Daan geeft gas en rijdt weg. 'Komen ze achter ons aan?'

'Nee. Ze stoppen weer voor controle,' ziet Sanne die nu omgekeerd op de bank zit.
'Houd jij wel netjes je gordel om?' waarschuwt Daan. Sanne laat zich weer zakken en stelt hem gerust.
'Ik heb zo'n spijt dat ik jullie hierin heb meegetrokken. Wat een stom plan,' verzucht ze.
'Wat heb je eigenlijk tegen Rob gezegd?' vraagt Daan nieuwsgierig.
'Dat ik met Yvonne op pad ben. Rob moest trouwens tot laat werken, vandaag. Die is pas om een uur of halfelf thuis. Ik trakteer jullie straks op een etentje. Uit boete. Goed?'
'Prima! Gaan we naar de tapasbar! Ben je daar al eens geweest?' vraagt Daan. Dan ziet Sanne het. In de zwarte auto die op dat moment de ondergrondse parkeergarage verlaat, zit Sophie.

'Daar! Achter die auto aan!' Sanne wijst opgewonden en Daan trekt meteen op.
'Joepie! Nu begint het!' gilt Abel. 'Twee auto's ertussen houden. Dat heb ik geleerd van politiefilms!' Bij het eerste rode stoplicht al vraagt Sanne zich af of ze hier wel goed aan gedaan heeft. Abel is niet meer te houden.
'Zal ik er even uit? Om te kijken of ze het wel is? Dan beschrijf ik haar aan jou en dan weten we het zeker. Of ik roep: "Nee maar! Sophie!" en als ze dan kijkt, dan weet ik het. En dan zeg ik: "O sorry! Ik dacht dat u een kennisje van me was, maar nu zie ik dat... O, heet u ook Sophie? Nou, dat is toch ook toevallig!!!!" Ja, zal ik dat doen? Sanne? Zeg eens wat?'
'Hou op met die nonsens, Abel. We rijden gewoon achter haar aan en wachten af. Doe eens een beetje rustig. Ik word bloednerveus van je,' moppert Daan.
'Nou,' beaamt Sanne met een diepe zucht.

‘Sorry. Ik laat me weer eens volledig meeslepen,’ bekent Abel. ‘Sorry, sorry, sorry! Kijk uit! Stoplicht wordt groen! Waar gaat ze naar toe?’
‘Hij kan er niks aan doen,’ verontschuldigt Daan zijn partner.
‘Nee. Ik weet het,’ zegt Sanne, waarop Abel alweer een lachbui krijgt.
Maar na een paar minuten zijn ze toch volledig geconcentreerd op het volgen van de zwarte Volkswagen van Sophie. Al gauw zijn ze van de grote weg af en rijden de stad in. In de doolhof van straten, pleinen en grachten is de achtervolging een hele opgave.
‘Moeilijk om er niet pal achter te gaan zitten,’ steunt Daan, als hij twee auto’s voor laat gaan die eigenlijk geen voorrang hebben. ‘Ga nou maar,’ maant hij met zijn hand.
‘Alsof ze het ooit in de gaten zou krijgen,’ zegt Abel. ‘Sanne zit achterin en die ziet ze dus niet. Waarom zou ze zich druk maken over twee flikkers die achter haar aan rijden? Nee, als we nou van die stoere types waren met tatoeages en kaalgeschoren hoofden!’
‘Ik vind het altijd zo opwindend als je dat woord gebruikt,’ flirt Daan.
‘Kaalgeschoren?’ vraagt Abel, met overdreven knipogen naar Sanne op de achterbank.
‘Nee schat. Flikkers,’ kweelt Daan.
‘Vreselijk zijn jullie,’ steunt Sanne. ‘Ze gaat rechtsaf! Kijk uit! Volgens mij gaat ze daar parkeren!’ Daan houdt meteen gas in en stuurt naar de zijkant van de weg waar gelukkig nog parkeerruimte genoeg is. Ze kijken toe hoe de zwarte Volkswagen inparkeert. Het portier gaat open en een blonde vrouw stapt uit.
‘En?’ vragen Daan en Abel tegelijk.
‘Dat is Sophie,’ knikt Sanne.
‘Shit! Dat is een crèche!’ ziet Daan. Sophie loopt regelrecht af op een pand waarop een enorm bord hangt met ‘Kinderdagverblijf Pippeloentje’.
‘Ze gaat haar kind ophalen,’ beseft Sanne.
‘Dus er is inderdaad een kind,’ concludeert Daan. Ze zijn er even

stil van. Dat de achtervolging al zo gauw uitsluitsel zou geven, had niemand verwacht. En dat er inderdaad een kind is, daar had Sanne geen moment rekening mee gehouden.
'Ik had dit nooit gedacht,' mompelt ze.
'Maar is het een kind van Rob? Sterker nog, is het wel een kind van Sophie? Ja, misschien is het wel van de buurvrouw. Of van haar zus. Of misschien doet ze in de avonduren wel vrijwilligerswerk voor die kindjes. Helpt ze ze met eten en met verschonen, weet ik het. Dat kan allemaal nog. Je weet niet...' ratelt Abel.
'Abel, hou je mond,' snauwt Daan.
'Sorry hoor,' pruttelt Abel verongelijkt.
'Wat doen we? Rijden we weg, of willen we haar nog even naar buiten zien komen? Gaan we kijken waar ze woont, of laten we het voor wat het is? We moeten nu beslissen,' maant Daan.
'Ik wil haar graag nog naar buiten zien komen. Maar wat mij betreft hoef ik niet te weten waar ze woont. Als er een kind is, weet ik genoeg. Poeh, hier had ik helemaal niet op gerekend,' verzucht Sanne nog maar een keer. Op dat moment hoort ze een enorme klap, gevolgd door een flinke schok.
'Wel snotverdorie,' roept Daan. 'Er rijdt iemand op mijn bumper!' Hij staat vrijwel meteen naast de auto en kijkt naar achteren. Daar staat een witte jeep met roze stippen. Achter het stuur zit een hoogblonde dame die verschrikt naar hun auto kijkt.
'Mijn voet gleed van de rem!' zegt ze geschrokken. Ze springt meteen haar auto uit om de schade te inspecteren en Abel, die ook is uitgestapt, zegt met een blik op haar laarzen: 'Ja schat, geen wonder als je met zulke naaldhakken achter het stuur gaat zitten.'
'Wat hebben jullie? O, wat stom! O, kijk! Krasjes. Allemaal krasjes. Geen deuk hè? Wat zal Henk wel niet zeggen! Daar gaat mijn no-claim. O, verdorie nog aan toe, wat een shitzooi!'
'Heb je een schadeformulier bij je, lieverd?' vraagt Daan. Aan de krassen in zijn bumper heeft hij al lang gezien dat dit niet iets is dat je kunt wegpoetsen.

'Moet dat?' kreunt de blondine.
'Ja sorry schat, maar dit karretje is gloednieuw. Ik neem geen risico,' verontschuldigt Daan zich. Abel gaat met zijn hand over de krassen en zegt: 'Het zit hartstikke diep. Dit moet bij de garage gebeuren.' Daan knikt.
'Henk slaat me dood,' voorspelt de blondine somber. Ze duikt in haar handschoenenvak en diept er een schadeformulier uit. 'Dit is mijn derde schade deze maand.'
Sanne is blijven zitten en kijkt onafgebroken naar de crèche. Dan ziet ze Sophie naar buiten komen met een kindje aan haar hand. Een leukerd met grote bruine ogen, een bos donkere krullen en een chocoladekleurig huidje.

Stomverbaasd kijkt Sanne naar Sophie en het donkere kindje. Daan staat met de blondine over het schadeformulier gebogen en ziet niets. Maar Abel volgt haar blik en ziet het kind dat volgens Sophie van Rob zou moeten zijn. Hij schiet meteen in de lach en buigt zich naar Sanne. 'Nou schat, jij hebt je antwoord al, hè? Daan! Kijk! Daar hebben we nou voor staan posten. Nou, als dat een kind van Rob is, dan moet hij op zijn minst een zwarte grootmoeder hebben. Ja, trouwens, dat komt voor. Dat er in mixjes ineens een extreem witte man verschijnt die op zijn beurt weer een behoorlijk donker kind krijgt. Ja, zeg, dat zou nog kunnen!' 'Waar heeft hij het over?' vraagt de blondine in het algemeen.
'Veel te ingewikkeld om uit te leggen,' zegt Daan gehaast. 'Bent u het met deze omschrijving eens? Ja? Dan moet er alleen nog een handtekening op. Kijk, daar. Dan laten we het onze verzekeringsmaatschappijen lekker uitzoeken, goed?' Ze tekent en Daan verdeelt de papieren. 'Zie je? Gewoon opsturen. Als er iets is, hoor ik het wel.'

‘Ik zal het zo snel mogelijk doen. Zo. Nu eerst mijn dochter maar eens ophalen. Dan zien we wel verder,’ zegt de blondine met een zucht.
‘Moet u ook naar Pippeloentje? O, dat is ook toevallig!’ begint Abel. Maar Sanne geeft hem een trap en wijst heimelijk naar de auto van Sophie. Abel zwijgt en kijkt. Sophie heeft het donkere kindje in het autostoeltje gezet en loopt nu terug naar de crèche.
‘Ze gaat terug!’ sist Daan.
‘Nou ik ga! Ik zie daar net een vriendin van me. Ik heb wel behoefte om even m’n hart uit te storten,’ zegt de blondine gehaast. Ze roept meteen: ‘Sophie! Wacht even op mij!’ en trippelt over het trottoir op haar hoog gehakte laarzen naar Sophie toe, die in onmiddellijk in hun richting kijkt. Sanne laat zich snel op de achterbank zakken om uit het zicht te blijven. Abel duikt ook meteen weg, totdat Daan hem een trap geeft en sist: ‘Niet doen, idioot! Zo maak je je verdacht! Ze kent je toch helemaal niet?’ Waarop Abel net doet alsof hij iets opraapt van straat. Hij laat het aan Daan zien en piept: ‘Jullie moeten wel een keertje ophouden, hoor! Ik word van alle kanten getrapt en geschopt. Eerst Sanne en nu jij. Ik doe ook maar mijn best!’ Daan grijnst en Sanne voelt de slappe lach opkomen.
‘Waar zijn we ook aan begonnen,’ kreunt ze.
‘Laten we maar instappen. Dan kunnen we straks meteen weg,’ beslist Daan. De jongens stappen allebei in en Daan start de auto.
‘Daar heb je haar weer,’ wijst Abel. Ze kijken naar Sophie die voor de tweede keer naar haar auto loopt. Nu met een kind aan haar hand met rode krulletjes en een spierwit huidje met sproeten.
‘Shit,’ zegt Sanne spontaan. En meteen erachteraan: ‘Sorry.’ Maar de jongens, die meestal loeien als ze een onvertogen woord gebruikt, zijn te verbaasd toe om op haar taalgebruik te reageren.
‘Ja, die zou wel van Rob kunnen zijn,’ merkt Abel laconiek op.
‘Nu weten we nog niks,’ zegt Daan teleurgesteld. Dan zien ze de blondine op hen af trippelen met aan haar hand een blond meisje met een hoofdje vol speldjes die haar sprieterige haartjes omhoog houden en een vestje met een knalroze bontkraag.

'Wacht,' zegt Abel meteen. 'Ik heb een idee.' Hij doet het portier open en wil uitstappen, maar Daan waarschuwt: 'Ze rijdt nu weg, Abel. Het moet wel een heel goed idee zijn, want anders kunnen we beter achter haar aanrijden.'
'Wacht maar af,' sust Abel. Hij stapt uit en loopt op de blondine af.
'Wat gaat hij doen?' vraagt Sanne.
'Geen idee,' zegt Daan. Hij draait de raampjes open om het gesprek van Abel te volgen. Die zegt: 'Zeg, zo gek! Ik zag die vriendin van jou en ik dacht, die ken ik! Nu vond ik toch dat ik het jou even moest vragen. Het zal wel niet, want het is al zo lang geleden. Het was een klasgenootje van me op de lagere school, dus het moet wel heel bijzonder zijn als ik haar zomaar herken. Maar toch... Was dat Sophie?' De blonde dame gaapt hem aan en zegt: 'Dat vind ik toch altijd weer frappant. Jullie homo's hebben dat, hè, die warme lieve kant. Echt typerend! Ja, dat is Sophie. Dat je haar na zoveel jaar herkent. Wat enig!' Ze kijkt zoekend om zich heen en zegt teleurgesteld: 'Ach, ze is al weg! Ja, ze moest snel naar huis, want ze heeft ook nog een logeetje. Dat zag je hè? Die zijn niet allebei van haar, hoor! Weet je, ik geef je haar adres. Heb je een pen? Ik heb natuurlijk jullie adres al op het schadeformulier! Dat geef ik dan aan haar! Wat leuk!'
'Oei,' zegt Daan vrijwel geluidloos tegen Sanne. Maar Abel geeft geen krimp.
'Daan, heb je even een papiertje?' Hij neemt het kladblokje aan van Daan, overhandigt het haar en vraagt: 'Welk kindje was eigenlijk van Sophie? Want ze leken geen van tweeën op hun moeder, hè? Hier zit op zijn minst een Ierse of een Antilliaanse vader bij! In ieder geval een andere vader dan van deze blonde schoonheid.' Hij legt hoffelijk zijn hand even licht op het met speldjes versierde bolletje van de peuter.
Haar moeder lacht trots. 'Ja, Priscilla heeft een blonde pappie, hè lieffie? Van de vader van de kleine Jos weet ik niks. Malcolms vader komt uit Nigeria.' Abel kijkt haar verwilderd aan.
'En wie is nou...?'

'Malcolm, het zwarte kindje. Dat is van Sophie. Jos met de rode krullen is van haar vriendin,' vertelt de blonde mevrouw argeloos. Abel knikt haar toe en kijkt even triomfantelijk naar Daan en Sanne in de auto. Sanne onderdrukt een zucht van verontwaardiging. Wat een streek van die Sophie, om te beweren dat ze een kind heeft van Rob! Terwijl ze een zwart zoontje heeft! Ze voelt een golf van woede opkomen. Daan lijkt haar emotie te voelen. Hij keert zich half om, klopt even geruststellend op haar onderarm en zegt zachtjes: 'Rustig maar. Nu weet je het tenminste. Wat een loeder!' Onderwijl staat Abel nog steeds op straat met het papiertje in zijn hand om zijn adres te noteren.
'Nu geeft ze straks ons adres aan Sophie. Hoe komt die malloot daar nu weer onderuit,' verzucht Daan tussen zijn tanden door tegen Sanne. Dan horen ze Abel zeggen: 'Die kleine Sophie Zwijnenberg uit de Zakstraat. Wie had dat gedacht! Een kindje van een man uit Nigeria!' 'Zwijnenberg? Zo heet ze helemaal niet,' zegt de blondine verbaasd. Sanne onderdrukt nu een proestbui en Daan knijpt haar meteen in haar arm.
'O nee?' reageert Abel verbaasd.
'Nee. Ze heet Van Eyck. Dat weet ik zeker. Wat raar! Dan is het helemaal jouw Sophie dus niet,' concludeert de blonde vrouw.
'Nou ja, hoe is het mogelijk,' zegt Abel teleurgesteld. Hij verfrommelt het papiertje met zijn adres en stopt het propje in zijn zak. 'Ze leek echt op mijn Sophie. Juist zo leuk om iemand van vroeger weer te zien. Als je zoals ik in Almelo opgroeit, kom je hier niet veel mensen van vroeger tegen.'
De blondine schiet nu in de lach en zegt: 'Nee joh, Almelo? Deze Sophie woont al haar hele leven hier!'
'Echt waar?!' Abel kijkt haar nu werkelijk ontsteld aan en Daan en Sanne kijken ademloos toe bij zoveel acteertalent. Hij vervolgt: 'Dan heeft ze een dubbelgangster in Almelo. Ik heb wel eens gelezen dat iedereen een dubbelganger heeft. Raar idee hè?

Nou ja, doe haar evengoed maar de groeten. En succes met de afwikkeling van de schade en zo. En sterkte met het vertellen aan je man!' Hij drukt haar nog even lief de hand en stapt meteen naast Daan in de auto. Die aarzelt geen moment, maar trekt meteen op.
'Da-ag!' wuift Abel nog door het raampje. Als Sanne achterom kijkt, staat de blonde dame nog steeds naar ze te zwaaien.
'Je hebt echt je roeping gemist. Wat kan jij toneelspelen,' prijst ze Abel. Die grijnst trots: 'Ik heb toevallig wel hét raadsel opgelost. Malcolm is niet van Rob. Malcolm is van een Nigeriaan! Die Sophie is een lelijk leugenbeest. Maar hoe ga je dit aan Rob vertellen? Je kunt hem moeilijk de hele achtervolging opbiechten. Rob lijkt me geen man om zo'n onderneming op prijs te stellen,' oppert Daan.
'Nee. Inderdaad,' verzucht Sanne. Even is het stil in de auto. Dan zegt Daan: 'We bedenken wel wat. Straks. In de tapasbar.' 'En Sanne betaalt!' helpt Abel herinneren. Dat brengt de stemming er weer helemaal in.
Even later zitten ze uitgelaten aan een bartafel met een bonte verzameling hapjes en bakjes en schoteltjes.
'Die visjes vind ik zo zalig,' geniet Abel. 'Kom meid, niet inkakken, hè!' Hij geeft Sanne een por die meteen zegt: 'Ja, sorry. Ik ben afwezig. Jakkes. Zo suf. Ik zit maar te piekeren over wat je net zei. Hoe vertel ik het Rob? Drama! Bedenk eens een list voor me, mannen. Daan, jij hebt beloofd iets te bedenken. Kom maar op!' Daarna is het gegil en gelach niet van de lucht. Daan en Abel bedenken de ene waanzinnige smoes na de andere en onderwijl bestellen ze hapjes bij en maken met hun vingers een rondje boven de glazen op de hoge tafel. Al bij het eerste glas heeft Sanne besloten met de trein naar huis te gaan. De jongens knikten opgelucht. 'Dan pakken wij de tram. Laten we de auto hier. We mogen best een avondje uit ons dak na zo'n ervaring,' vond Daan opgelucht. Abel was het daar bij voorbaat al mee eens. Als Sanne even later besluit over te gaan op water, knikt Daan: 'Goed idee. Morgen weer een dag. Dit gaat veel te hard.

Straks kunnen we die tram niet eens meer vinden!' Maar na een paar glazen water moet er toch nodig nog een afzakker komen. En nog eentje. En daarna voor Daan en Abel nog eentje om het af te leren. Dus lopen ze voor de gezelligheid ook nog met Sanne mee naar het station en staan ze net zo lang op het perron tot de trein arriveert en ze haar na kunnen wuiven.
Sanne laat zich met een diepe zucht op de bank zakken. Ze doezelt een beetje op de cadans van de trein en na een tijdje wordt dat ritme een zinnetje dat zich in allerlei varianten herhaalt: het is een zwart kindje, Rob. Het kindje is zwart. Het kindje is niet van jou. Het is een zwart kindje, Rob. Het kindje is niet van jou. Ze schrikt op als ze uit moet stappen en in de auto terug naar huis zitten de zinnetjes nog in haar hoofd.
Op de camping is alles stil, de kantine is gesloten en donker. Hazel komt kwispelend op haar af, maar keert meteen om naar haar mand nadat Sanne haar even heeft aangehaald.
'Wat ben ik laat hè?' fluistert Sanne.
Op tafel ligt een briefje. Daarop staat: 'Ben slapen. Doodop. Heb tegen je gejokt. Vanavond Sophie ontmoet. En zoon. Moet biechten. Maak me wakker. Kus. Rob.'

Verbijsterd staart Sanne naar de tekst op het briefje. Sophie ontmoet en zoon? Moet biechten? Ze laat zich op een stoel zakken en pakt het papiertje van tafel. Ze draait het om alsof ze hoopt daar een andere tekst te zien. 'Grapje' bijvoorbeeld. Of 'Got you!'. Of 'Geintje!' Maar dat staat er niet. Er staat niks. En de tekst op de voorkant verandert niet, hoe vaak ze het papiertje ook omdraait. Rob heeft vanavond Sophie ontmoet. En die heeft hem een kind gepresenteerd en hem doen geloven dat het zijn kind was. Waarschijnlijk heeft ze voor die gelegenheid Jos geleend. Van haar vriendin. Of zou ze hem Malcolm hebben laten

zien? En hem wijs hebben gemaakt zelf Surinaamse voorouders te bezitten? Of misschien heeft ze hem de waarheid wel opgebiecht. En hem verteld dat hij geen zoon heeft, maar zij wel! Ze leest de tekst op het papiertje nog eens kritisch.
'Ben slapen. Doodop. Heb tegen je gejokt. Vanavond Sophie ontmoet. En zoon. Moet biechten. Maak me wakker. Kus. Rob.'
Natuurlijk! Er staat helemaal niet dat het zijn zoon is. Er staat alleen maar 'En zoon.' Ze heeft de waarheid opgebiecht! Sanne haalt opgelucht adem en staat op. Eerst maar eens een douche na die tapasbar. Sjonge, alles ruikt naar sigaretten, knoflook en olijfolie. Ze geniet van het warme water en blijft extra lang staan. Daarna poetst ze verwoed haar tanden. Ziezo. Stilletjes sluipt ze de slaapkamer in en laat zich in bed zakken.
'Rob?' Hij kreunt en pakt haar hand die ze zachtjes op zijn schouder heeft gelegd.
'Wil je nu nog vertellen over Sophie en haar zoon? Of morgen maar? Het is al heel laat,' fluistert ze.
'Hoe laat,' mompelt hij.
'Halftwee geloof ik. Zo ongeveer.'
'Morgen. Zo moe. Je bent een lieverd,' verzucht hij.
'Ga maar lekker slapen,' wenst Sanne.
'Ja,' zegt Rob, iets helderder nu.
'Ben je nu toch wakker?' vraagt ze zachtjes.
'Ja. Het was zo onwerkelijk. Ik wil het je toch nu graag vertellen,' zegt hij nu, een stuk helderder.
'Dus nu weet je alles?' vraagt Sanne.
'Ja. Ze heeft echt alles opgebiecht. Sterker nog, ze had haar zoontje bij zich,' vertelt Rob. Zie je wel, denkt Sanne. Ze heeft nu echt de waarheid verteld. Sophie heeft hem Malcolm laten zien.
'En?' vraagt ze.
'Ja, dat was ergens wel een opluchting. Nu weet ik het tenminste. Heel dubbel allemaal. Eigenlijk moet ik je gewoon het hele verhaal vertellen. Nu klinkt het zo raar,' zegt hij, zoekend naar woorden.
Geef me nou gewoon de samenvatting maar, jongen. Vertel maar

van dat kereltje dat overduidelijk jouw zoon niet kan zijn en sla de flauwekul maar over, bedenkt Sanne.
'Hoezo, opluchting?' vraagt ze.
'Dat is zo dubbel. Natuurlijk is het een hele confrontatie, zo ineens. Ik had er nooit op gerekend. Maar aan de andere kant heb ik nu zekerheid. Ik kan iets in het leven van die jongen betekenen en dat wil ik ook graag. Sophie geeft me daar nu ruimte toe. Het was écht een leuk joch.' Sanne kan horen dat Rob nu klaar wakker is en met zijn ogen open zijn verhaal vertelt en opnieuw beleeft hoe hij voor het eerst het jongetje heeft ontmoet waarvan Sophie hem heeft wijsgemaakt dat het zijn kind is. Dat kreng, blaast Sanne inwendig. Ze heeft niks gebiecht. Ze heeft hem Jos voorgehouden en hem voorgelogen.
'Leek ie op je?' vraagt ze. Ze kan niet voorkomen dat Rob hoort dat haar stem trilt.
'Het spijt me zo, Sanne. Maar je moet het niet zien als verraad aan jou. Ik hou van jou met heel mijn hart. Dit is allemaal gebeurt ver voordat ik je leerde kennen. Ik kan dat kleine mannetje niet verloochenen. Dat is mijn kind. En ja, hij leek op me. Als kind had ik ook een bos krullen. Ik heb nog een peuterfoto van mezelf met een strik in mijn haar! Nota bene! Dat was al jaren niet meer de gewoonte. Heel vroeger zag je dat nog vaak. En mijn tante vond het zo schattig. Enfin, dat heb ik allemaal gelukkig al lang verwerkt!' Hij lacht. 'En dit kleine manneke heeft diezelfde krullen. Alleen dan rood. Fantastisch!'
'Net als de vriendin van Sophie. Die we in Griekenland ontmoetten. Die Hetty, weet je nog?' zegt Sanne meteen. Maar dan, als ze bedenkt dat dit een wonderlijke gedachtesprong moet zijn voor Rob: 'Hoe heet ie?'
'Jos. Goeie naam, vind ik. En hij heeft verder gewoon de achternaam van zijn moeder. Ach, als ie later volwassen is, kan hij altijd nog kiezen. Dat maakt ook niet zoveel uit. We hebben heel wat doorgenomen. Want ik denk erover om Jos wel officieel te erkennen. We moeten maar eens nagaan wat de consequenties daarvan zijn.'

‘Dat moeten we zeker,’ beaamt Sanne. ‘Hoewel, we zijn natuurlijk op huwelijksvoorwaarden getrouwd, dus wat erfrecht betreft maakt het niet zoveel uit. Mijn kapitaal blijft gewaarborgd.’
‘Wat bekijk je dat meteen zakelijk,’ zegt Rob verbaasd.
‘Dat leer je wel als je een eigen bedrijf opzet,’ zegt Sanne. ‘En omdat ik nu toch zakelijk bezig ben: laat een DNA-onderzoek doen om alle verrassingen te voorkomen. Dan weet je het tenminste definitief.’
‘Nou, dat vind ik toch wel ver gaan, hoor. Het is nog zo’n klein jochie. En dan zo’n onderzoek,’ aarzelt Rob.
‘Hij hoeft niet geprikt. Met een wattenstaafje nemen ze wat wangslijm af. Simpel en pijnloos.’
‘Daar moet Sophie natuurlijk toestemming voor geven,’ weifelt Rob verder.
‘Ja. Maar waarom zou ze dat niet willen? Ze heeft toch niks te verbergen?’ zegt Sanne laconiek.
‘Je hebt eigenlijk wel gelijk,’ zegt Rob bedachtzaam.

‘En? Weet Rob het al?’ informeert Abel een paar dagen later nieuwsgierig.
‘Het is allemaal veel erger geworden. Sophie heeft Jos naar voren geschoven als haar kind. En Rob gelooft het helemaal. Jos heeft dezelfde krullen als hij vroeger had,’ flapt Sanne er meteen uit. Abel ligt meteen in een stuip van het lachen.
‘Ja, lach maar,’ zegt Sanne zuur.
‘En nu?’ vraagt Abel buiten adem.
‘Weet ik niet. Geen idee. Ik heb een heleboel reclame gemaakt voor een DNA-test om alle twijfel uit de wereld te helpen. Verder weet ik het ook niet. Als jullie nog ideeën hebben, dan hoor ik het graag.’

‘Ik zal het er eens ernstig met Daan over hebben,’ belooft Abel giebelig.
‘Rotjongens,’ zegt Sanne hardop, als ze ophangt. Maar ze moet er evengoed om glimlachen.
Yvonne reageert al bijna net zo mal, als Sanne haar het hele verhaal uit de doeken doet.
‘Wie weten er nu allemaal van?’ vraagt ze.
‘Nou, Daan en Abel natuurlijk. Jij. En ik. En Sophie natuurlijk,’ somt Sanne waarheidsgetrouw op. Daarop krijgt Yvonne zo’n lachbui, dat Sanne zegt: ‘Als je zo blijft gillen, hang ik op, hoor!’
‘Nee! Niet ophangen! Ik heb jou ook wat te vertellen! Ik ben toch op congres geweest? Naar Zürich? Nou, daar heb ik écht een wonderlijke affaire achter de rug. Maar dat vertel ik je niet over de telefoon. Wanneer spreken we af? En waar?’
Ze maken een afspraak voor over een week en als Sanne ophangt, besluit ze langs te gaan bij juffrouw Schaap.
‘Hazel, ga je mee naar Schaapje?’ De hond staat meteen kwispelend naast haar.
‘Niet om ergens over te praten, hoor. Maar gewoon. Omdat we er al een hele tijd niet zijn geweest. Kom op. Lekker buitenom. Kan jij snuffelen,’ babbelt ze tegen de hond.
Onderweg geniet ze van de herfstkleuren die hun intrede doen. En van de geur die daarbij hoort, dat lichte zure, prikkelende luchtje, van aarde, paddenstoelen en bessen. Om vier uur precies klopt ze aan de achterdeur van juffrouw Schaap. Die roept meteen: ‘Loop maar door! De thee staat al klaar!’ Sanne stapt binnen en trekt haar jas uit, terwijl ze zegt: ‘Ik moest nodig eens langs komen! Lang geleden alweer, hè? Schandalig gewoon. Hoe is het met u?’ Ze bukt zich een beetje om Schaapje op haar wangen te kussen en ziet meteen dat er op tafel twee kopjes klaar staan. Die Schaap. Die had al voorzien dat ze langs zou komen.
‘U had me al zien aankomen in uw glazen bol?’ grapt ze.
‘Welnee, kind. Ik zet altijd twee kopjes neer. Rokus komt vaak langs en ach, er komen wel meer mensen op bezoek. Om raad of om kruiden. Zo lijkt het altijd alsof ik van tevoren weet dat ze

komen. Onzin natuurlijk. Maar het werkt wel. Ze zijn er meteen van overtuigd dat ik echt alles weet te voorspellen.' Schaapje lacht ondeugend en zwaait haar vinger voor Sannes gezicht. 'Denk erom dat je dit aan niemand verklapt!'
'Ik zwijg als het graf,' belooft Sanne.
'Eet koekjes. Echte boter van de boer,' prijst Schaapje. Op een schaal liggen zelfgebakken koekjes te geuren en Sanne pakt meteen. Als ze een eerste hap neemt, zegt Schaapje: 'Ben jij aangekomen de laatste tijd?'
'Hè, lekker bent u,' lacht Sanne. 'Neem ik net een hap van driehonderd calorieën!'
'Nee, ik bedoel, je lijkt wel wat steviger te worden. Niks mis mee, hoor,' zegt Schaapje sussend.
'Ik let nooit zo op mijn gewicht,' bekent Sanne. 'Dit zijn heerlijke koekjes.'
'Ja, ze zijn heerlijk. Maar vertel. Hoe zit het met het kind van Rob?' Sanne kijkt Schaap ontsteld aan.
'Hoe weet u dat nou weer? Dat is toch echt eng!' Schaap grijnst. 'Dan zal ik maar een tweede bekentenis doen! Ik heb het van Rinke gehoord. Wat zei ze ook alweer precies? O ja! Ze zei: 'Oom Rob zegt: is mijn kindje mijn zoon. Weet u dat, mevrouw Schaap? Want oma zegt dat het te moeilijk is voor prinsessen.' Dat was haar letterlijke vraag. Het leek wel een cryptogram. Maar ik kwam er toch goed uit, denk ik zo, als ik nu jouw reactie zie!' Schaapje kijkt Sanne vergenoegd aan. Die schudt haar hoofd.
'Zo'n kleine wijsneus,' moppert ze. 'Ik dacht nog dat ik haar genoeg had afgeleid, maar wat een grote oren hebben die kleine potjes.'
'Vertel, als je wilt. Of liever niet?' Schaapje kijkt haar aan, haar hoofd een beetje schuin. Die oude wijze ogen en die uitnodigende blik blijken onweerstaanbaar. Sanne vertelt alles. Tot slot vertelt ze dat Sophie Rob heeft voorgelogen en hem het kind van Hetty heeft voorgeschoteld.
'Maar dat ik inmiddels weet dat Jos niet het kind van Sophie is,

tja, dat kan ik dus niet aan Rob vertellen. Want dan zou ik hem alles moeten opbiechten. En u snapt hoe hij dan zal reageren. Dus ik zit in de knoop. Verschrikkelijk in de knoop.' Ze zucht maar eens diep en haar hand gaat als vanzelf naar het schaaltje koekjes. Tot ze de woorden van Schaap weer hoort. 'Stevig', en 'aangekomen'. Ze laat haar hand zakken en besluit het bij de thee te houden. Schaapje zit diep in gedachten na de bekentenis. Dan veert ze ineens op en zegt: 'Ik heb het! Het is zo simpel! Nodig ze uit. Gewoon, bij jullie thuis. Leuk! Vader en zoon en moeder en jij. Het is 2006. Helemaal van deze tijd. Het samengestelde gezin. Je zet je deur en je hart wagenwijd open. Dat kind babbelt al van alles en nog wat. Leuk! Ik kom ook. Ik zie het al voor me!'

Iedere dag denkt Sanne wel een keer aan het advies van Schaapje. 'Nodig Sophie uit met haar zoontje!' Maar ze begint er niet over tegen Rob. Ook de vraag of hij al heeft aangedrongen op een DNA-onderzoek, durft ze niet te stellen. Het voelt niet goed om zich in de kwestie te mengen en ze weet heel goed hoe het komt. Als ze niet had geweten hoe de vork in de steel zat, had ze er veel onbevangener tegenover gestaan. Nu denkt ze steeds: Als Rob er maar niet achter komt dat ik heb lopen spioneren.
Maar vandaag voelt ze zich een stuk lichter. Vanavond eten met Yvonne, daar verheugt ze zich al de hele dag op. Als ze Rinke ophaalt om haar naar school te brengen, kan ze een huppelpas nauwelijks onderdrukken. Hazel springt meteen tegen haar op, enthousiast door die malle beweging.
Wichard doet de deur open.
'Dag mam,' zegt hij mat. Hij helpt Rinke meteen haar jas aantrekken en zegt: 'Ik heb een bespreking met Anthonie. Zou je haar misschien ook kunnen ophalen?'

‘Tuurlijk,’ knikt Sanne. ‘Maar daarna breng ik haar meteen naar jou, want vanavond heb ik een afspraak met Yvonne.’
‘Prima. We zitten in het restaurant,’ knikt Wichard. Hij ziet er moe uit, ziet Sanne. Kringen onder zijn ogen en zijn huid ziet er grauw uit. Ze vindt ook zijn toon lusteloos.
‘Voel je je wel goed?’ vraagt ze bezorgd.
‘Moe. Dat is alles,’ wimpelt hij haar vraag af. ‘Als ik eerst maar eens een nacht goed kan slapen, dan ben ik al een heel eind verder. Maar dat lukt niet zo goed de laatste tijd.’
‘Misschien moet je minderen met drinken. Iedere avond gezellig meehappen is niet goed voor je lijf,’ zegt ze in een opwelling.
‘Nou nou, zoveel drink ik helemaal niet,’ schiet Wichard meteen in de verdediging.
‘Weet ik wel,’ zegt ze meteen verontschuldigend. ‘Maar ik weet hoe het gaat als je achter de bar staat. En het kan echt door drank komen dat je ’s nachts veel wakker wordt. Je slaapt er fantastisch op in, maar dat is dan ook alles. Het is alleen maar om het onder je aandacht te brengen. Meer niet.’
‘Oké.’ Hij kust Rinke en zegt: ‘Ik zie je vanmiddag wel.’
‘Dag papa!’ zingt Rinke onbezorgd. Ook Sanne zwaait nog een keer, maar dan is hij alweer naar binnen toe.
‘Papa is moe,’ babbelt Rinke onderweg.
‘O ja?’
‘Ja. Hij is zóóó moe! Hij moet steeds gapen. En hij is mopperig. Maar dat komt niet door mij. Dat komt omdat hij zo moe is,’ vertelt Rinke.
‘Ja, dat kan,’ knikt Sanne.
‘Mijn juffie is ook steeds moe. Die moet ook altijd mopperen,’ vertelt Rinke verder. Sanne schiet in de lach.
‘En dat komt ook niet door jou?’
‘Nee,’ zegt Rinke verontwaardigd. ‘Dat komt door Jonathan. Dat is het vervelendste jongetje van de hééééle school.’
‘Zegt juf dat?’ informeert Sanne nieuwsgierig.
‘Nee joh! Dat zegt juf niet! Dat zeg ik. Juf denkt het wel. Maar ze zegt het niet,’ legt Rinke uit.

'Slimme juf,' knikt Sanne. En slim kleinkind, denkt ze.
'Jij moet later psychologie gaan studeren,' zegt ze tegen Rinke.
'Wat is dat?'
'Dat je begrijpt waarom mensen doen wat ze doen.'
'Dat weet ik al,' zegt Rinke. Sanne lacht. 'Dat lijkt er wel op.' Dan zijn ze er. Ze ziet de bekende gezichten van de moeders die haar groeten en de koppies van de kinderen die ze vrijwel allemaal van naam kent. Toch hoort ze er niet bij. Ze is de oma van Rinke. Dat maakt een heel verschil op het pleintje. Ze heeft zo ongeveer dezelfde positie als Neneng, de Filippijnse au-pair van de familie Vroegop. Ook zij wordt vriendelijk gegroet, maar wel op een afstand. Dus Sanne begroet Neneng altijd met een praatje.
'Alles goed? Het wordt al koud, hè?' Neneng blaast op haar handen en knikt: 'Veel koud. Jij fiets?'
'Nee. Ik ben lopend,' zegt Sanne.
'Ach! Ander keer?'
'Dan lopen we samen,' belooft Sanne. 'Of we fietsen.' Ze krijgt een dankbare brede glimlach van het tengere meisje.
'Dag oma!' gilt Rinke vanaf het schoolplein.
'Dag schat,' roept Sanne terug. Als ze na vieren het restaurant inloopt met Rinke, ziet ze hoe Wichard net geanimeerd op tafel slaat en uitbarst in een uitbundige lachbui.
'Hé. Lieve meid van me!' groet hij Rinke. Hij trekt haar op schoot en zegt tegen Anthonie: 'Dit is het liefste kind van de hele wereld. Maar dat heb ik je vast al duizend keer verteld.' Sanne kijkt licht verrast naar het tafereel. Is dit de vermoeide Wichard van een paar uur geleden?
'Zo mam! Je ziet er goed uit. Wil je iets hebben? Een colaatje?'
'Nee, ik ga er gelijk vandoor. Ik ga vanavond met Yvonne de stad in en we hebben al om vijf uur afgesproken. Dag lieverd.' Dat laatste zegt ze tegen Rinke die meteen van Wichards schoot afspringt en haar drie dikke zoenen geeft.
'Dag Wichard, goed om je weer zo opgewekt te zien. Dag Anthonie,' groet ze.
'Dank je, bezorgd moedertje,' lacht Wichard, goedmoedig spot-

tend. Ze zwaait als ze zich omdraait. En terwijl ze door het restaurant loopt, hoort ze hoe Wichard weer het hoogste woord voert. Ze kijkt nog een keer om en vangt de blik van Anthonie die achterover leunt en naar Wichard lijkt te luisteren, maar haar even aankijkt. Ze trekt haar gezicht in een neutrale plooi en knikt hem toe. Kort tikt hij met zijn wijsvinger aan de zijkant van zijn voorhoofd, als een saluut. Wat voer jij in je schild, vraagt Sanne zich af.

Yvonne zit al op haar te wachten aan een tafeltje bij het raam. Ze staat meteen op als ze Sanne binnen ziet komen en valt haar om haar hals om haar te begroeten.
'Wat ben je slank! Ben je afgevallen?' ziet Sanne meteen. Yvonne glundert.
'Dat je het ziet! Maatje minder. Ik mag de woorden calorieën, vetten en suikers van mijn collega's niet meer gebruiken!'
'Iedereen lijkt wel aan de lijn tegenwoordig,' knikt Sanne. 'Rob had het er ook al over. De halve redactie weigert een taartje als er iemand jarig is.'
'Ik voel me echt een stuk beter. Het was wel niet zoveel. Vijf kilo. Door eens goed op te letten, vloog het eraf!' vertelt Yvonne. Ze zitten tegenover elkaar en Sanne ziet hoe stralend Yvonne eruitziet. Ongelooflijk, wat een verschil die paar kilo's kunnen uitmaken. Hoewel...
'Ben je soms verliefd?' vraagt ze in een opwelling. Yvonne kleurt meteen en blaast een paar plukken haar van haar voorhoofd. Dan knikt ze.
'Ja. Ontzettend.'
'Vertel.' Sanne buigt zich voorover en wacht af. Maar dan komt een jonge dame met twee menukaarten die zegt: 'Mag ik u even storen? Hier heb ik de kaart. Specialiteit van de dag is de tong.

Vandaag vers van de afslag gehaald en prachtig in de roomboter gebakken. Vooraf hebben we een mooie Hollandse mosterdsoep. Wilt u alvast iets drinken?'
'Droge witte wijn voor mij,' beslist Sanne.
'Zelfde voor mij,' knikt Yvonne. Als het meisje wegloopt, zegt ze genietend: 'Ik neem die tong. Die past helemaal in mijn nieuwe dieet. Puur. Geen toevoegingen. Geen samengestelde rommel en groenten en vlees het liefst biologisch.'
'Klinkt goed,' zegt Sanne peinzend. 'Maar hoe zit het dan met alcohol?'
'Laten staan,' beweert Yvonne ernstig. 'Vanaf morgen!' Ze lachen en proosten.
'Nu die verliefdheid,' beslist Sanne. Ze hebben hun bestelling doorgegeven en snoepen van stokbrood met tapenade.
'Daar valt eigenlijk niet zoveel over te vertellen,' aarzelt Yvonne.
'Is het niet serieus?'
'O nee! Absoluut niet! Het is volkomen hopeloos. Maar zalig. Dat wel.' Yvonne kijkt haar een beetje onzeker aan.
'Hopeloos?' herhaalt Sanne.
'Uw soep,' kondigt het meisje aan. Het gesprek valt stil en ook als ze voorzichtig van de gloeiend hete soep proeven, hebben ze het even niet over de verliefdheid van Yvonne. Yvonne wil het er eigenlijk ook niet over hebben, beseft Sanne. Hopeloos, maar zalig. Die woorden zingen na in haar hoofd. En opeens beseft ze wat dat inhoudt. Hij is getrouwd. Natuurlijk. Dat is het. Onderwijl vertelt Yvonne over Renée, die al zo groot en wijs wordt, een echte puber met alle kuren van dien. Dwars door het verhaal heen vraagt Sanne: 'Is ie getrouwd?' Geschrokken kijkt Yvonne op. Even kijken ze elkaar aan en het lijkt erop alsof Yvonne 'nee' wil schudden. Maar dan zegt ze: 'Ja. Inderdaad.'
'Ach, Yvonne,' zucht Sanne. Yvonne schudt haar hoofd en zegt gehaast: 'Het is helemaal niet wat je denkt! We willen er niet eens iets mee. Het is niet zo dat ik droom dat hij ooit bij zijn vrouw weg zal gaan. Laat staan bij al zijn kinderen! Ben je mal. Een deel van zijn succes is juist het feit dat hij... Nou ja. Het is

gewoon leuk. Voor even. Waarschijnlijk ook niet zo heel lang meer. Want niemand mag het weten. Echt niemand. Ik wil het er nu niet meer over hebben. Laat me er nou maar van genieten zolang het nog kan.'
'Dus je hebt bij voorbaat al bedacht dat het niks kan worden?' vraagt Sanne verbaasd.
'Ja joh! Ik vond het gewoon leuk dat ik weer een keer als een blok voor een man viel! Ja, ik bedoel, na mijn vorige avontuur! En nu dit. Echt leuk. Dus ik ben biseksueel. Dat weet ik nu. Want daar begon ik al een beetje aan te twijfelen. Maar nou ja, hoeveel leuke mannen kom je op onze leeftijd nog tegen? Ja, zeg nou zelf?' Ze lachen samen, als Sanne bevestigend en treurig knikt.
'Maar wat bedoel je nu met een deel van zijn succes?' puzzelt ze.
Yvonne zucht. 'Zie je wel, ik heb al veel te veel gezegd. Jij bent veel te slim om niet overal doorheen te prikken. Ik bedoel daar helemaal niks mee. Ik kwam hem tegen in Zürich. In het hotel waar het congres werd gehouden. Verder krijg je niks meer uit me. Die soep is goed, hè?'
'Die soep is fantastisch,' beaamt Sanne.
'En vertel me nu maar hoe je speurtocht is afgelopen. Hebben jullie Sophie gevolgd? En hoe zit het met de zoon van Rob?' vraagt Yvonne nieuwsgierig.
'Hou je vast. Het ging zo. Daan en Abel hebben dus een gloednieuwe SUV met getint glas. Dus zij voorin, ik achterin en maar wachten bij dat gebouw.' Ze vertelt en Yvonne zit haar af en toe met open mond aan te kijken.
'Dat heb ik allemaal gemist,' verzucht ze, als hun hoofdgerecht arriveert.
De borden zijn bijna leeg, als Sanne besluit met: 'Dus ik weet nu dat Sophie geen kind heeft van Rob. Maar Rob denkt dat hij een zoon heeft. Jos. En dat is dus het kind van haar vriendin. Schaapje vindt dat ik ze allemaal maar moet uitnodigen en dan kleine Josje een beetje moet uithoren. Het is een rampje. Is het soms Beau van Erven Dorens?'
'Wat zeg je nou?' vraagt Yvonne stomverbaasd.

'Ja, dat schiet me ineens te binnen. Iemand die nadrukkelijk getrouwd is met kinderen. Beau. Die zag ik in een blad. Met een bakfiets vol kroost. Nou? Is die het?'

Yvonne komt niet meer bij van het lachen.
'Beau van Erven Dorens,' hikt ze. 'Dat is toch helemaal geen type voor mij!' Ze veegt met haar servet voorzichtig haar lachtranen af.
'Wie is het dan?' dringt Sanne aan.
'Ik zeg het toch niet,' zegt Yvonne resoluut. 'Kom, we vragen de toetjeskaart.'
'Bij mij kan er eigenlijk ook wel vijf kilo af,' weifelt Sanne.
'Ben je mal. Je bent prima zo,' zegt Yvonne resoluut.
'Behalve dan dat ene rolletje,' werpt Sanne tegen. Ze demonstreert meteen het gewraakte rolletje in haar taille en Yvonne schiet opnieuw in de lach.
'Dat heeft iedereen! Dat komt doordat je een beetje in elkaar begint te zakken. Ja, echt waar! Heb ik pas gelezen. We krimpen een beetje en dan heb je dat gewoon over! Dus dat zakt dan in de vorm van een rolletje. Heus. Niks aan te doen. Gewoon accepteren,' beweert Yvonne stellig.
'Kom maar op met die kaart dan,' beslist Sanne. Ze kijkt om zich heen om de serveerster te wenken en ziet meteen iemand de zaak binnen wandelen die ze herkent. Anthonie Kaerels. Met een jonge vrouw.
'Yvonne, niet meteen kijken! Die jongen die nu binnenkomt, dat is de jongen waar Wichard mee in zee gaat als zakenpartner. Ik vertelde je er al over. Hij heeft een blauw jasje en de vrouw die hij bij zich heeft, is dofblond. Zie je ze?' Yvonne heeft al die tijd braaf naar Sanne zitten kijken en laat nu pas haar ogen door de zaak gaan.

‘Die ken ik ergens van,’ zegt ze. ‘Jeetje, waar ken ik die vent van?’
‘Ik had hem nog na willen zoeken op internet, maar dat is er niet van gekomen. Graaf jij eens goed in je geheugen? Ken je hem van iets leuks? Of van iets naars? Die vrouw is trouwens niet zijn vriendin,’ fluistert Sanne samenzweerderig. Yvonne grijnst, en zegt op duidelijke toon: ‘Sanne, laten we toch maar een dessert bestellen. Dat kan best. Jij kan het zeker hebben en ik ga hierna wel weer...’ Sanne houdt stomverbaasd haar mond en kijkt Yvonne verwonderd aan, tot ze vlak achter haar hoort: ‘Yvonne Verburg! Wat een grappig toeval! Ik liep laatst nog door het ziekenhuis en bedacht dat ik u snel eens moest opzoeken voor ons nieuwe aanbod. Heel interessant. Zowel qua assortiment als wat de prijs aangaat. Maar laat ik u verder niet storen. Ik kom u gauw opzoeken.’ Sanne ziet hoe Yvonne haar gezicht al halverwege de tekst in een neutrale glimlach heeft geplooid. Ze kijkt om en ziet Anthonie vlak achter haar staan. Hij geeft Yvonne een hand en merkt dan plotseling Sanne op. Hij schrikt een fractie van een seconde, maar herstelt zich meteen. Inmiddels zegt Yvonne: ‘We hebben een contract met een vaste leverancier. Maar u kunt natuurlijk altijd even uw aanbod laten zien.’
‘Dat is fantastisch,’ prevelt Anthonie. ‘En Sanne! Ik had niet verwacht je...’
‘Nee, natuurlijk niet,’ onderbreekt Sanne hem meteen geïrriteerd. ‘Waarom zou je dat verwachten? Yvonne en ik zijn bevriend. Maar goed, laten we je niet van je dineetje afhouden. Of moet je ons nog voorstellen aan je vriendin?’
De blonde dame komt met een brede glimlach twee passen naar voren, maar Anthonie zegt meteen: ‘Nee, nee, dat is echt niet nodig. Dit was alleen even zakelijk. Laat ik jullie verder niet ophouden. Prettige maaltijd verder.’ Hij struikelt achteruit. Yvonne: ‘Gênant! Dat was toch gênant!’
‘Waar ken je hem nu van?’ vraagt Sanne.
‘Van mijn werk. Nu weet ik het weer precies. Hij heeft een tijd aangepaste materialen geleverd, kranen, keukenblokken, deursluitingen, noem maar op. Hij kwam zelf bij onze cliënten de

maat op nemen. Toen we merkten dat hij nog andere zaken met onze cliënten deed, hebben we hem eruit gebonjourd. Hij verkocht ze verzekeringen en liet ze geld beleggen in allerlei fondsen. Dat wilden we niet hebben. Ik zeg dus niet dat hij betrapt is op iets strafbaars, hè? Want dat weet ik niet. Maar netjes was het in ieder geval niet. Vandaar.'
'Verbaast me niks,' knikt Sanne.
'Ze zijn gelukkig helemaal aan de andere kant gaan zitten,' ziet Yvonne over Sannes schouder. 'Ik zie ze nu niet eens meer. Dus dat is niet zijn vriendin?'
'Nee, die ziet er heel wat beschaafder uit. Nou ja, daar heb ik natuurlijk niks mee te maken. Maar het is wel sneu als je achter zo'n vent aanhobbelt, terwijl je niet eens de moeite waard wordt gevonden om even voor te stellen!' Yvonne grinnikt. 'Dat zeg je mooi,' prijst ze Sanne.
Even later zitten ze aan een enorme coupe ijs met veel vers fruit.
'En dat allemaal zonder slagroom. Niks mis mee,' zegt Yvonne genietend.
'Die slagroom is diepgevroren. Dat noemen ze dus ijs,' merkt Sanne op.
'Niet aan denken. Eten,' gebiedt Yvonne.
'Ik moet maar denken aan die geliefde van jou. Iemand die van zijn gezinsleven zijn imago te danken heeft, deels, ik pieker me suf. Wacht eens! Is het Pieter van Vollenhoven?' probeert Sanne.
Yvonne verslikt zich meteen in een stukje ananas en krijgt een wanhopige hoestbui.
'Ik kan straks niet meer stoppen met gieren als je nu niet ophoudt met je malle ideeën,' waarschuwt ze benauwd.
'Henny Huisman? Jan Peter Balkenende? Robert ten Brink?' Sanne somt nu alle namen op die haar te binnen schieten, maar Yvonne geeft geen krimp.
Als ze aan een kop koffie hebben besteld, probeert Sanne nog één ding: 'Zat ie erbij? Hè toe, dat kun je toch wel zeggen?'
'Nee. Zelfs dat kan ik je niet zeggen,' schudt Yvonne.
'Dan zat ie erbij,' weet Sanne.

‘Je moet niet zo lopen tobben over die Anthonie. Wichard is heus niet op z’n achterhoofd gevallen,’ zegt Rob op een avond. Sanne heeft net voor de zoveelste maal haar twijfel uitgesproken over de nieuwe zakenpartner van Wichard en Rob ziet eruit alsof hij geen woord meer over de kwestie wil horen.
‘Maar je weet wat Yvonne...’ begint Sanne. Rob steekt zijn hand op. ‘Yvonne heeft zelf gezegd dat het niet netjes was wat hij had gedaan, maar dat ze geen enkele reden heeft om hem van iets strafbaars te verdenken. Er is verder ook nooit aangifte gedaan en de man heeft geen strafblad. Die informatie klopt. Dat heb ik je al verteld. Mijn politie-informant heeft hem gescreend. Dus: Laat het los!’
‘En die andere vrouw dan?’ Op het moment dat ze het vraagt, weet ze het antwoord al. Het is ook kinderachtig van haar. Dus zegt ze maar gauw: ‘Ja, ja, ik weet het. Volwassen man, op zoek, niet officieel gebonden, heb ik geen ene moer mee te maken. Kortom: Laat los!’ Rob lacht.
‘Weet je wat wij moeten doen, we gaan het weekend naar België. Ik zag het gelukkig net op tijd op internet, want zondag kunnen we de Sint-Hubertusdag meepikken. Hartstikke leuk. Afgesproken?’ Sanne kijkt hem verwonderd aan.
‘Sint-Hubertusdag! Voor Hazel! Nou ja, je merkt het wel,’ lacht Rob. Verder wil hij niets verklappen en door de drukke week is Sanne de hele Hubertusdag al lang vergeten. Zelfs als ze die vrijdagavond naar België rijden, denkt ze er niet meer aan. Wel aan allerlei andere dingen. Aan hoe moe Wichard af en toe is. Hoe donker de wallen onder zijn ogen zijn. En hoe hij van tijd tot tijd van stemming lijkt te wisselen en plotseling zo ontzettend energiek en hypervrolijk tekeer kan gaan. Vooral als Anthonie er is. Die lijkt de energie van Wichard volledig te kunnen herstellen. Daar moet ik hem eigenlijk dankbaar voor zijn, bedenkt Sanne. Blijkbaar is Wichard zo geholpen met de nieuwe

samenwerking, dat het hem een extra impuls geeft. Misschien is haar aversie tegen Anthonie Kaerels wel ingegeven door het feit dat Wichard haar nu niet langer zo heel erg nodig heeft. Hij roept veel eerder: 'Heb ik al besproken. Dat gaat helemaal goed komen,' als ze iets te berde brengt. Ze zucht zachtjes en Rob vraagt meteen: 'Waar denk je aan?'
'Ik denk eraan dat ik zondagochtend op de markt een extra flanellen dekbedset wil kopen,' jokt ze. 'Eentje extra in de kast is wel zo makkelijk. Lekker straks tussen het flanel! Het zal wel even duren voor het een beetje warm begint te worden in de slaapkamer.'
'We stoken meteen de kachel hoog op en zetten de slaapkamerdeur open. Bovendien heb je mij toch? Tussen het flanel?' Hij lacht. Als een jongen, denkt Sanne. Zo lacht en klinkt hij alleen in België. Zo zorgeloos en vrij.
'Ik heb ook pyjama's mee,' zegt ze. Nu zucht Rob luid en duidelijk. 'Was ik net aan het fantaseren over jou en mij tussen de flanellen lakens, kom jij met pyjama's!' Hij lacht nu nog harder en Sanne lacht mee.
Het is al een uur of tien 's avonds, als ze de auto bij het huisje parkeren. Alles is donker, ook bij de buurhuizen brandt geen enkel lichtje. Snel zetten ze alle elektrische kachels aan en terwijl Rob op zijn knieën voor de kachel ligt om er zo snel mogelijk een warm vuur in te krijgen, laat Sanne Hazel even plassen. Terwijl Hazel lekker door de herfstbladeren rondspringt en een stuk het pad afrent, kijkt Sanne naar boven. Zoveel sterren, zoveel lichtjes. Ze ziet een satelliet die in een strakke baan langs de hemel trekt. Hoe langer ze kijkt, des te meer sterren er verschijnen tegen de nachtblauwe achtergrond. Als ze weer het bos inkijkt, ziet ze even niets meer, verblind door al die lichtjes aan de hemel.
'Hazel!' fluistert ze. Het is alsof de hond haar angst voelt, want meteen staat Hazel kwispelend voor haar.
'Daar ben je,' zegt Sanne opgelucht. Want even was dat angstgevoel terug, die angst voor dat stille bos, waar dingen kunnen

gebeuren die je niet ziet aankomen. Hazel duwt haar neus geruststellend tegen haar hand.
'Kom, we gaan terug,' fluistert Sanne. Het vuur brandt al. Op het tafeltje staan twee glazen rode wijn en een plateau met toast en kaas. Rob maakt een uitnodigend gebaar.
'Souper,' zegt hij tevreden.
'Heerlijk,' geniet Sanne.
Zaterdagochtend doen ze samen boodschappen en daarna maken ze een lange wandeling. Het is heerlijk in het bos. Net alsof de natuur zijn adem inhoudt om zich klaar te maken voor een lange winter.
'Het zou heerlijk zijn als we de volgende keer al sneeuw hebben, hè?' geniet Rob. 'Ik heb zo'n zin in een lange winter.'
'Zo'n winter waarbij je insneeuwt. Zodat je naar huis moet bellen dat je niet terug kunt komen. Want alle wegen zijn afgezet. Totaal onbegaanbaar. Maar je hebt wel genoeg eten en drinken in huis. En je graaft een klein paadje naar het houthok. En je houdt je flanellen pyjama aan onder je kleren,' fantaseert Sanne.
'Dat klinkt fantastisch,' zegt Rob meteen goedkeurend.
's Avonds eten ze rundvlees, gestoofd in een kruidig Belgisch biertje, met rodekool en puree.
'Morgen de eendenborst hè?' informeert Rob tevreden, als ze samen op de bank nagenieten van de maaltijd. En als Sanne knikt, zegt hij: 'Maar eerst gaan we naar de Sint-Hubertusdag. We vertrekken om negen uur.' En hoe Sanne hem ook kietelt, onder druk zet en bedreigt, hij wil er verder geen enkele uitleg bij geven.

'Ik wil om negen uur in de auto zitten,' maant Rob, als Sanne die ochtend nog lekker rond loopt te teuten. 'We moeten om een uur of tien bij de kapel zijn. Het wordt vast hartstikke druk.'

‘De kapel?’ Sanne kijkt hem met grote ogen vol ongeloof aan. Is dat de bedoeling? Gaan ze naar de kerk? Gaat Rób naar de kerk? Rob, die het zelfs onzin vindt om in een kerk, die ze een keertje binnenlopen tijdens een lange wandeling, een kaarsje te branden? Terwijl dat toch alleen maar mooi is, vindt Sanne. Ze glimlacht, terwijl ze in gedachten haar moeder hoort zeggen: ‘Je weet nooit waar het goed voor is’.
‘Hazel krijgt vandaag de zegen,’ grijnst Rob. Hij ziet er helemaal gelukkig uit dat hij het doel van het uitstapje zo lang verborgen heeft weten te houden.
‘Hazel krijgt de zegen,’ herhaalt Sanne.
‘En alle andere dieren die je mee wilt nemen. Maar het is voornamelijk voor honden en paarden. Er is een echte pastoor, liters wijwater en enorm veel volk. Schiet nu maar op.’ Sannes ogen beginnen te stralen. Dat klinkt leuk!
‘En doe je laarzen aan, want het is altijd een enorme prutzooi met al die paarden,’ zegt Rob gehaast.
Als ze op de plaats aankomen, waar ze kunnen parkeren, ziet Sanne dat Rob niet heeft overdreven. Aan twee kanten van de weg staat het vol auto’s, overal lopen mensen met honden en het aantal waxcoats is niet te tellen. Al snel lopen ze in de lange rij wandelaars mee, begeleid door enthousiast geblaf. Vanuit de bospaden ziet ze mensen te paard aankomen, de meesten in westernzadel en traditioneel gekleed. Sanne voelt zich alsof ze terechtgekomen is in een aflevering van Bonanza. Op het grote veld staan zoveel rijtuigen, dat ze er stil van wordt. Aan de zijkant van het veld, op een heuveltje, omringd door eeuwenoude beukenbomen, staat een kleine kapel.
‘De kapel is gewijd aan Hubertus, de beschermer van de dieren. Overal in de streek zijn bijeenkomsten waar je met je huisdier heen kunt. Op sommige plaatsen zelfs in de kerk. Maar dit vind ik mooier. Een klein kapelletje erbij en als dak de hemel. Wat wil je nog meer?’ zegt Rob genietend.
Sanne kijkt even in het stokoude kapelletje waar een felgekleurd beeld van Sint-Hubertus de bezoekers toelacht. Dan is er ineens

muziek en mag ze meegenieten van een groep blazers die op speciale jachthoorns hun traditionele jachtmelodieën laten horen. Het zijn glimmend gepoetste koperen horens, die ze zo dragen dat ze het geluid naar achteren blazen. Als er gespeeld wordt, gaan alle blazers met hun rug naar de bezoekers toe staan. Hun rode jassen met de pandjes steken fel af tegen de zwarte rijbroeken. Het is een plaatje en Sanne kijkt ademloos toe. De jonge meneer pastoor heeft de hemelse glimlach van iemand die nog nooit een mug heeft doodgemept. Hij preekt over de muilezel van de paus, die bij zijn intocht zo werd toegejuicht, dat hij dacht: Ik ben wel heel belangrijk! Maar wat de muilezel niet besefte, was dat de hulde bestemd was voor de paus, die hij op zijn rug droeg. 'Mensen die zichzelf erg succesvol voelen, doen er goed aan zich het verhaal van de muilezel te herinneren. Want de hulde voor alles is niet voor hen bestemd. Die echte hulde moet altijd gaan naar dat wat boven hen is en waar zij hun succes aan danken,' zegt meneer pastoor bedachtzaam. Hij richt een wijsvinger op de hemel en alsof er een afspraak over is gemaakt: er komt meteen een zonnestraal die meneer pastoor en de mensen en dieren rondom hem in een helder licht zet. De pastoor knikt naar boven alsof hij geluidloos bedankt. Sanne krijgt er tranen van in haar ogen.
'Wat een bijzonder moment,' fluistert ze tegen Rob. Hij streelt haar over haar rug en als ze zich omdraait ziet ze ook in zijn ooghoeken een verdachte glinstering. Maar dan is het moment alweer voorbij. De pastoor zegent met een ferm gebaar een aantal zakken paardenbrokken. Hij heeft een flink formaat wijwaterkwast en de kleine misdienaar sjouwt zich een breuk aan de emmer vol gewijd water. Ze gaan langs een breed pad staan, waar nu alle rijtuigen, paarden en honden de zegen kunnen krijgen. Het is zo druk dat Sanne een beetje angstig toekijkt.
'Hier moet wel een hemelse zegen op rusten,' bromt Rob. 'Dat er geen ongelukken gebeuren!'
'Laten we maar even wachten tot de ergste drukte voorbij is,' zegt Sanne bezorgd.

Uiteindelijk lopen ze mee in een groep van tien mensen en veertien honden. De pastoor knikt ze toe, zegent onvermoeibaar de honden en schopt met de punt van zijn laars zachtjes tegen Hazel, die met haar kont naar hem toe is gaan zitten. Verderop krijgen ze een zakje hondensnoepjes en een herinneringspenning om aan Hazels halsband te hangen. 'St. Hubèrt 2006' staat erop. Ze draait het om. 'Kijk nou!' lacht ze tegen Rob. Want daar staat de sponsor vermeld: 'Met dank aan het dierenkerkhof in Aywaille'. Overal zijn stalletjes, barbecues en tapinstallaties. Rob ontmoet kennissen, ze krijgen een biertje en lachen en praten. Onderwijl blijft Sanne haar ogen uitkijken. Vooral de countrymensen vindt ze fascinerend, met hun cowboyhoeden en jassen met franje. En dan ziet ze hem. Hij komt aanrijden op een palomino, stapt af en bindt het dier aan een tak. Hij kijkt even rond en loopt dan op een barbecue af, waar hij verwelkomd wordt door een jonge vrouw. Sanne kan geen adem meer halen en kijkt verstijfd toe. Dat is hem. Dat is Dragan.

Ze staat roerloos toe te kijken hoe Dragan de vrouw kust en zijn arm om haar middel slaat. Ze praten en lachen. De kring groeit; er komen mannen bij staan met cowboyhoeden op. Dragan bukt zich om een grote oude herdershond te aaien en als hij weer opkijkt, is Sanne even bang dat hij haar ziet. Ze slaat haar ogen neer en wendt zich af. De man die haar eten bracht toen ze opgesloten zat in die kelder, staat nu op een afstand van nog geen vijfentwintig meter te lachen en te praten. Sanne is zo gespannen, dat de gedachten door haar hoofd buitelen. Ze heeft haar ademhaling nauwelijks onder controle. Toch weet ze zonder al te veel nadenken precies wat ze wil: ze wil met hem praten.
'Rob, ik maak even een rondje met Hazel,' zegt ze nonchalant, terwijl ze zich bukt en Hazel in haar nek kriebelt.

'Ik wilde net nog een biertje halen,' biedt een bekende van hen aan. Rob kijkt haar vragend aan.
'Doe maar,' knikt ze. 'Ik ben niet lang weg. Even langs de paarden en rondneuzen. Dan doe ik straks nog een biertje mee.' Rob lacht naar haar.
'Je geniet, hè? Ga maar even. Maar laat je niet ontvoeren door een zigeuner! Er lopen hier zoveel mooie stoere types rond!' De mannen in de kring lachen om Robs grapje en Sanne lacht mee.
'Ik ben zo weer terug,' belooft ze. 'Kom, Hazel.'
De andere kant op, besluit ze. Ik loop met een grote boog langs de bosrand en dan, op de terugweg naar Rob, spreek ik Dragan aan. Ze knipt met haar vingers en Hazel volgt, kwispelend en nog steeds opgewonden door al die honden en paarden bij elkaar. Af en toe moet ze wel even stoppen, want als Hazel een labrador tegenkomt, moet er toch even gesnuffeld en begroet worden. Alle andere rassen laten haar veel onverschilliger, maar soms is er weer eentje die blijkbaar wel een heel speciaal luchtje bij zich heeft. Sanne lacht dan maar tegen de eigenaar en babbelt in haar beste Frans terug, als ze tegen haar praten. Omdat de gesprekjes tussen hondeneigenaren wel heel voorspelbaar zijn, komt ze er aardig mee weg. Hoe oud, vrouwtje of mannetje, een labrador, dat kan ze in vloeiend Frans wel zeggen. Moeilijker wordt het als het onderwerp iets wijzigt. Maar dan kan ze uitleggen dat ze Hollandse is, alsof die mensen dat nog niet gehoord hadden aan haar accent, en dat ze niet echt vloeiend Frans spreekt. 'Je ne parle pas le Français bien couramment. Pas du tout, vraiment! Je m'excuse.' En dan met een brede verontschuldigende glimlach doorlopen. Dat werkt perfect. Met een grote boog loopt ze terug naar het feestterrein. Langs de hekken staan de paarden. Kleine kinderen rennen achter elkaar aan met grote takken in een spannend ridderspel. Aan het zadel van een paard hangt een kooitje met een fret erin. De lucht vult zich nu met de geur van uien en gegrild vlees, de barbecues roken en het bier vloeit. Er zijn veel mensen die blijven hangen, zo'n zegening van Hubertus waarborgt niet alleen een voorspoedige en veilige

jacht, het is op zijn minst ook goed voor een uitbundig feest. Countrymuziek schalt plotseling uit de luidsprekers en nu pas ziet Sanne dat er in met midden van het vlakke terrein een houten vloer is neergelegd om te dansen. Ze staat hoog op een heuvel, pal tegen de bosrand en heeft vandaar goed overzicht over het feestterrein. Ze speurt met haar ogen alles af. Waar is Dragan? Ze ziet hem niet. De vrouw die hij kuste, ziet ze wel. Ook de andere mensen die hem begroetten staan nog steeds op dezelfde plaats. Ze kijkt verder. Hij is weg! Dragan is weg! Een vlaag van paniek overvalt haar. Waar is hij gebleven? Of... Heeft ze het zich allemaal verbeeld? In paniek kijkt ze het hele terrein af. Ze heeft het zich allemaal verbeeld! Het was hem helemaal niet. Ze lijdt aan hallucinaties! Rob! Ja, daar staat Rob. Ze ziet hem lachen en praten. Hij drinkt van zijn bier en een man naast hem slaat hem kameraadschappelijk op de schouders. Er is helemaal geen Dragan. Nooit geweest ook. Ze heeft zich alles verbeeld. Ze doet een paar stappen in de richting van de barbecues. Langzaam. Onderwijl speurt ze nog steeds alle mensen af. Is hij er echt niet? Ongelooflijk. Weer een paar stappen. Hazel duwt haar neus tegen haar hand alsof ze har gerust wil stellen. En dan, opeens, zegt een stem achter haar: 'Zocht je mij?'
Met een ruk draait ze zich om. Daar staat hij. Glimlachend. Dragan. Hij steekt zijn hand uit en zegt: 'Ik heet nu Philippe. Andere identiteit. Je kent me van vroeger. Van een vakantie in Kroatië. Oké? Gaat alles goed met je?' Sanne knikt, totaal overdonderd.
'En met jou?' vraagt ze. Haar stem klinkt schor van emotie.
'Nieuw leven. Niemand mag weten van vroeger. Als ze me vinden...' Hij kijkt haar ernstig aan en ze weet wat hij bedoelt. Als die bende hem vindt, dan is hij dood.
'Niet meer over praten. Je ziet er goed uit. De gezegende hond ook!' Hij bukt, aait Hazel en lacht. 'Ik krijg een kind,' zegt hij dan, stralend. Sanne glimlacht.
'Ik ben blij voor je,' zegt ze. Mijn stem klinkt weer helder, beseft ze meteen. Het is net alsof er iets van haar afvalt. Niet alleen de

spanning van daarnet, maar iets dat dieper zat. Net alsof haar hart ineens veel lichter is. En ze zegt: 'Het was een bijzondere vakantie, toen, in Kroatië.'

Het is net of Sannes opmerking 'Het was een bijzondere vakantie, toen, in Kroatië' even tussen hen in hangt. Ze ziet aan zijn ogen dat de herinnering aan de ontvoering hem ook pijn doet. Hij kijkt haar ernstig aan en zegt: 'Die vakantie was slecht. Maar de ontmoeting was goed.' Sanne knikt.
'Dus er was een vakantie. En een ontmoeting,' zegt ze.
'Ja. Ik ben je nooit vergeten,' glimlacht hij. 'Al is het lang geleden.'
'Ik jou ook niet,' glimlacht Sanne.
'Kom. Ik stel je voor aan mijn vrouw,' zegt hij opeens. Hij pakt haar hand en trekt haar mee.
Voor ze het beseft, is ze aan iedereen voorgesteld als oude vakantievriendin. Rebecca, duidelijk zwanger, kust haar drie keer op haar wangen en fluistert dreigend en voldoende hardop: 'Denk erom! Philippe is van mij!' Iedereen lacht erom en Sanne lacht mee. En ze klappen als Philippe meteen op zijn knieën gaat voor Rebecca om haar vergiffenis te vragen voor zijn jeugdzonden.
'Jij kent hier nog meer mensen dan ik!' zegt Rob, die nu opeens naast haar staat. 'Stel me eens voor!'
'Dit is mijn liefde van nu. Dit is Rob,' introduceert Sanne vrolijk. Rob kust de hand van Rebecca, schudt de hand van Philippe en bestelt onder gejuich een rondje. Ze dansen. Ze drinken. Ze lachen. Als ze met Philippe danst, laat hij haar beloven ieder jaar op de Hubertuszegening te komen.
'Zodat ik weet dat het goed met je gaat,' lacht hij gelukkig.
'En met jou en met Rebecca en met al jullie kinderen,' knikt Sanne uitgelaten.

Als ze terugrijdt, met Rob een beetje aangeschoten naast haar, zegt hij: 'Dat heb je me nooit verteld, van die vakantieliefde in Kroatië?'
'Dat is al zo lang geleden,' glimlacht Sanne. 'Maar heerlijk om hem weer eens terug te zien. Echt leuk. En wat een leuke vrouw.'
'Volgens mij hebben die mensen het hartstikke arm. Echt paardenvolk is het,' denkt Rob hardop.
'Ja. Misschien wel. Maar aan de andere kant zijn ze ook weer heel rijk. Met elkaar en hun dieren. Ze hechten niet zo aan spullen, denk ik. Ik vind ze ergens wel te benijden,' merkt Sanne op. Als ze niets hoort, vraagt ze: 'Rob? Vind je niet?' Geen antwoord. Rob is in slaap gevallen. Sanne grijnst en rijdt voorzichtig langs de binnenwegen naar huis. Pas als ze de auto naast het huisje heeft geparkeerd, wordt Rob wakker. Als hij uitstapt, mompelt hij: 'Die biertjes overdag hakken erin.'
Een week later bedenkt Sanne dat haar hoofd helderder lijkt. Ze is minder snel moe en haar humeur wisselt niet zo snel. Had ze in het verleden nog wel eens last van stemmingswisselingen, zodat ze zich van tijd tot tijd opeens intens verdrietig voelde, zonder daar een duidelijke reden voor te kunnen aanwijzen, nu is alles gelijkmatiger. Daardoor krijgt ze veel meer energie.
'Het gaat goed met je, hè?' stelt Rob op een avond vast.
'Ja. Ik voel me heel goed. Ik vlieg tegen de muren op,' beaamt Sanne. Ze is een beetje verrast door de vraag van Rob, omdat ze niet wist dat hij doorhad dat het nog niet helemaal goed met haar ging.
'Nu kun je misschien weer vooruit gaan denken,' stelt Rob aarzelend voor.
'Hoe bedoel je?' vraagt Sanne.
'Nou, plannen maken. Een cursus, een baantje, wat dan ook. Iets voor jezelf. Zonder dat je afwacht wat er op je pad komt. Gepland. Dat bedoel ik.' Ze kijkt hem verbaasd aan.
'Denk er maar eens over na,' raadt hij haar aan.
'Oké.'
Als ze de volgende ochtend wakker wordt, denkt ze meteen aan

de opmerking van Rob. Hij heeft natuurlijk gelijk. Ze heeft de laatste tijd geen enkele stap ondernomen en bij de gedachte dat wel te gaan doen, moet ze een licht gevoel van paniek onderdrukken.
'Wat ga je vandaag doen?' vraagt Rob, als hij klaar staat om naar zijn werk toe te gaan.
'Met Hazel wandelen en niet eerder terug komen dan dat ik een plan heb bedacht dat ik ga uitvoeren.' Hij glimlacht tevreden.
'Ik hou van je,' zegt hij vertederd.
'Weet ik toch,' lacht ze.
'Ho even! Dat is niet de juiste reactie!' zegt hij verontwaardigd. Hij zet z'n koffertje weer neer en stapt op haar af. Twee armen om haar heen met die grote warme winterjas waar ze makkelijk allebei in passen. Even staan ze zo, leunend, wiegend. Dan zegt Sanne zachtjes: 'Ik ook van jou.' Hij geeft haar een tedere kus op haar kruin en zegt: 'Tot vanavond. Ik ben benieuwd naar het plan.'
'Ik ook,' lacht Sanne.
Het is ijzig koud in het bos. Sanne is blij dat ze handschoenen heeft gepakt, maar een muts was ook geen overbodige luxe geweest. Stom dat ze niet even op de thermometer heeft gekeken. Zou het vriezen? In ieder geval wel aan de grond, maar dat is logisch voor de tijd van het jaar. Ze slaat een smal bospaadje in dat naar de heide leidt en opeens schrikt ze op door een hoop gekraak en geritsel. Ze staat abrupt stil en knipt met haar vingers. Hazel staat meteen roerloos en kijkt haar aan. Ze maakt met haar hand een beweging naar beneden en Hazel gaat liggen, nerveus hijgend. Ze staat heel stil en kijkt in de richting van het geluid. Zouden het zwijnen zijn? Ze voelt haar hart kloppen terwijl ze stilletjes wacht en dan opeens, springt er een ree uit het dichte struikgewas, midden op het pad. Het staat meteen stokstijf stil en kijkt haar met grote bruine ogen aan. Op dat moment rinkelt het mobieltje in haar rugzak hard en nadrukkelijk door het bos.

De ringtoon knalt dwars door de stilte heen. De kleine ree staart haar nog een tel dodelijk verschrikt aan, maar is dan met drie hoekige sprongen in het struikgewas verdwenen. Sanne grabbelt in haar jaszak om haar mobieltje te pakken. Hazel gaat meteen staan en komt kwispelend op haar af.

'Jij denkt natuurlijk dat ik een brokje pak, hè?' beknort Sanne haar. Maar tegelijk met haar mobiel vist ze een hondenkoekje op dat ze aan Hazel geeft. Op de display ziet ze dat Yvonne belt.

'Hé Yvonne!'

'Sanne, help me! Ik ben een beetje in paniek. Er zit zo'n roddeljournalist achter me aan. Als ze erachter komen, dan, dan, nou ja, dit is echt een ramp!'

'Waar ben je?' vraagt Sanne kalm.

'Op m'n werk. Ze zijn achter me aan gereden. Het afgelopen weekend waren we samen in een hotel. Daar zijn we gespot. Shit, wat een bende!' Yvonnes stem schiet helemaal uit. Ze is echt in paniek, beseft Sanne.

'Waar waren jullie?' vraagt ze.

'Weekendje in het buitenland. Renée logeerde bij een vriendinnetje. Het was fantastisch. Hij is zo leuk, zo lief, zo bijzonder. En ik weet wel dat dit maar heel tijdelijk is, maar toch... Ik wil er gewoon van genieten zo lang als het duurt. Dat is toch niet zo gek? Dit is gewoon een cadeautje. Voor hetzelfde geld ontmoet ik nooit meer iemand waar ik zoveel om geef als om hem. Dus ik pak die tijd gewoon. Al weet ik dat hij zijn gezin nooit in de steek zal laten voor mij. Maar evengoed is onze liefde wel puur en echt en niemand heeft het recht daar een lullig verhaaltje over te publiceren. Toch?' Nu huilt ze echt, met nerveuze snikken, volledig over haar toeren.

'Doe rustig,' zegt Sanne. 'Wat hebben ze nu helemaal? Hebben ze bewijzen? Laat al die nobele gevoelens nu eens achterwege en ga eens nuchter na wat er gebeurd is?'

‘Ja, dat is een goed advies. Zie je wel. Ik wist wel dat ik jou moest bellen. Goed, we waren in dat hotel. Maar we zijn helemaal niet verder geweest dan onze kamer. Hoewel, één keertje wel. Toen ben ik gaan zwemmen in het zwembad. Dat lag op de bovenste verdieping. Prachtig! Even een paar baantjes en daarna twee keer sauna. Apart van elkaar. Voor de zekerheid. Ik heb daar wel gepraat met mensen. Maar ik heb aan niemand iets verteld over de reden van mijn aanwezigheid daar. Wacht eens! Er was één man in de sauna die heel erg zat te vissen. Was ik daar voor zaken? Waarom deed ik zo geheimzinnig? Wilde ik met hem uit eten? Met wie deelde ik de kamer? Was ik wel alleen? Dat moet hem geweest zijn! Ooooh! Nu weet ik het weer! Ik dacht al dat hij met zijn telefoon een foto van me maakte, later, toen ik door de hal liep naar de lift. Ik dacht nog, wat een rare kerel! Dat was natuurlijk zo’n roddeljournalist! Die wist natuurlijk dat eh, zeg maar Dinges, dat Dinges ook in het hotel was. En die telde één en één bij elkaar op. Hoe komen die lui aan mijn adres? Vanochtend werd ik aangesproken toen ik uit huis kwam. Ze vroegen vanuit een auto regelrecht of ik een verhouding heb met Dinges. En er zat een fotograaf naast. Ik heb gezegd dat ze niet goed snik zijn. En ik heb m’n telefoon gepakt en de politie gebeld. Toen zijn ze weggereden. Maar toen ik met m’n auto de hoek omkwam, stonden ze daar geparkeerd. En ze reden meteen achter me aan. Nu staan ze waarschijnlijk hier voor de deur. Wat moet ik doen?’
‘Weer de politie bellen,’ raadt Sanne aan. ‘Zeg dat je door een stel criminelen wordt achtervolgd en dat ze waarschijnlijk op beroving uit zijn. Je geeft hun signalement en doet alsof je doodsbang bent. Dat is niet zo moeilijk, denk ik?’
‘Maar als ze dan uit woede allerlei onzin gaan publiceren?’ vraagt Yvonne wanhopig.
‘Sja,’ aarzelt Sanne. ‘Misschien kan je dat beter vragen aan Dinges. Ik heb natuurlijk verder ook geen enkele ervaring met de roddelpers.’
‘Maar ik kan hem niet bellen! Hij belt mij altijd. Dat is veiliger,

want niemand mag erachter komen! Echt niemand! Daarom vertel ik zelfs aan jou niet wie het is. Dat snap je toch, hè Sanne?'
Yvonne klinkt als één brok wanhoop en ergens heeft Sanne heel veel medelijden met haar. Maar toch zegt ze: 'Yvonne, kap met die flauwekul en zoek een leuke vrije man met wie je kunt lachen en weet ik wat je nog meer met hem wilt. Dit is toch niks? Dit doe je jezelf en je kind toch niet aan? Straks staan ze bij de school van Renée om foto's van haar te maken. Bel die vent voor de eerste en gelijk de laatste keer en zet er een dikke punt achter. Dan kun je terugkijken op een leuke tijd en hoef je je geen zorgen te maken over nu en de toekomst.' Het is even stil. Dan zegt Yvonne: 'Misschien heb je wel gelijk. Ik ga er eens goed over nadenken. Mag ik je bellen?'
'Je mag me altijd bellen, gekkie,' lacht Sanne.
Als ze doorloopt met Hazel, denkt ze na over haar toekomstplan. Maar ze krijgt weinig grip op haar gedachten. De ene naam na de andere komt door haar plannen heen fietsen. Zou Yvonnes Dinges misschien Hennie Huisman zijn? Dat is ook een echte familieman. Of misschien Frans Bauer? Of toch Robert ten Brink? Zal ik maar een detectivebureau beginnen?

'Heb je al grootse plannen gemaakt?' vraagt Rob van tijd tot tijd. Maar iedere keer schudt ze haar hoofd.
'Je moest eens weten wat ik allemaal loop te piekeren,' lacht ze. Om dan meteen van het onderwerp af te stappen door iets te vragen.
Wat zullen we vanavond eten?
Breng jij straks de vuilniszak naar voren?
Gaan we met kerst naar België of blijven we thuis?
En natuurlijk de hamvraag. Hoor je nog wel eens iets van Sophie? Daar wacht ze mee. Iedere keer weer bijt ze het puntje van haar

tong af. Alle andere antwoorden kan ze wel dromen. De enige vraag waar ze het antwoord niet op wil horen, moet ze ook maar liever niet stellen. Dan is er nog een heel lijstje onderwerpen waar ze over loopt te piekeren, maar die ze niet met Rob wíl bespreken. Zou Yvonne al hebben gebroken met haar beroemde en nog steeds ongeïdentificeerde minnaar? Wat voert Anthonie Kaerels in zijn schild, die ze laatst heeft opgezocht op haar computer en die in zoveel sites genoemd wordt, dat ze even door de bomen het bos niet meer kan onderscheiden? Wat is er toch met Wichard in de hand, die net zo snel van stemming wisselt als een doorsnee puber?
'Laten we thuis blijven met kerst,' zegt Rob op het laatste moment. 'We organiseren een groot diner in de kantine. Wichard heeft geen reserveringen geboekt omdat hij twee weken lang onderhoud wil plegen. Dus er zijn geen gasten op de camping. We koken gezellig samen en nodigen alle mensen uit die we lang hebben verwaarloosd. Je zusje bijvoorbeeld. En de mijne. Cootje misschien? Wie je wilt. Is dat geen leuk idee?'
'Dat lijkt me zalig,' zegt Sanne meteen.
'Regel jij het met Wichard, dan regel ik alles voor het diner,' knikt Rob.
Tot haar verrassing is iedereen meteen enthousiast bij het idee. Natuurlijk komen we! Hartstikke leuk! Juffrouw Schaap biedt meteen aan te helpen en Rokus mompelt iets over prachtige verse spruitjes waar hij het verder wel met Rob over zal hebben. De enige die nog een slag om de arm houdt, is Yvonne. Ze klinkt moe en wanhopig als ze tegen Sanne zegt: 'Ik wil het nog even openhouden, Sanne. Vind je dat niet erg? Je begrijpt het toch wel, hè?'
'Ik snap er niks van,' zegt Sanne nors. Daarna foetert ze Yvonne uit, zoals een goede vriendin dat hoort te doen en tot slot vertelt ze haar nog maar eens dat ze veel te leuk en te lief is om zich te verslingeren aan iets waar ze nooit gelukkig door zal worden.
Maar op kerstavond is Yvonne de eerste die binnen komt, met haar dochter Renée, allebei met rode wangen van de pret en glinsterende ogen.

'Alles is opgelost. Ik ga hem volgende week vermoorden,' fluistert ze Sanne lachend toe.
'Ik geef je wel een alibi,' fluistert Sanne terug. Haar zusje Cathy komt, met zwager Willem, die meteen meedeelt dat ze slaapzakken mee hebben en in de vakantieschuur al een brits hebben uitgezocht.
'Ik ook, Willem! Dat belooft wat!' gilt Yvonne. Cathy schudt haar hoofd en zegt tot Sannes verrassing alleen maar: 'Het blijven net kinderen.' Juffrouw Schaap verschijnt in een zelfgemaakte creatie van gestreepte satijnen gordijnstof en Rokus draagt niet alleen een stropdas van dezelfde stof. Ook zijn jasje is ermee gevoerd.
'Dat was een vreselijk werk, die voering in een bestaand jasje. Maar is het niet prachtig?' wijst Schaapje trots.
'Ik ben diep onder de indruk,' knikt Sanne ernstig. Dat ze het meest onder de indruk is van de moed van Schaap om de streep in de jurk overdwars te nemen, voegt ze er maar niet aan toe. Alleen als Cathy opmerkt dat 'Schaapje wel breder lijkt dan lang' moet ze snel een lachbui wegslikken. De kok van Het Raetsel, Steef Patrijs, schuift aan met zijn vriendin Minke.
'Leuk dat we jou nu eens kunnen verwennen,' begroet Sanne hem. Natuurlijk zijn Daan en Abel de meest opvallende binnenkomers. Daan heeft een kerstmannenpak aan en Abel een engelenjurk, compleet met halo boven zijn hoofd.
'Moet je kijken,' zegt hij. Hij drukt op een afstandsbediening en onmiddellijk flitsen lampjes aan en uit in het cirkeltje boven zijn hoofd.
'Het is een schande,' vindt juffrouw Schaap. Cootje is er, Robs moeder. Als ze met haar man Fons even gedag gaat zeggen in de keuken, waar Rob staat te zweten op die enorme maaltijd, ziet Sanne tot haar verrassing hoe moeder en zoon elkaar spontaan en innig omhelzen. Robs zuster Helma is er, met haar man. 'Da's wel een heel grijze muis,' merkt Yvonne op en Sanne kan eigenlijk alleen maar knikken. Verder zijn er kaarten, veel kaarten. Van Robert en Reina Hoogenkamp uit Amerika, van halfzusje

Debby met haar vriendin en haar kind uit Canada, van de dochter van Frank, Theodosia, die stage loopt in Kenia en van alle mensen die ooit haar pad kruisten. Zelfs van de oude buurtjes Aag en Co Bruinisse. 'Co is nu 98. Ik pas 96!' schrijft Aagje. Ook Anthonie Kaerels maakt zijn opwachting, als zakenpartner van Wichard. Hij heeft zijn vriendin Gitta mee en Sanne begroet hem manhaftig zonder enig blijk van reserve.
'Ook wel eens leuk, zo'n soort familiegebeurtenis,' zegt Kaerels. En al lijkt de toon oprecht, Sanne ervaart het als kleinerend. Maar als iedereen aan de lange tafel bij het voorgerecht het glas heft en ze haar kleindochter Rinke ziet glunderen met haar wijnglas vol cassis, voelt ze zich rijk en gelukkig.
'Korte speech,' kondigt ze aan. 'Mogen al onze oude en nieuwe dromen waar worden!'

'Weet Rob nog steeds niet dat Jos zijn kind niet is?' vraagt Abel tijdens het diner aan Sanne. Ze walsen samen en dat is een hele toer door Abels engelenjurk.
'Nee. Ik weet niet hoe ik het moet aankaarten. Ik kan het moeilijk gewoon zeggen!' verzucht Sanne.
'Dat dacht ik al. Luister. Daan en ik hebben een idee. Want we hoorden iets van een kerstviering op de peuterzaal. Dat vertelde die mevrouw die tegen ons aanreed. Weet je nog? Luister...'
'Hohoho! Deze dans is nu voor mij!' bast Daan in zijn kerstmannenpak. Abel staat meteen stil en zegt: 'Leg jij dan ons kerstplan uit aan Sanne. Ik ga de zoom er afknippen. Die jurk is te lang. Ik loop er maar op te trappen. Zou Rob zijn zus met me willen dansen? Wat denk je, Sanne?'
'Vraag het haar, engel,' raadt Sanne aan. Daarna luistert ze naar het idee van de kerstman. Aan het eind van de dans zoent ze hem op beide wangen.

'Jullie zijn briljant,' zegt ze.
'En ik dan?' vraagt Rob jaloers.
'Jij ook,' troost Sanne meteen. Ze laat Daan staan en danst met Rob weg. Het is een heerlijk kerstfeest en het is al heel erg laat, als Sanne het licht uitknipt en tevreden zegt: 'Hier kan ik mijn hele leven op terugkijken.' Maar ze zegt het tegen dovemansoren. Rob snurkt.
Op tweede kerstdag zegt ze tegen Rob: 'Zullen we naar de stad rijden? Er is vanmiddag een heel bijzonder concert in de grote kerk. Een cantatekoor, allemaal oude Engelse kerstliederen. Heb ik echt zin in.'
'Leuk! Moet je daar geen kaarten voor hebben?' vraagt Rob.
'Het is vrij in- en uitlopen. Als het heel druk is, kunnen we altijd nog zien,' zegt Sanne.
Een uurtje later lopen ze gearmd langs de gracht op weg naar de kerk. Sanne kijkt op haar horloge. De tijd klopt. Ze kijkt spiedend om zich heen. Niets te zien. Verdorie. Zou de informatie van Daan en Abel dan toch niet kloppen? Maar dan ziet ze een ouderpaar met een klein kind. Nog eentje en nog een moeder met een klein meisje. Het klopt wel. Het klopt! Ze vertraagt haar pas. En dan ziet ze ze. Aan de overkant van de gracht. Sophie en Hetty, naast elkaar. Het blonde hoofd van Sophie en de rode krullen van Hetty zouden overal opvallen. Sophie heeft Malcolm aan haar hand. En Hetty haar zoon Jos.
'Hé, kijk!' zegt Sanne tegen Rob. 'Dat lijkt Sophie wel!' Ze wijst en Rob kijkt. Op dat moment laat Malcolm Sophies hand los en geeft een handje aan Jos.
'En Jos,' ziet Rob tot zijn verrassing. 'Met een vriendje. Die is zeker van Hetty?'
Sophie, Hetty en de kinderen gaan een kapeldeur binnen, net als de overige ouderparen en kinderen die daar lopen.
'Ze hebben zeker kerstfeest,' oppert Sanne. 'Zullen we gaan kijken?'
'Kunnen we dat zomaar doen?' aarzelt Rob.
'Als het niet kan, gaan we gewoon meteen weg,' vindt Sanne. Hij

knikt. Ze ziet aan zijn houding en zijn ogen dat hij zich erop verheugt zijn zoon Jos van dichtbij te zien. Zijn zoon Jos, die helemaal zijn zoon niet is. Sterker nog, niet eens de zoon van Sophie. Arme Rob. Wat word jij voor de gek gehouden, bedenkt Sanne. Maar als alles goed gaat, volgt straks de ontknoping.
De poort leidt naar een kleine binnenplaats. Aan de andere kant daarvan is de deur naar een kapel.
'Dit was een oud gasthuis,' leest Rob op een houten bordje bij de ingang. 'Dat wist ik helemaal niet.' Bij de kapeldeur staat een mevrouw die vraagt: 'U komt voor het peuterkerstfeest?' Ze knikken allebei.
'Hartelijk welkom! De kinderen mogen voorin, de grote mensen achterin.' Ze lopen een smalle gang door en staan in een kleine kapel. Voorin zijn de oude kerkbanken weggehaald. Daar staan nu lage banken en daarop zitten allemaal kleine kinderen. Wel dertig, schat Sanne.
'Zullen we hier maar meteen inschuiven?' fluistert Rob. Hij wijst op de achterste grote kerkbank en houdt meteen het deurtje open voor Sanne. Ze knikt en laat zich op het smalle bankje zakken. Hoe moet Rob er hier ooit achterkomen dat Jos zijn kind niet is, vraagt ze zich ontmoedigd af. Maar ontsnappen kan niet meer. Iedereen is blijkbaar binnen, want de mevrouw die zoeven nog bij de deur stond, schuift bij hen aan en knikt hen vriendelijk toe. Voorin zet een juf een liedje in over het kerstkindje. De peuters dreunen het liedje knalhard en toonloos mee.
'Hier heeft u een programma,' zegt de mevrouw. Ze geeft Sanne een dubbelgevouwen boekje. Sanne knikt, pakt het aan en geeft het aan Rob. Onderwijl kijkt ze om zich heen. Daar ziet ze Malcolm, het echte kind van Sophie. Ze ziet Jos. Ze ziet ook Hetty en Sophie zitten, naast elkaar.
De kinderen mogen kaarsjes aansteken en de juf vraagt: 'Wat hoort er allemaal bij kerst?'
'Een kerstboom!' roept er eentje. Klokjes. Engelen. Kaarsjes! Dit is een stom idee, bedenkt Sanne. Maar dan hoort ze Rob naast zich mompelen: 'Malcolm van Eyck. Hè? Hoe kan dat

nou? Hij heet toch Jos? Jos van Eyck?' Op dat moment zegt de juf: 'Nu komt Malcolm een versje opzeggen. Een versje over kerst. Kom maar, Malcolm!' Sanne ziet hoe Sophie rechtop gaat zitten, vol aandacht voor het optreden van haar zoon. Ze ziet hoe het kleine zwarte jongetje opstaat en naar voren loopt. Onderwijl kijkt hij naar Sophie, die hem trots toeknikt en haar duimen naar hem opsteekt. Rob kijkt toe en mompelt verward: 'Wat gebeurt hier? Dit klopt niet!'

Malcolm zegt dreunend een kort versje op in de kleine kapel en bijna iedereen luistert aandachtig en vertederd naar het kleine jongetje met het donkere kroeshaar. Zijn moeder Sophie straalt van trots. Als hij klaar is, kijkt hij meteen in haar richting en roept: 'Goed hè mama?'
'Nou en of!' roept Sophie terug. Iedereen lacht. Iedereen, behalve Rob. Die is half overeind gekomen en staart verbijsterd toe. Dan laat hij zich weer zakken en zegt tegen Sanne: 'Dat kan toch nooit mijn kind zijn?' 'Nee,' schudt Sanne. 'Nee. Dat kan niet.'
'Dus...' Hij staart haar aan.
'Dus heeft Sophie wel een kind, maar niet van jou,' zegt Sanne.
'Ik heb helemaal geen zoon,' concludeert Rob. En Sanne hoort aan zijn stem dat hij dat erg vindt. Hij kijkt verdwaasd in het rond, alsof hij totaal de weg kwijt is.
'Wil je weg?' fluistert Sanne. Er is een groepje kinderen naar voren gekomen dat nu samen een liedje zingt over de schaapjes in het veld. Jos staat vooraan en Sanne ziet hoe Hetty hem toelacht. Dat Rob dat ook opmerkt, blijkt uit zijn opmerking: 'Daar staat Jos. Die is dus van Hetty. Sophie heeft gewoon het kind van haar vriendin gebruikt om mij voor te liegen! En ik heb al die tijd gedacht dat Jos van mij was! Hoe kom je zo laag? Hoe...' Rob fluistert nog net, maar van woede klinkt zijn stem steeds harder

en in de rij voor hen keert een oude dame zich om, haar vinger op haar lippen. 'Sssssst!'
'Jaja,' zegt Rob geërgerd. Hij bukt zich iets meer en fluistert Sanne toe: 'Maar waarom heeft Sophie me voorgelogen? Wat heeft ze daar nu aan? Hoe verzin je zoiets? Waarom bedenk je dat? Snap jij dat nou?'
'Ik heb eigenlijk niet zo'n behoefte aan meer inzicht in het karakter van Sophie,' zegt Sanne. 'Je weet nu dat Jos niet van jou is. Daar gaat het om. Dat Sophie heeft gelogen, wat kan jou dat nog schelen. Je hebt geen kind met haar. Dat is wat belangrijk is. Laten we gaan, Rob.' Ze pakt hem bij zijn arm om haar woorden kracht bij te zetten. Gelukkig is er inmiddels een cd opgezet waarbij de peuters dansen en zingen, zodat niemand meer last heeft van hun gefluister. Maar Rob is niet van plan te vertrekken.
'Nee, ik confronteer haar nu meteen. Dan is dat maar achter de rug,' besluit hij. 'Meteen afronden,' voegt hij er nog aan toe. Hij zakt een beetje onderuit op de smalle houten kapelbank en lijkt vastbesloten om de viering uit te zitten. Niks aan te doen, bedenkt Sanne. Dan blijven we gewoon zitten, kan Rob nog even stoom afblazen en een poging doen om het beschaafd te houden en dan kunnen we er een dikke punt achter zetten. Ook goed. Ze kijkt toe en geniet ondanks de rare situatie van het peuterkerstfeest.
'Tot slot krijgt iedereen bij de uitgang een mandarijntje en een kaarsje,' belooft de leidster na afloop.
'Net als vroeger, toen wij klein waren,' glimlacht Sanne. Rob hoort haar niet eens. Hij speurt rond.
'Laten we naar buiten gaan. Ze komen vanzelf,' spoort Sanne aan. Maar Rob stapt uit de bank en begint zich meteen tegen de stroom in een weg naar voren te banen.
'Sorry. Sorry,' mompelt Sanne, terwijl ze probeert achter hem aan te lopen. Ze ziet dat Rob een stuk sneller opschiet. Die is al bijna vooraan, waar de kinderen en hun ouders nog met elkaar staan te praten en na te genieten. Ze ziet dat Rob bijna bij Sophie is, ze ziet Sophie opkijken. Roept hij haar? Dat hoort ze

niet. Ze ziet Sophies gezicht, verschrikt, grauw, met donkere kringen onder haar ogen. Is dat het kaarslicht? Kan iemand zo schrikken? Dan staat ze vlak achter Rob en ze hoort hem vragen: 'Waarom?'
'Om je vast te houden,' zegt Sophie.
'Mislukt,' zegt Rob.
'Ja.' Sophie knikt en slaat haar armen om de kleine Malcolm die tegen haar aanleunt. Nu komt ook Hetty erbij staan. Ze lacht en zegt: 'Goh, dat is leuk! Dat jullie er ook zijn! Wat was het heerlijk op Samos, hè? Zo leuk dat we jullie daar ontmoetten. Dit is Jos. Mijn zoon. Jos?'
'Sorry. We gaan. Sophie legt het je allemaal wel uit. Dag!' Rob krijgt ineens haast en Sanne begrijpt dat hij geen zin heeft in een confrontatie met Jos die hem eerder voorgeschoteld is als zijn eigen zoon. Hij keert zich om, botst bijna tegen Sanne aan en zegt: 'Ga je meteen mee?' Het klinkt als een smeekbede en Sanne zegt meteen: 'Natuurlijk.' Ze knikt vriendelijk en loopt met Rob mee in de rij naar buiten. Hij loopt voorop en negeert alles om hem heen.
Pas als ze thuis zijn, komt Rob weer een beetje bij zijn positieven. Maar hij geeft meteen aan dat hij er even niet over wil praten en Sanne is daar wel blij om. Die wil maar zo snel mogelijk het hoofdstuk 'Sophie' afsluiten. Toch ziet ze wel dat Rob behoorlijk is aangeslagen door het bedrog van Sophie. En misschien ook wel door de wrede ontknoping, waar zij de hand in gehad heeft, bedenkt ze soms schuldig. Maar ze vertrekken naar België en genieten daar van de lange wandelingen met Hazel en de rust, de duisternis, de prachtige sterrenhemel en het pak sneeuw dat op oudejaarsochtend als verrassing hun wereld wit heeft gemaakt.
Om twaalf uur heffen ze de glazen champagne en als Rob haar omarmt, fluistert hij in haar oor: 'Weet je, ik had toch het allerliefste een kind gehad met jou.'

Het was heerlijk in de Ardennen. Het is daar altijd fantastisch, bedenkt Sanne, als ze terugkijkt. Een volle week alleen maar aandacht voor elkaar werkt altijd helend. Ze zag Rob langzaam ontspannen en voluit lachen als ze iets grappigs zei. Als ze dat op een avond hardop zegt, vraagt hij: 'Doe ik dat anders dan niet?' En Sanne zegt: 'Nee. Dan lach je altijd met een reserve. Alsof je op de achtergrond al lang aan andere dingen denkt. Alsof je hoofd alweer een paar stappen verder is.' Rob was even stil en had toen geknikt: 'Dat is denk ik ook zo.' En meteen daarop: 'Je moet schrijver worden. Dat is zo goed opgemerkt! Waarom maak je geen verhalen? Romans, korte verhalen, boeiende reportages, noem maar op. Je hebt de opmerkingsgave. Probeer het!' Toen Sanne bedacht dat ze dat vast en zeker niet zou kunnen, had hij nadrukkelijk gezegd: 'Weet je, ik denk dat jij alles kunt. Jij bent zo bijzonder. Ik weet zeker dat je alles kunt wat je wilt. Dat meen ik echt.' Hij lachte er niet bij. Sanne wel. Vertederd en vereerd. En dankbaar ook voor al dat vertrouwen en al die aanbidding.
Maar nu zijn ze weer thuis. Rob is naar zijn werk en Sanne besluit eerst eens poolshoogte te nemen bij Wichard. Ze vindt hem in het kantoor van de camping, waar hij over zijn laptop zit gebogen. Door het raam heen ziet ze zijn witte vermoeide gezicht en de donkere wallen onder zijn ogen.
'Mam!' zegt hij verrast, als ze op het raam tikt. 'Je bent er weer! Je ziet er goed uit. Hoe was het?'
'Heerlijk,' zegt Sanne. Ze heeft hem een kus en haalt zijn haar door de war. Dan vraagt ze: 'En hoe was het bij jou?'
'Prima.' Wichard haalt zijn hand door zijn haar om alles weer op zijn plaats te krijgen en schuift de laptop opzij.
'Ben je hard aan het werk? Kan ik wat voor je doen?' vraagt Sanne behulpzaam.
'Als je wilt? Rinke is om halfvier vrij. Wil jij haar uit school halen? Ik werk vanmiddag met Anthonie de cijfers door. Het is

een ellendig karwei. Waarschijnlijk moeten we vandaag of morgen eens om de tafel gaan zitten,' zegt Wichard.
'Ziet het er niet goed uit, dan?' vraagt Sanne verbaasd. De camping is het hele seizoen druk geweest. Het was dan ook een fantastische zomer. Alleen de huisjes waren niet altijd bezet, maar dat was ingecalculeerd. En dat het restaurant winst opleverde, stond als een paal boven water.
'Je hebt geen idee van de kosten,' mompelt Wichard. Hij haalt de laptop weer naar zich toe en zegt: 'Sorry mam. Vind je het niet erg? Ik moet dit af hebben voor Anthonie komt.'
'Niet erg, lieverd. Ga maar lekker aan het werk. Ik haal Rinke op en breng haar na het eten weer terug. Goed? Hoef jij je niet te haasten.'
'Je bent de beste,' zegt Wichard. Ze krijgt nog een vermoeide maar dankbare glimlach, voor ze de deur van het kantoortje achter zich dichttrekt. Hazel, die voor de deur heeft zitten wachten, kwispelt haar tegemoet en lijkt te vragen: 'En nu? Alweer naar huis? Nee toch?!'
'We lopen naar Schaapje,' besluit Sanne. Ze kiest een pad door het bos en geniet van de winterkou. Hazel steekt haar neus in ieder holletje aan de zijkant van het pad, nieuwsgierig naar de kleine muizen en mollen die daar huizen. Als ze haar arm over de poortdeur van juffrouw Schaap steekt om de klink weg te schuiven, voelt ze hoe een hand haar arm vastpakt. Een stem zegt: 'Als dat Sanne niet is!'
'Rokus!' hijgt Sanne. 'Ik schrik me dood, man!' Hij lacht haar goedig tegemoet en zegt: 'Je komt als geroepen. Mijn geliefde moppert dat ze al die boerenkool met geen mogelijkheid op krijgt en dat ze ook geen tijd heeft om het in te vriezen. Dus je moet maar wat struiken meenemen.' Hij wijst op een houten kist vol boerenkool aan zijn voeten.
'Nou, graag,' zegt Sanne meteen. 'Heeft Schaapje het zo druk?'
'Ik verwachtte visite. Jou dus,' roept Schaap vanuit de keuken. 'Koffie?'
'Lekker!' roept Sanne terug.

'En ik?' vraagt Rokus nederig.
'Ja, jij ook,' lacht Schaap. 'Met boterbiesjes.'
'Boterbiesjes,' herhaalt Rokus. Het is alsof het woord alleen al het water in zijn mond doet lopen. Sanne geniet aan tafel bij Schaap. Wonderlijk, wat een vredige sfeer altijd weer over haar komt, als ze bij juffrouw Schaap aanschuift.
'Vertel. Wat drijft je hierheen,' gebiedt Schaap.
'Behalve natuurlijk de boterbiesjes,' zegt Rokus, terwijl hij alweer naar het schoteltje vol koekjes reikt. Hij krijgt meteen een bestraffende tik van juffrouw Schaap en de opdracht: 'Rokus, wegwezen. Ga maar spitten of iets anders nuttigs. Dit is verder niet voor jouw oren bestemd. Vanmiddag bij de thee krijg je weer koekjes.'
'Oké, oké,' mompelt Rokus gehoorzaam. Maar dan voegt hij toe: 'Je vertelt haar wel van die jongen, hè?' Sanne kijkt verbaasd op.
'Van die jongen?' herhaalt ze.
'Rokus!' Schaap spuwt vuur.
'Ik ben al weg. Dag, dag!' Hij zwaait nog wat onhandig om zich heen en stommelt de deur uit.
'Die jongen?' Vol verwachting kijkt Sanne juffrouw Schaap aan.
'Ik droomde over hem. Over Anthonie. Hij danste over een veld vol vliegenzwam, zwarte nachtschade en bitterzoet.' Schaapje knikt Sanne veelbetekenend toe.
'Ja?' vraagt Sanne vol verwachting.
'Vliegenzwam, nachtschade en bitterzoet!' herhaalt Schaapje.
'O, juffrouw Schaap, dat zegt me helemaal niks,' zucht Sanne.
'Hallucinerende heksenmiddelen. Daarna denk je dat je kunt vliegen, kindje,' legt Schaapje uit en ze schudt haar oude wijze hoofd om zoveel onkunde.

Met geen mogelijkheid kan Sanne bedenken wat Schaapje bedoelt met haar droom. Vliegenzwam, zwarte nachtschade en bit-

terzoet. 'Als je dat gebruikt, kun je vliegen?' Ze vraagt het verbaasd en juffrouw Schaap schudt ongeduldig haar hoofd.
'Daarna dénk je dat je kunt vliegen. Dat is heel iets anders. Heksen vroeger, die vlogen wat af. In hun hallucinaties vlogen ze op hun bezemstelen en daarvan getuigden ze soms, onverstandig genoeg. Nou ja, dat is allemaal verleden tijd. Maar wat ze ontdekt hebben over kruiden en natuurmiddelen, dat is zo'n beetje de basis geweest van de geneeskunde. De farmaceutische industrie doet weinig anders dan de natuur nabootsen. Dat weet je toch? Narcotica is daar natuurlijk een onderdeel van.'
'Ik hang aan uw lippen en ik snap er weinig van,' bekent Sanne, als Schaapje haar aankijkt alsof ze een reactie verwacht. 'Wat heeft dat nou allemaal met Anthonie te maken?'
'Anthonie zit over zijn oren in de verboden middelen. In ieder geval de middelen die hun oorsprong hebben in de natuur. Wiet of zelfs cocaïne. Dat verklaart de nachtschade en de bitterzoet. Bij de vliegenzwam denk ik eerder aan iets dat je moet slikken. Denk maar aan die kleine hapsporen die je altijd in de hoed van de vliegenzwam tegenkomt. Daar heeft een beestje aan geknaagd dat daarna mooie dromen heeft beleefd, denk ik altijd maar. Een paddotrip in het bos. Jawel. Bij Anthonie zijn het misschien pilletjes. GHB, XTC, noem maar wat op. Geen heroïne. Nee, dat niet. En hij danste in mijn droom. Hij danste en vierde uitbundig feest. Ik denk dat hij er niet alleen geestelijk rijker van denkt te worden. Neen, deze meneer wordt er financieel ook beter van. Wil je nog een bakkie?' Schaapje houdt Sanne uitnodigend haar kopje voor en Sanne knikt.
'U weet ook de wonderlijkste dingen. Al deze kennis past helemaal niet bij uw eerbiedwaardige grijze koppie,' schudt Sanne verbaasd.
'Lieve kind, we zijn op de wereld om te leren. Dat had ik al jong door. Dus dat doe ik, dat blijf ik doen. En ik moet zeggen, het bevalt me prima!' Schaapje laat zo'n triomfantelijk lachje horen, dat Sanne er ook van in de lach schiet.

‘Maar wat moeten we nou met uw droom?’ vraagt ze, terwijl ze een slokje neemt van de pas ingeschonken koffie.
‘We moeten hem in de gaten houden. Want het kan mij niet schelen wat die knul uitspookt. En jou ook niet, denk ik. Maar het moet een bedreiging zijn voor ons, anders had ik er niet zo duidelijk over gedroomd. Dus we moeten goed opletten wat er op de camping gebeurt. Hij moet die rommel maar niet meenemen. Nietwaar?’ Schaapje kijkt haar oplettend aan. Sanne schudt haar hoofd en dan ineens bedenkt ze wat Schaapje eigenlijk bedoelt. Ze schiet omhoog en zegt meteen: ‘U denkt toch niet dat Wichard er... U haalt zich toch geen malle dingen in uw hoofd? Wichard zou nooit... Die zou echt nooit...!’ Ze krijgt het haar mond niet eens uit en kijkt juffrouw Schaap verontwaardigd aan. Schaap glimlacht en zegt: ‘Dat is lief gereageerd. Lief en naïef. Ga zitten Sanne en probeer eens antwoord te geven op deze vraag: Hoe weet je dat zo zeker?’
Sanne laat zich op haar stoel zakken. Ze zucht eens diep.
‘Ik kan me niet voorstellen dat hij zoiets stoms uit zou halen. Dat is het gewoon. Wie begint nou aan die rommel?’ Ze kijkt juffrouw Schaap wanhopig aan, bijna smekend om een geruststelling. Natuurlijk Sanne, je hebt gelijk. Nee, Wichard zou dat nooit doen. Hoe bedenk ik het. Welnee, Wichard is daar helemaal de jongen niet naar. Die zou nooit aan zoiets stoms beginnen. Maar die geruststelling krijgt ze niet. Ze krijgt een bedachtzaam: ‘Laten we niets uitsluiten en heel erg op onze hoede zijn. Als we kunnen, moeten we voorkomen dat er iets uit de hand gaat lopen. Want als er geen dreiging zou zijn, had ik niet zo duidelijk gedroomd.’
‘Maar het was maar een droom,’ zegt Sanne nog.
‘Ja, het was een droom,’ knikt Schaap. Ze streelt even geruststellend met haar gerimpelde hand over Sannes arm.
‘Vanmiddag zou Wichard met Anthonie de cijfers doornemen. Volgens Wichard staat de boel er niet zo rooskleurig voor.’
‘Dan ga ik vanmiddag eens een paar keer langs de administratie lopen. Ik zou toch de dekens uit de slaapzaal weghalen en uithangen,’ bedenkt Schaap.

'Ik ga vanmiddag Rinke ophalen uit school. Voor die tijd zal ik bij Wichard langs gaan om haar pyjama op te halen en haar tandenborstel. Dan kan ik haar verrassen met een kleine logeerpartij,' bedenkt Sanne.
'De kans dat we iets zien, is niet groot,' waarschuwt juffrouw Schaap.
'Ach, Nee. Wichard rookt niet eens. Dan kan je toch ook niet blowen?' bedenkt Sanne ineens hoopvol.
'Nee, dat niet,' zegt Schaapje somber.
'Ik kan me er ook niks bij voorstellen. Maar als ik die Anthonie kan tackelen, zou me dat een enorm plezier doen. Want die deugt niet,' zegt Sanne.
Als ze terugloopt over het zandpad, belt Yvonne haar op haar mobieltje.
'Hé meissie!' groet ze.
'Sanne, ik heb hier de *Story*, en wat denk je?' zegt Yvonne meteen. Ze snikt het uit en Sanne zegt: 'Rustig, lieverd. Wat is er gebeurd?'
'Dat wou ik net vertellen! Het is zó erg!'
'Och hemel! Sta je erin?' vraagt Sanne geschrokken. Ze ziet het voor zich. Met grote letters: wie is het nieuwe liefje van... en dan de naam van de bekende Nederlander die Yvonne niet wil verklappen. En daaronder een foto van Yvonne die met grote ogen van schrik recht in de lens kijkt.

'Je moet zelf maar kijken! Het staat in alle bladen. Ik ben zo woedend! Echt woest! Maar ik kan het niet zeggen. Ik wil het niet zeggen,' huilt Yvonne.
'Lieve kind, word nou eens een beetje kalm! Moet ik naar je toe komen?' biedt Sanne aan. Ze staat nu stil op het zandpad, om beter naar Yvonne te kunnen luisteren. Hazel huppelt uitgelaten

op haar af om haar aandacht te trekken. Die vindt er niets aan als ze stil staat. Dan rent ze weer vooruit. Even verderop kijkt ze om en gaat kwispelend zitten wachten. Onderwijl wordt Yvonne wat rustiger. Nee, Sanne hoeft niet te komen. Ze is op weg naar een mevrouw met M.S., bij wie in huis allerlei aanpassingen moeten komen. 'Ik heb het hartstikke druk en ik wil niet volkomen overstuur op dat adres aankomen. Maar ik zag ineens die foto in de *Story* en ik werd zo boos! Het is zo vernederend!'
'Je wist toch al dat het nergens toe zou leiden?' zegt Sanne. 'Nu is het maar meteen duidelijk.'
'Ja,' verzucht Yvonne. 'Dit is echt het eind van alles. Nou ja, kijk maar in de bladen. Je ziet het meteen. Nu kan ik het toch niet langer geheimhouden. Maar ik vertel het je niet. Je hebt het niet van mij. Dat is dan het laatste wat ik voor hem doe. En daarna ga ik heel erg mijn best doen om geen hekel te krijgen aan mezelf. Gatver, wat ben ik naïef.' Sanne lacht.
'Gelukkig wel. Daardoor ben je zo leuk! Ach kind, het is het eind van de wereld niet. Wie weet wat er allemaal nog op je pad komt. De volgende moet er wel eentje zijn waar je lekker trots mee kunt rondstappen. Afgesproken?'
'Afgesproken,' zegt Yvonne. Ze slaakt nog een keer een diepe zucht. Hazel heeft al die tijd op het zandpad naar Sanne zitten kijken. Maar nu is ze haar geduld verloren. Ze blaft uitdagend. Alsof ze wil zeggen: Kom je nou nog?
'Hoor ik Hazel?'
'Ja, we zijn buiten en het duurt haar te lang. Hazel heeft geen geduld voor liefdesleed. Die wil lekker wandelen,' lacht Sanne.
'Ze heeft gelijk. Ik kom gauw bij je logeren. Lange wandelingen maken met mijn hoofd in de wind,' zegt Yvonne ernstig.
'Afgesproken. En hou je taai, hè?' wenst Sanne.
'Ja,' zegt Yvonne. 'Ik voel me nu al een stuk beter.'
Later in de middag gaat Sanne op pad om Rinkes pyjama op te halen en daarna naar haar schooltje te lopen. Bij de kampeerbarak komt ze jufrouw Schaap tegen, die druk bezig is met het beddengoed.

'Wichard zit nog op kantoor. Met Anthonie,' knikt ze naar Sanne.
'Niks verdachts? Op gebied van dollekervel of zo?' glimlacht Sanne.
'Je drijft er toch niet de spot mee, hè?' vraagt juffrouw Schaap ontstemd.
'Nee, nee. Nou ja, misschien doe ik er wat te lollig over,' verontschuldigt Sanne zich. Schaapje knijpt haar lippen samen en zegt: 'Ga zelf maar kijken.' Ze loopt meteen door en Sanne begrijpt dat ze Schaapje behoorlijk uit haar humeur heeft gebracht met haar vraag. Als ze bij de deur van het kantoor staat, kan ze Wichard al horen. Hij giert van het lachen. Even aarzelt ze. Dan opent ze de deur en loopt naar binnen.
'Zoveel pret?' vraagt ze vriendelijk. En ze groet meteen: 'Dag Anthonie.' Wichard veegt de lachtranen uit zijn ogen en knikt. Sanne ziet meteen een heel andere Wichard dan ze eerder die dag aantrof.
'We houden de moed erin,' knikt Anthonie. 'It's a hell of a job.' Daar moet Wichard alweer om lachen. Sanne ziet nog steeds de griezelig donkere kringen om zijn ogen, maar hij heeft nu wel wat meer kleur op zijn gezicht. Van opwinding en van dat hysterische lachen, denkt ze.
'Ik kom even zeggen dat ik Rinkes nachtspullen meeneem. Dan mag ze een nachtje logeren. Als je dat tenminste goed vindt?'
'Ja, natuurlijk!' hikt Wichard. 'Sorry, mam. Ik kan niet meer stoppen met lachen. Sorry. Maar tof van je. Leuk ook voor Rinke. Prima. Echt tof. Oké. Ja. Oké. Hartstikke tof. Goed. Ja.'
'Nou, dat is toestemming genoeg, lijkt me,' concludeert Sanne. Ze keert zich om en groet nog een keer. Maar vlak voordat ze bij de deur is, zegt Anthonie: 'Jij bent verleden jaar gekidnapt geweest, hè? Wichard vertelde het me. Ik wist dat niet. Dat moet een vreselijke tijd voor je zijn geweest.' Sanne krijgt meteen kippenvel. Die akelige jongen! Iedereen zou zoiets mogen zeggen, maar hij niet. Dit voelt alsof je grootste vijand in je dagboek zit te neuzen. Jakkes! Maar ze keert zich beleefd om en zegt: 'Aar-

dig van je. Maar als je het niet erg vindt, ik praat er liever niet over. Het is verleden tijd. Dag!' Weer keert ze zich om en weer maakt hij een opmerking. Hij zegt: 'Ik vond dat ik er wel iets over móést zeggen. Zo gek als er zoiets heftigs gebeurt met iemand vlak bij je en jij weet van niks! Dus ik weet het nu ook. Dat is alles. En ik voel echt met je mee. Dat wilde ik je alleen maar even laten weten.' Nu is er niet alleen kippenvel. Er zijn zelfs rillingen over haar rug. Ze keert zich niet nog een keer om. Ze zegt alleen maar: 'Oké.' Het klinkt luchtig. Maar zo voelt het niet. Terwijl ze naar het huis loopt om Rinkes logeerspullen bij elkaar te zoeken, voelt ze een golf van misselijkheid omhoog komen.
Als ze de deur uitkomt met Rinkes spullen in een speelgoedkoffertje, is de misselijkheid nog nauwelijks gezakt.

Juffrouw Schaap haalt net haar fiets uit het rek bij de kantine, als Sanne langs loopt. Ze besluit meteen met de deur in huis te vallen en zegt: 'Schaapje, er hangt een wolk van gif om die jongen heen. Het spijt me dat ik er daarnet zo luchtig over deed.'
'Dus je hebt het ook gevoeld?' vraagt Schaap ernstig.
'Ik ben er misselijk van,' knikt Sanne. Schaap kijkt haar somber aan. 'Die jongen is echt slecht nieuws.'
'Maar Wichard denkt er heel anders over. Die vindt hem fantastisch,' zegt Sanne.
'Wichards oordeel is zeer vertroebeld,' merkt Schaapje op.
'U bedoelt dat hij...?' Schaap knikt en Sanne kijkt haar ongelovig aan.
'Je ziet het nog steeds niet, hè?' vraagt Schaapje. Even voelt Sanne tranen in haar ogen opkomen. Dan schudt ze haar hoofd. 'Nee, dat kan niet.'
'Blijf maar goed opletten,' raadt Schaapje aan, waarna ze verrassend soepel op haar fiets stapt en wegrijdt.

De avond met Rinke is heerlijk en Sanne geniet van die kleine dame in haar nachtponnetje dat door de kamer danst en uiteindelijk met twee armen om Robs nek op de bank belandt.
'Ik heb een ponnetje met K3! Die heb ik ook, hè oma? En deze is met Minnie Mouse!'
'Met K3? Dat meen je niet. Ik heb altijd al een pyjama willen hebben met K3. Maar die hebben ze niet in mijn maat,' verzucht Rob jaloers.
'Enge man,' moppert Sanne.
'Vooral die ene van K3, die met die blonde vlechtjes, die zou ik best eens...' vervolgt Rob. Maar Sanne valt hem in de rede: 'Hou je nou op? Lelijke schooier!'
'Oma zegt: Lelijke schooier! Oma zegt: Lelijke schooier!' jubelt Rinke. Sanne lacht mee en zegt: 'En jij bent een kleine schooier.'
'Een lelijke schooier en een kleine schooier,' herhaalt Rinke verrukt. 'Ga je me nou voorlezen, ome Rob?'
'Graag,' zegt Rob. Hij pakt het grote sprookjesboek en begint zijn eigen versie van het sprookje van Sneeuwwitje: 'Er was eens, heel lang geleden, op camping "Het Raetsel" een klein meisje met een nachtpon van K3.'
Als ze Rinke naar bed brengt, voorspelt Sanne: 'Als je je kussen ruikt, ben je weg.' Ze heeft gelijk. Rinke gaat liggen en mompelt: 'Slaap lekker, oma.'
'Slaap lekker, pop,' fluistert Sanne terug. Daarna zit ze nog een tijdje op de rand van het bed. Ze luistert naar de rustige ademhaling van haar kleinkind. Ze strijkt wat kriebelende haartjes van Rinkes wang naar achteren en kijkt vol vertedering naar dat kleine slapende kind. Het is zo jammer dat Wichard haar alleen moet opvoeden, bedenkt ze. Zo jammer ook dat Rinke op deze manier zo lang alleen is. Ze weet zeker dat er nog een broertje of zusje bij gekomen was, als Hannah nog geleefd had. Ach, Hannah. En de kinderen. Alweer vier jaar geleden, dat vreselijke ongeluk. Sanne zucht eens diep. Dan schudt ze haar hoofd. Geen verdrietige gedachten toelaten. Niet doen. Ze heeft mooie herinneringen aan Hannah en Johan en Marlene. Warme herinnerin-

gen. Maar Rinke is nu alleen met Wichard. En eigenlijk zou dat niet zo moeten zijn. Ik gun dat pukkie zo van harte een lieve moeder, bedenkt ze. En Wichard zou met een sterke partner heel anders af zijn dan nu. Dat weet ze zeker. Dan zou hij niet zitten gillen van het lachen om iedere opmerking van Anthonie Kaerels, bedenkt ze verbitterd. Ik zou op zoek moeten naar een mama voor jou, meisje, denkt ze. Ze geeft Rinke heel voorzichtig een kus op haar wang. Als ze overeind komt, is het net alsof er ineens een plannetje rijpt. Op zoek naar een moeder voor Rinke. Op zoek naar een partner voor Wichard. Een vrouw, vriendin, hoe je het ook wilt noemen. Op zoek. Waarom niet?
Als ze beneden komt, zegt ze tegen Rob: 'Als ik nu eens een relatiebureau begin? Een datingservice?' Rob schiet in de lach.
'Hoe kom je daar nu zo ineens bij?' vraagt hij.
'Nou ja, door Wichard. Ik zat zo naar dat kleine slapende koppie van Rinke te kijken en bedacht hoe jammer het is dat ze geen moeder heeft. En voor Wichard zou het ook niet verkeerd zijn. Een nieuwe liefde, een vrouw naast hem, als steun en zo. Of klinkt dat raar?' Onzeker kijkt ze hem aan, maar Rob schudt zijn hoofd.
'Nee. Dat klinkt helemaal niet raar. Weet je, je moet maar eens je licht opsteken. Internetdaten is helemaal hot en de relatiebemiddelingsbureautjes schieten de grond uit. Ik vind het altijd nogal een risico voor die mensen. Griezelig, zo openbaar op internet. Maar als jij je op zoiets zou storten, misschien met de combinatie van een echt bureau, waar mensen langs kunnen komen om met je te praten, ja, dan is het ineens heel iets anders. Ga maar eens op zoek naar informatie, zou ik zeggen.' Hij knikt haar toe. 'Ik vind het eigenlijk een steengoed idee.' Dan schiet hij in de lach en zegt: 'Kun je meteen voor Yvonne op zoek!'
'Nou ja, dat heb ik je nog niet eens verteld. Yvonne belde vandaag. Helemaal over haar toeren.' Sanne vertelt aan Rob wat er gebeurd is. Hij lacht en zegt: 'Ik denk dat ik morgen toch even "De Bladen" doorblader.' Bij 'De Bladen' maakt hij aanhalingstekens in de lucht en hij lacht er spottend bij.

'Ik ben eigenlijk ook wel nieuwsgierig. Als ik boodschappen ga doen, kijk ik ook even snel, stiekem.' Ze lachen samen en onderwijl denkt Sanne: Zal ik hem vertellen van Wichard? En van Schaapjes droom? Nee. Wat is er nou helemaal? Een lachbui, nachtschade en bitterzoet. Nee, ik zeg niets.

Urenlang zit Sanne achter de computer om gegevens te verzamelen over datingbureaus. Ze haalt informatie op bij de Kamer van Koophandel, print stapels papier uit en ontwikkelt langzaam, stukje bij beetje, een ondernemingsplan.
Op een avond vraagt Rob: 'Die minnaar van Yvonne, daar kan ik geen chocola van maken. Heb jij de roddelbladen van deze week nog doorgenomen?' Sanne schrikt ervan.
'Dat is er nog steeds niet van gekomen,' zegt ze.
'En nog wat van Yvonne gehoord?' Ze schudt schuldbewust haar hoofd.
'Ik had haar moeten bellen. Stom. Ik ben ook zo druk met al mijn bedenksels.'
'Dat zeg je verkeerd. Een man zou dat anders formuleren. Die zou zeggen: "Ik heb het ook zo druk met de zaak." Dus dat moet jij nu ook zeggen.'
'Ik val alleen niet meer onder een regeling voor jonge ondernemers,' zegt Sanne.
'Maar wel voor starters. Toch? Je bent een starter, wat je leeftijd ook is.'
'Dat zoeken we nog uit. Er is nog zoveel te doen. Maar ik vind het allemaal even leuk. Alleen zou het misschien leuker zijn als ik het met iemand samen zou kunnen doen,' bedenkt Sanne.
'Ach, zelf verantwoordelijk zijn, heeft ook z'n voordelen. Nu ben je eigen baas en kan je alles doen zoals jij het zelf wilt,' vindt Rob.

Als Sanne de volgende dag boodschappen doet, neemt ze alle bladen mee die ze ziet liggen. *Party, Weekend, Privé, Story*, uiteindelijk ligt er een heel stapeltje in haar boodschappenkar.
'Zo! Jij wilt graag op de hoogte blijven,' zegt een man die achter haar in de rij staat. Hij knikt naar de stapel bladen op de lopende band. Sanne kijkt hem even vluchtig aan en glimlacht vaag. Geen enkele behoefte om jou aan je neus te hangen waarom ik al die rommel koop, jongen, denkt ze. Maar de man is blijkbaar niet tevreden met haar glimlach. Hij vervolgt spottend.
'Ben je zo bang dat je iets mist?'
Dan heeft Sanne er genoeg van.
'Meneer, ik denk niet dat het u iets aangaat. Ik bemoei me ook niet met het feit dat u zich blijkbaar te buiten gaat aan suikerbommen met kleurstof.' Ze wijst op een enorme zak felroze en geel gestreepte spekken die hij net op de lopende band heeft gelegd. De man schiet in de lach, slaat dan zijn hand voor zijn mond en zegt geschrokken: 'Nu besef ik het pas! Je herkent me helemaal niet, hè? Ik ben Frits. Frits! Weet je nog? Van het huwelijk van Daan en Abel? Daar hebben we nog samen gedanst!'
Sanne kijkt hem verbaasd aan.
'Heeft u een klantenkaart, mevrouw?' vraagt het meisje achter de kassa.
'Sorry! Ja, moment,' zegt Sanne gehaast. Ze vist het kaartje uit haar portemonnee en geeft het aan de caissière. Dan kijkt ze nog een keer naar de man naast haar.
'Ik weet het niet meer. Het spijt me,' zegt ze eerlijk.
'Geeft niks. Ik dacht dat je me meteen herkende. Anders had ik je nooit gepest met die blaadjes! Nee, stel je voor dat je zoiets zou zeggen tegen iemand die je niet kent! Dan spoor je toch niet! Wat moet je gedacht hebben?' Hij wrijft de lachtranen uit zijn ogen.
'Ik dacht: engerd, bemoei je met je eigen zaken. Dat dacht ik eigenlijk,' knikt Sanne lachend. Onderwijl rekent ze haar boodschappen af.
'Je moet even een kop koffie met me gaan drinken. Om het goed te maken,' vindt Frits.

'Ik weet niet, ik moet nog...'
'Hiernaast. Even koffie,' dringt hij aan.
'Goed dan,' besluit Sanne. Dus zit ze even later in de koffiecorner tegenover Frits. Er staan twee koppen cappuccino te dampen en er is een klein bordje met twee chocolaatjes en twee kleine amandelkoekjes.
'We hebben de tango gedanst samen,' helpt Frits haar herinneren.
'Ik kan de tango helemaal niet,' zegt Sanne.
'Ik ook niet. Maar samen waren we fantastisch,' beweert Frits. 'We hebben daarna nog met elkaar gepraat. Ik heb je toen verteld dat mijn partner een halfjaar eerder was overleden. Weet je nog?'
'Oooh! Wacht eens, ja, ik weet het weer. Vaag.' Sanne kijkt hem peinzend aan.
'Dat is nu alweer veel langer geleden, natuurlijk,' vertelt Frits. 'Verdriet gaat nooit echt over, hè? Ik voel me nog steeds af en toe vreselijk alleen. Maar vertel eens, waar ben jij de laatste tijd mee bezig?' Sanne vertelt over haar plannen. En al gauw staat er een tweede kop cappuccino en een tweede schaaltje chocolaatjes. Want Frits blijkt eigenaar van een groot pand waarin allerlei kleine ondernemingen een plekje hebben gevonden. 'Er zit een reiki-praktijk, een kleine sportschool voor mensen die revalideren, een tekstbureautje, een diëtiste en een cursusruimte waar ze onder meer yoga doen en niet te vergeten buikdansen. Ik heb me altijd voorgenomen daar zelf een paar lesjes te nemen,' vertelt hij lachend. 'Dus als je een ruimte zoekt, volgens mij pas je er prima bij! Als ik niet zoveel andere dingen aan mijn hoofd had, zou ik me al meteen aanbieden als je partner. Speciaal voor bepaalde doelgroepen. Ouderen en homoseksuelen. Dat lijkt me echt een uitdaging.'
'Dan ben jij vanaf nu mijn speciale adviseur,' besluit Sanne lachend.
'Ik geef je mijn kaartje,' zegt Frits. Hij grabbelt in zijn binnenzak en zegt: 'Ik denk dat je niet eens weet hoe ik heet! Frits Filips is de naam. Nee, nee, geen familie in Eindhoven. Ik ben

Filips met een F. Bel me voor een afspraak als je werk wilt maken van de ruimte. We komen er zakelijk vast wel uit.' Hij geeft haar een hand en zegt: 'Nu gauw naar huis. Want je hebt nog een hoop te lezen!'

Straks alle roddelbladen doorspitten, op zoek naar de geheime minnaar van Yvonne. Op zoek naar de bekende Nederlander van wie iedereen weet dat zijn familieleven heel belangrijk voor hem is. Maar die toch een slippertje maakte met Yvonne. En waar nu iets over in de bladen moet staan, dat Yvonne helemaal van streek maakte. Stiekem verheugt Sanne zich er al op. Alsof ze een geheim zal gaan ontdekken, een geheime code in de berichtgeving van *Party, Story, Privé,* noem maar op. Zonder dat die bladen het zelf beseffen! Ze loopt met een brede glimlach haar boodschappen op te ruimen en installeert zich daarna aan tafel met een kop koffie en een kladblok. Snel pakt ze het eerste blad en begint te bladeren. Misschien moet ik toch een detectivebureau opzetten, bedenkt ze. Want ze geniet van de opwinding. Straks zal ze iemand betrappen, die zich totaal onbespied waant. Heerlijk! Al na een paar pagina's heeft ze een potentiële minnaar te pakken. Pieter van Vollenhoven poseert op wintersportvakantie met de hele familie en verklaart dat hij intens dankbaar is voor het geluk dat hij iedere dag ervaart dankzij zijn gezin. Het is een aandoenlijk stuk tekst, waarin de prins vertelt hoe hij geniet van zijn kleinkinderen en hoe dankbaar hij is voor elke dag die hem gegeven is. Dat hij dat des te meer beseft na zijn ziekte en dat het goed is om heel bewust je zegeningen te tellen.
'Wat mooi,' zegt Sanne hardop. Maar ze pakt haar kladblok en noteert zijn naam. Het kan zijn dat Yvonne zich gekwetst voelde door deze ode aan het gezin. Ja, dat kan. Stel dat... Ze kijkt nog eens goed naar de foto's en streept dan de naam door. Nee, dat

kan echt niet! Van alle mannen in de wereld is dit de laatste man die ik ooit zou verdenken van een buitenechtelijke verhouding. Nee, dit is hem niet. Ze bladert door. Beau van Erven Dorens! Hé, die had ik ook op mijn lijstje! Ze leest het kleine stukje door bij de foto. Beau is weer aan het opkrabbelen na een donkere periode. Een gewaardeerde column in *NRC*, een spelprogramma op Talpa en nu een nieuwe show samen met Linda de Mol die goed scoort. Het geluk lacht hem weer toe! De tekst knalt haar tegemoet. Ja, ja, blabla. Sanne schudt haar hoofd. Dat kan het niet zijn. Ze bladert verder en dan komt Beau ineens wel in beeld. Komt er nog een zusje bij? De kop staat in knalroze letters boven een foto van Beau met een bakfiets vol kleine kinderen. Allemaal zonen. En nu dat felbegeerde zusje? Sanne leest. Maar dan leest ze het commentaar van de presentator: 'Ik heb momenteel niet eens tijd om daarover na te denken! Laat staan...!' Terwijl ze zijn naam op haar kladblok noteert, denkt Sanne na. Nee, als hier nu bekendgemaakt werd dat de vrouw van Beau zwanger was, dan zou hij hoog op haar lijstje komen. Maar nu, nee, nu niet. Ze streept vastberaden de naam weer door. Exit Beau. Volgende. Jan des Bouvrie. Nee, die staat gewoon op een feestje met een glas champagne in zijn handen. En hij heeft een nieuwe lamp ontworpen voor een bouwmarkt. Ze schrijft zijn naam niet eens op. Onkreukbare meneer, die Jan. Ha! Daar staat de hoofdverdachte! Sanne gaat er eens rechtop voor zitten en spelt het verhaal over Robert ten Brink letter voor letter. Als ze het uit heeft, vraagt ze zich oprecht af waar het eigenlijk over ging en leest het nog een keer van voren af aan. Dan kijkt ze naar Hazel in haar mandje en zegt stomverbaasd: 'Hij is anders gaan eten. Want hij werd een paar pond te zwaar. Meer nieuws kan ik niet ontdekken. En dat in een artikel van twee pagina's!' Hazel kwispelt vol verwachting en heft haar koppie op. 'Gaan we uit?' lijkt ze te vragen. Sanne duikt weer in de stapel bladen en zoekt zuchtend door. Hennie Huisman heeft een nieuw paard gekocht, René Froger is weer goed bij stem en ook Frans Bauer is helemaal hersteld van de operatie aan zijn stembanden. Jan Smit po-

seert met Ellemieke in Volendams kostuum. Freek de Jonge heeft succes in de theatertournee met zijn vrouw. Hé! Zou dat het zijn? Ach nee, Freek. Sanne schudt haar hoofd. Het is om dol van te worden, maar niemand is op grond van de verhalen onmiddellijk verdacht.
'Het is alleen maar geschikt om de kachel mee aan te maken,' besluit ze. Daar moet Hazel zo om kwispelen dat Sanne aanbiedt: 'Zullen we uitgaan? Lekker eindje om?' Hazel springt meteen uit haar mand.
Als ze langs de kantine loopt, ziet ze Wichard zwaaien. Ze houdt haar pas even in, als ze ziet dat hij zijn jas pakt. Een paar tellen later komt hij naar buiten. Terwijl hij gehaast zijn jas dichtknoopt, zegt hij: 'Ik wil met je praten. Ik loop met je mee.'
'Prima,' zegt Sanne. Ze kijkt even onderzoekend opzij. Wat is er aan de hand? Even slaat er een lichte ongerustheid door haar heen, maar dat stopt ze meteen weg. Rustig aanhoren wat hij te vertellen heeft, besluit ze.
Naast haar slaakt Wichard een diepe zucht. Hij schraapt zijn keel en zegt: 'Mama, ik wil iets met je overleggen. Het gaat niet lekker met de camping. Het is sappelen om je kop boven water te houden. Dat heb ik eigenlijk nooit gewild. Ik zie de camping niet als levensvervulling. Ik verwacht meer van mijn leven. Meer pret, meer ruimte, meer tijd voor mezelf. Begrijp je wat ik bedoel?'

Sanne is even stil na de verklaring van Wichard. Maar dan knikt ze. Ja, ze begrijpt het. Ze begrijpt het maar al te goed. Ze weet hoeveel uren Wichard moet maken om de camping goed te runnen. En als je dat niet meer met hart en ziel kan doen, dan is het een vrijwel onmogelijke opgave.
'Ja. Ik begrijp het heel goed,' zegt ze. Ze slikt even snel een oude droom weg. De illusie van toen. Het sprookje dat waar werd.

Maar ze moet pas echt slikken bij zijn volgende mededeling. Want Wichard zegt: 'Ik heb een koper. Er ligt een heel aantrekkelijk bod.'
Het is doodstil. Ze lopen naast elkaar, moeder en zoon. Sanne hoort zijn voetstap en de hare. Ze hoort hun ademhaling. Dit is het einde van de camping, denkt ze, begrijpt ze. Hier eindigt de droom die ze ooit had, samen met Frank. Zoveel dromen vinden een tragisch einde. Aan de andere kant zijn er veel dromen die nooit uitkomen. En er was een camping. Er is nog steeds een camping. Misschien is het goed zo. Misschien wel. Het is zo'n enorm gevecht. Hoe lang houd je dat vol? Zo hard werken, zoveel investeren. Ach... Ze haalt eens diep adem en wil net gaan praten, als Wichard zegt: 'Ik begrijp dat het een enorme schok voor je moet zijn. Misschien heb je nooit geweten hoe de cijfers er precies voor staan. Ik zal je vanavond de boeken komen brengen. Dan kan je samen met Rob eens kijken en overleggen. Want ik wil echt niets doen zonder jouw instemming. Je bent mede-eigenaar, dus we moeten samen beslissen. Maar je moet er gewoon tijd voor nemen. Niets overhaast. Dat hoeft echt niet. Er ligt nu een bod, maar dat bod ligt er morgen ook nog. En volgende week ook. Laat je door niemand opjutten, mam. Dat is nergens voor nodig.' Ze kijkt hem aan. Hij ziet er afgetobd uit, verdrietig en ontgoocheld.
'Voel jij je wel opgejut? Heb jij wel lang en breed en diep genoeg nagedacht?' vraagt ze. Hij aarzelt voordat hij antwoordt en Sanne registreert die aarzeling haarfijn. Toch zegt hij: 'Nee. Ik ben met mijn neus op de feiten gedrukt en ik heb de oplossing toegeschoven gekregen. Dat is alles. Misschien had ik eerst van het een moeten bekomen. Dan had ik de oplossing meer als verademing ervaren. Nu was het zo snel, dat ik er een beetje benauwd van werd. En nog ben, trouwens.' Hij lacht verontschuldigend. 'Ik wil niet dat jij net zo benauwd wordt bij het idee van de verkoop als ik een tijdje was.' Hij knijpt haar even liefkozend in haar arm.
'Wie is de koper?' vraagt Sanne.

‘Een grote organisatie die heel veel bungalowparken in Nederland runt. Ze gaan er volgens hun concept een pretparkachtige constructie van maken, met tropisch zwemparadijs. Je kent dat wel.’ Wichard zegt het een beetje spottend en Sanne merkt meteen op: ‘Dat zullen onze vaste gasten een regelrechte ramp vinden.’ Hij knikt.
‘Ik heb contact gezocht met een natuurcamping, hier honderd kilometer verderop. Die willen graag een plek aanbieden aan onze vaste kampeerders. We kunnen ze daarover inlichten, als de kogel eenmaal door de kerk is.’
‘Dat is goed bedacht,’ knikt Sanne. Dan bedenkt ze dat ze zich eigenlijk al heeft neergelegd bij de verkoop van de camping. Betekende het maar zo weinig voor me? Hoe komt dat? Of ben ik zo toe aan een nieuwe fase in mijn leven? Ze schrikt er een beetje van. En dan bedenkt ze in een flits wie dit verkoopplan heeft bekokstoofd. Anthonie Kaerels. De slimme zakenjongen. Dit is zijn spelletje. Is dat bod wel zo goed? Hoeveel zit er voor meneer Kaerels aan vast? Want dat die eraan gaat verdienen, staat voor haar als een paal boven water.
‘Zijn die bungalowparkjongens goede vrienden van Anthonie?’ vraagt ze plompverloren.
‘Een van de commercieel directeuren is een studievriendje van hem. Hij heeft zoveel contacten. Op deze manier konden we heel makkelijk overleggen. Anthonie weet precies wie hij moet hebben voor zulke dingen,’ vertelt Wichard naïef.
‘En hoeveel verdient Anthonie aan deze deal?’ Sanne kijkt Wichard indringend aan en hij schrikt ervan.
‘Vertrouw je hem nog steeds niet, mama? Hij is echt een goede zakenpartner! Ik heb het hele plan laten onderzoeken door onze accountant en die kennen we veel langer dan Kaerels. Nee, echt, het is een goed voorstel. Meer dan redelijk, zei hij zelfs. Ik ga heus niet alleen op Anthonie af. En jij gaat er toch ook nog kritisch naar kijken?’ Sanne kan er niks aan doen, maar ze voelt dat al haar nekharen overeind gaan staan bij het idee dat het bod op hun camping afkomstig is van een studievriendje van Anthonie

Kaerels. Maar ze begrijpt dat ze met al haar bedenkingen niet verder komt. Dus ze zegt: 'Ik zal ernaar kijken. In alle rust.'
'Ben je erg verdrietig?' vraagt Wichard even later, als ze een tijdje naast elkaar hebben gelopen zonder een woord te zeggen.
'Minder verdrietig dan ik had gedacht,' bekent Sanne.
'Het sluit wel een hele periode af,' merkt Wichard op. Hij gooit een tak weg en Hazel springt het bos in om de tak terug te vinden. Sanne kijkt de hond na en zegt: 'Ja. Dat is zo.' Daarna hebben ze het er niet meer over. Ze spreken over Rinke. Hoe groot die alweer wordt en hoe goed het gaat in groep 3. Wichard lacht trots. Als Sanne vertelt over haar plannen voor een datingservice, roept hij meteen: 'Dan ben ik de eerste die bij je inschrijft!'

Als Sanne eenmaal het complete voorstel tot verkoop van de camping heeft ontvangen, duikt ze er meteen in. Ze besluit diezelfde avond met Rob te overleggen.
'Lieverd, er is niks van mij bij,' weert die af.
'Maar ik wil het wel graag met je overleggen,' dringt Sanne aan.
'Tuurlijk. Ik wil er graag over meedenken. Maar het is niet mijn ding. Dat weet je.'
'Mijn ding?' Sanne herhaalt het verbaasd, omdat ze weet hoe een hekel Rob heeft aan dat soort moderne uitdrukkingen. Hij schiet in de lach.
'Ja, sorry. We hebben een stagiair op de redactie, die dat om de haverklap zegt. Dus om hem te pesten, gebruiken wij het ook zo veel mogelijk. Net zo lang tot hij ermee ophoudt!'
'Oké, maar je wilt je wel met mijn ding bemoeien, dus?' informeert Sanne droogjes. Daar moet Rob nog harder om lachen.
'Op die manier klinkt het bijna alsof je me een onzedelijk voorstel doet. Zo kun je die uitdrukking niet gebruiken. Je moet zeggen dat het wel helemaal jouw ding is en dat je dus graag zou

zien dat ik...' Sanne verliest haar geduld en valt hem in de rede met: 'Rob! Hou je nou op! Waar gaat het eigenlijk over? Denk je met me mee of niet? Ik zou het bijzonder op prijs stellen als je bevestigend antwoordde, maar als je niet wilt meedenken, wil ik dat je daar duidelijk over bent. Oké?'
'Oké. Oké. Rustig maar. Opgewonden standje.' Rob staat op en komt bij haar aan tafel zitten. Hij werpt een uitnodigende blik op de papieren en zegt: 'Begin maar. Waar gaat het allemaal om.'
Een uurtje later schudt hij moedeloos zijn hoofd en zegt: 'Je moet een afspraak maken met de accountant. Ik kan je hier niet mee helpen. Dit is zo complex. Bel hem morgen meteen.'
'Je hebt gelijk. Dat ga ik doen,' belooft Sanne. Ze schuift de stapel papieren in de map en vraagt: 'Samen Hazel uitlaten?'
'Leuk,' zegt Rob.
Even later lopen ze over de verlaten camping. Er ligt een dun laagje sneeuw en hun adem maakt condenswolkjes. Hazel sprint heen en weer en heeft de grootste pret. Bij Wichard brandt nog licht, ziet Sanne al uit de verte. Ze zijn bijna bij de kantine, als de voordeur bij Wichard opengaat en Anthonie Kaerels naar buiten stapt. Wichard komt achter hem aan. Sanne pakt meteen de mouw van Rob vast en trekt hem mee naar achteren, in de schaduw van het gebouw.
'Wat is...' bromt Rob.
'Sssst!' maant Sanne.
'Kerel, verdomde tof van je,' horen ze Wichard zeggen.
'Aaah, shit happens, ik weet er alles van,' lacht Anthonie. 'Nou, hoi!' Hij draait zich om en loopt in de richting van de parkeerplaats.
'Hoi!' zwaait Wichard. Dan gaat de deur weer dicht. Wichard is naar binnen.
Onder de lantaarnpaal staat Anthonie even stil. Hij pakt een stapeltje biljetten uit zijn binnenzak, en telt ze snel na. Dan rolt hij het bundeltje weer op en stopt het terug. Sanne en Rob verroeren zich niet en zelfs Hazel is roerloos bij hen komen staan. Ze kijken toe hoe Kaerels naar de parkeerplaats loopt en pas als ze een auto horen starten, lopen ze door.

'Denk jij wat ik denk,' vraagt Rob aan Sanne, als ze het pad oplopen naar hun huis.
'Ik denk het wel,' antwoordt ze.
'Die Kaerels heeft iets langsgebracht en daar heeft Wichard een hoop geld voor betaald,' mompelt Rob. Sanne zwijgt en denkt na. Zou het niet anders kunnen? Zou Wichard niet iets hebben verkocht aan Anthonie? Omdat hij geld nodig had? Nee, Anthonie was geld aan het tellen. Dus die heeft geld gekregen van Wichard. Dat kan niet anders. En dat zal geen levering zijn geweest van schoonmaakspullen of toiletrollen. Ze zucht eens diep. Nee, wat Anthonie aan Wichard bracht, dat vond Wichard 'verdomde tof'.
'Die stomme jongen,' mompelt ze.
'Ik ben bang dat dat een uitstekende analyse van Wichard genoemd mag worden. Op dit moment althans,' zegt Rob cynisch.
'Maar het heeft geen zin om hem vanavond nog met onze vermoedens te confronteren,' zegt Sanne.
'Nee. We gaan lekker slapen. Morgen weer een dag. Wat hij ook heeft gekregen, het is meer dan hij vanavond zal gebruiken. Dat was een flink pak geld.' Hij streelt haar even bemoedigend over haar rug en slaat dan een arm om haar heen.
'Het komt allemaal wel goed. Het is een slimme kerel. Hij bedenkt heus wel op tijd dat hij zo niet door kan gaan. Morgen, dan gaan we met hem praten. Nodig hem en Rinke uit om te komen eten. Dan gaan we spijkers met koppen slaan,' belooft Rob. Sanne zegt niets meer. Haar keel zit dicht van emotie en ze zou het liefst heel hard willen huilen. Maar ze stapt door naast Rob, drinkt samen met hem nog een glas wijn en kijkt naar het laatste nieuws. Pas als ze haar tanden staat te poetsen en zichzelf eens kritisch bekijkt in de badkamerspiegel, beseft ze dat ze als een berg opziet tegen de confrontatie met Wichard. Hij is al volwassen, verdorie. En dan haalt hij zulke stomme streken uit. Vader van een kind, eigenaar van een camping, aan alle kanten verantwoordelijk en dan zo onverantwoordelijk bezig. Hoe oud is hij nu? Achtentwintig. Meer dan volwassen. En dan moet zij hem

als moeder op zijn vingers tikken vanwege drugsgebruik? Het is voor het eerst dat ze dat woord toelaat in haar gedachten en er schieten tranen in haar ogen. Verwoed poetst ze door. Was dat gesprek alvast maar voorbij, bedenkt ze verdrietig.

Ze maakt eerst een afspraak met de accountant om het voorstel tot verkoop van Camping 't Raetsel eens goed door te spreken. Als dat eenmaal in haar agenda staat genoteerd, belt ze Wichard om hem uit te nodigen mee te eten.
'Ik heb een voorstel voor vanavond. Boerenkool, met spekjes en rookworst. Kom je?'
'Goh, mam, wat officieel! Meestal deel je meer opdrachten uit. Zo in de trant van: Help leegeten. Dit krijgen we anders nooit op!' lacht Wichard.
'Nou ja, zo moet je het ook een beetje opvatten, natuurlijk. Alleen heb ik nog geen enorme pan boerenkool gemaakt. Ik voel hem aankomen, zeg maar,' grapt Sanne terug. En ze voelt zich enorm vals als ze met haar zoon meelacht. Maar wat moet ze dan zeggen? Ik wil met je praten over je drugsgebruik? Maar het is wel leuk als je eerst gezellig komt eten?
'Ik zal er zijn. Met Rinke. En ik beloof je de hele dag op streng dieet te gaan, zodat ik je vanavond niet teleur zal stellen,' zegt Wichard.
'Oké! Halfzeven. Dag!' Sanne hangt vrijwel meteen op, nauwelijks in staat nog langer vrolijk te doen. Daarna werkt ze aan haar plan om een relatiebureau op te zetten. Binnenkort moet ze iemand zoeken om een website voor haar te bouwen. En dan nog een kantoorruimte. En een naam. En een logo. Even twijfelt ze. Is het wel zo leuk om dit allemaal alleen te ondernemen?
'Met z'n tweeën is leuker, niet?' zegt ze hardop tegen Hazel, als ze langs de bosrand loopt, terwijl Hazel naast haar hoog

opspringt om de stok te pakken te krijgen voordat Sanne hem weggooit.
'Misschien moet ik daar toch eens over nadenken,' zegt ze. Ze kijkt de hond na die voor haar uitrent om de tak op te halen die ze weggeslingerd heeft.
'Loop jij tegen jezelf te praten?' vraagt een bekende stem. Het is Rokus, die net het zijpad afkomt.
'Ik loop hardop te denken,' knikt Sanne. 'Alles goed met jou? En met Schaapje?' Rokus zegt: 'Ze verwacht je al een tijdje. Volgens haar zit je vol met vragen.'
'Ja, dat klopt. Ach, alles klopt eigenlijk altijd wat ze zegt. Maar ik wil het niet altijd horen.'
Rokus kijkt haar ernstig aan. 'Nee, dat heb ik nou ook. Iedere keer als ik haar ten huwelijk vraag, weet ik dat ze gelijk heeft als ze me afwijst. Maar iedere keer heb ik het er moeilijk mee.'
'Misschien kom je ooit nog eens iemand anders tegen,' oppert Sanne.
Rokus schudt zijn hoofd. 'Ik blijf mijn meisje trouw. Zij mij ook mij. We hebben iets heel bijzonders. Onderschat dat niet.'
'Maar geen seks,' zegt Sanne plompverloren. Rokus schiet meteen in de lach.
'Dat is dan ook het meest overschatte onderdeel van een relatie dat je je maar kunt indenken! Alleen Amerikanen vinden dat belangrijk. Verder niemand, lieve kind.'
'Nou...' Sanne denkt aan Rob. Die zou de mening van Rokus niet direct onderschrijven, denkt ze. En zij?
'Het is toch wel een ultiem bewijs van intimiteit, vind ik,' zegt ze.
'Zolang je het zo ziet, is er niks mis mee. Maar het is nooit een doel op zich. Ik ervaar intimiteit heel anders. Niet minder intens, denk ik. Zullen we daarmee dit wonderlijke gesprek op een bospad beëindigen, voordat je me de volgende vreselijke vraag stelt?' Rokus kijkt haar lachend aan. Zijn rimpelige kop rimpelt nog dieper en de pret spat uit zijn ogen. Ineens ziet ze Rokus niet meer als de zonderlinge buitenman die altijd met prei en boe-

renkool loopt te sjouwen, maar als een mens die over heel wat dingen een stuk dieper heeft nagedacht dan ze ooit vermoedde.
'Oké. Heb je nog boerenkool?' vraagt ze meteen.
'Kijk, vrouwen. Meteen weer praktisch. Ik kom straks wel wat langsbrengen,' belooft Rokus. Hij zwaait haar gedag en slaat af in de richting van het dorp. Sanne loopt door naar de zandverstuiving. Als we vanavond met Wichard hebben gepraat, ga ik bij Schaapje langs. Dan vertel ik haar meteen dat ze gelijk had, toen ze laatst opmerkte dat er iets mis was met Wichard. En dat ik bewust blind wilde zijn voor zijn gedrag. En daarna vraag ik haar of ze me wil helpen met het relatiebureau. Wie zou dat beter kunnen dan Schaap? Sanne grijnst. En dan een naam. Wat is dat lastig. Relatiebureau, contactbureau, huwelijksbureau, zelfs dat is al lastig. Het klinkt allemaal even suf. Huwelijk valt af, relatie is beter. Contact gaat ook wel. Partner hoeft niet perse. Je kunt ook op zoek gaan naar een vriend. Of een kennissenkring. Eigenlijk wil je gewoon op zoek naar anderen. Om dingen mee te delen. Samen eten, theater bezoeken, wandelen, wonen, wat dan ook. Ze is diep in gedachten de zandverstuiving overgestoken en loopt het oude bos in.
Het is een oerzoektocht. De zoektocht naar een mens. Welke filosoof was dat? Die met een lamp in zijn hand op klaarlichte dag op zoek was naar een mens? Diogenes. Dat is een mooie naam. Hij zocht natuurlijk antwoord op diepere vragen, maar toch... Wie de mens vindt, vindt zichzelf. Ja, dat is mooi.
Hazel drukt haar neus tegen haar hand en Sanne kijkt om zich heen. We zijn veel te ver weg! Ze huivert door de wind die plotseling opsteekt en een vlaag regendruppels in haar gezicht jaagt. Opzij van haar kreunen de dennenbomen onder een stormvlaag en de lucht trekt zwart dicht. 'Gauw terug,' zegt ze tegen Hazel. Maar Sanne beseft dat het al te laat is. De regen slaat in stromen neer en Sanne begint te rennen.

Struikelend rent Sanne terug naar de zandvlakte. De regen striemt in haar ogen en spoelt de wortels schoon die het pad overwoekeren. Hazel jankt even, als ze met een pootje blijft haken en gevoelig haar neus stoot. Op de vlakte is het iets lichter, maar daar stroomt de regen nog genadelozer in haar gezicht en ze voelt hoe haar hele lijf, dwars door haar jas heen, nat begint te worden.
'Rustig,' hijgt ze tegen Hazel. 'Rustig, voor we onze enkels breken.' De hond likt haar hand en ze aait even snel over haar koppie.
'Brrr, wat ben je nat. Kom, we lopen naar huis. Niet bij nadenken, gewoon doorstappen.' Bij iedere stap worden haar schoenen zwaarder van het water. Haar broek plakt tegen haar benen en haar jas is doorweekt. Ze likt telkens de regendruppels van haar lippen af en veegt af en toe sprieten haar uit haar ogen. En al houdt ze er een straf tempo in, toch voelt ze zich langzaam verkillen. Haar benen beginnen bij iedere stap zwaarder te worden en al gauw begint ze te rillen. De tocht lijkt eeuwen te duren en Sanne weet niet meer of ze haar tranen wegveegt of de regendruppels, als ze eindelijk aan het einde van het pad haar huis in zicht krijgt.
'We zijn er!' hijgt ze opgelucht. Hazel schudt meteen haar vacht enthousiast uit, als ze onder het afdak staat en Sanne steekt trillend haar sleutel in het slot. Aan haar voeten ziet ze een groot pak liggen, gewikkeld in doorweekt krantenpapier. De boerenkool van Rokus. Ze pakt het op en stapt naar binnen. Hazel aarzelt nog even. Mag ik zomaar nat naar binnen? Sanne zegt: 'Kom maar, lieverd. Ik droog je binnen wel af.' En dat doet ze, nog voordat ze haar eigen spullen uittrekt. Bibberend rost ze Hazels vacht af met de donkere hondenhanddoek. Ze droogt haar pootjes en pakt een pensstaafje uit het kastje.
'Kijk eens?' Heel tevreden vertrekt Hazel met haar buit naar haar mand. Dan pas trekt Sanne haar schoenen uit en haar sokken. En jas en broek en trui zijn ook kletsnat...
'Snel maar,' besluit ze hardop. Ze stroopt zo snel ze kan al haar

kleren van zich af, tot ze in slip en bh in de keuken staat. Met een snelle beweging gooit ze alle natte kleren samen met de boerenkool in de gootsteen en dan rent ze zo snel ze kan naar de badkamer. Een hete douche. Dat kan me misschien nog redden, besluit ze.

Het duurt even voor ze de warmte terug voelt komen in haar lijf. Haar voeten blijven heel lang ijskoud aanvoelen en ook haar rug voelt ze verkillen zo gauw ze niet onder het warme water staat. Maar een uurtje later staat ze in schone droge en warme kleren de boerenkool te wassen. Haar natte kleren hangen nu in de badkamer uit te druipen en haar schoenen staan, gevuld met proppen krantenpapier, op een krant in de keuken.

Als Rob thuiskomt, zegt hij: 'Jij hebt ook een heel avontuur achter de rug, zo te zien!' Hij omarmt haar en kust haar op haar voorhoofd.

'Ik ben zo blij dat jij een krant maakt. Hoe zou ik anders mijn schoenen weer droog krijgen?' lacht Sanne.

Om even over zes verschijnen Wichard en Rinke. De laatste is helemaal teleurgesteld dat ze niet meer hoeft te helpen met eten.

'En het toetje dan, omi?'

'IJs!' fluistert Sanne.

'En ik mag hier slapen, hè?' vraagt Rinke voor de zekerheid.

'Dat mag toch altijd, als je hier komt eten, lieve pop,' lacht Sanne. Onderwijl babbelt Rob ontspannen met Wichard over voetbal, televisie, werk en het vreselijke weer van de laatste tijd. Ook aan tafel blijft de stemming ongedwongen gezellig. Rinke laat met behulp van krantenkoppen zien welke letters ze in groep 3 al heeft geleerd en Rob toont zich diep onder de indruk.

'Dit is een wonderkind,' zegt hij tegen Wichard. 'Heb je haar al laten testen? Volgens mij is ze buitengewoon begaafd.'

'Je lijdt aan het super-opa-syndroom,' zegt Sanne tegen Rob.

'Dat is een mooie voor scrabble. En dan drie keer woordwaarde,' merkt Wichard op.

Als Sanne Rinke naar bed brengt, voelt ze zich moe.

'Mijn benen voelen als lood,' zegt ze tegen Rinke.

‘Wat is lood?’
‘Dat is heel zwaar. Als je maar een klein beetje lood hebt, kan je het haast al niet meer optillen. Zo zwaar is het. Voel je kussen eens? Dat is niet zo zwaar hè? Dat is dons. Dat krukje is veel zwaarder. Hout is dus zwaarder dan dons.’
‘En lood is zwaarder dan hout,’ concludeert Rinke.
‘We moeten je inderdaad maar testen,’ lacht Sanne trots. Ze kust haar kleindochter dan goede nacht.
‘Tot morgen, lieve pop.’
‘Tot morgen, omi.’
Het loodgehalte in Sannes benen lijkt toe te nemen als ze naar beneden loopt. Nu het gesprek met Wichard. Ze ziet Rob al vragend naar haar kijken, als ze binnenkomt.
‘Koffie?’
‘Graag.’
Maar Wichard staat meteen op.
‘Niet voor mij. Ik moet nog aan het werk,’ zegt hij.
‘Scoren?’ vraagt Sanne. Hij kijkt haar weifelend aan.
‘Wat bedoel...?’ Verder komt hij niet. Sanne zegt: ‘Je hoort me. Ik vraag of je moet scoren. Is het te lang geleden? Denk je dat je het nodig hebt? Ga je in je eentje met behulp van die rommel een leuke avond creëren? Dat wilde ik eigenlijk alleen maar even vragen. Als je hiervan schrikt, dan moet dat maar. En als je hulp nodig hebt, dan staan we klaar voor je. Zo. Dat is gezegd. Nou jij. Koffie erbij?’ Ze kijkt hem uitnodigend aan.

Wichard staat midden in de kamer en kijkt Sanne totaal verdwaasd aan.
‘Scoren? Waar heb je het in hemelsnaam over?’ vraagt hij.
‘Dat is wel duidelijk, dacht ik. Ik vind juist dat ik bijzonder helder was. Wij denken, nee, we weten dat je coke gebruikt. Mis-

schien ook wel andere rommel, maar dat weten we niet. Hoe dan ook, we bieden je aan je te helpen. Want je begrijpt natuurlijk wel dat je daar niet mee door kunt gaan.' Sanne kijkt hem uitnodigend aan.
Maar Wichard schudt zijn hoofd en zegt: 'Mam, daar heb je geen ene moer mee te maken. Dat is mijn leven. Ja, ik gebruik wel eens wat. Niks mis mee. Honderden, duizenden, miljoenen mensen slikken wel eens een pilletje of doen iets anders leuks. Jij neemt door de week wel eens een wijntje. Dat had oma ook decadent gevonden. De tijden veranderen. Goed, nu we dat overeen zijn gekomen, neem ik afscheid van jullie. Goedenavond.' Wichard tikt aan een denkbeeldige pet en keert zich om. Sanne voelt woede in zich opkomen en haar stem trilt als ze zegt: 'Wichard, je hebt de verantwoordelijkheid voor een bedrijf met werknemers en voor een kind. Misschien heb je je laten meevoeren door het glibberige gebabbel van Anthonie, misschien ben je daardoor je greep op de realiteit verloren. Denk na, voor je hiermee doorgaat. Je kunt niet half stoned in een huis zitten, terwijl je dochter boven slaapt!' Ze hoort de machteloze wanhoop in haar stem en ziet hoe Wichard even aarzelt. Maar dan loopt hij door. Bij de deur kijkt hij nog even om.
'Mam, je overdrijft. En je bekijkt Anthonie helemaal verkeerd. Hij heeft me juist uit het dal getrokken, want geloof mij maar, zo gelukkig was ik een tijdlang echt niet. Ik werkte, deed alles wat iedereen van mij verwachtte, maar lachen, nou, dat was er toch echt een tijdje niet bij. Nu wel. Nu leef ik weer. Ik lach, ik heb lol, ik heb boeiende gesprekken, ik ontmoet af en toe leuke mensen en ik krijg weer een beetje zin in het leven. Dus wees Anthonie maar dankbaar. Dankzij hem ben ik voor Rinke een veel leukere vader dan ik in jaren ben geweest. Hij is echt een goede vriend van me geworden.' Hij ziet eruit alsof hij het echt meent en Sanne is even in de war door zijn betoog. Zou ze inderdaad overdrijven? Is het net zo onschuldig als voor haar dat glas rode wijn, 's avonds? Ze kijkt naar Rob en ziet hoe hij peinzend naar Wichard zit te kijken. Haar blik beschouwt hij blijkbaar als een

uitnodiging, want hij schraapt zijn keel en zegt: 'Misschien hoop je dat het nog een keertje net zo fantastisch zal worden als die allereerste keer. Maar dat wordt het niet, weet je. Maakt niet uit hoe vaak en hoeveel je gebruikt. Zoals die eerste keer wordt het nooit meer. Dus zet dat maar uit je hoofd en tel dan één en één eens bij elkaar op. Ik weet dat je een verstandige vent bent. Denk er eens goed over na.' Wichard is sprakeloos, ziet Sanne. Wat weet Rob van cocaïnegebruik? Het klinkt absoluut of hij er vanuit de praktijk over praat. Ze probeert de verbazing op haar gezicht te onderdrukken. Als Rob het de moeite waard vindt, zal hij het haar wel vertellen. Het gaat nu om Wichard. En om Rinke. En om de camping. Om alles waar ze haar geluk op bouwt. Ze kijkt gespannen naar haar zoon die nu toch aarzelt bij de deur.
'Het is nooit meer zo geweest als toen, hè?' vraagt Rob. Wichard lijkt even flauwtjes zijn hoofd te schudden. Maar dan vermant hij zich en zegt: 'Wat weet jij er nou helemaal van? Sjonge, waar sta ik hier naar te luisteren! Nou, heb nog een leuke avond, dan heb ik het misschien ook.' Rob grinnikt en zegt: 'Daar spreekt de puber die denkt dat volwassenen niets weten. Jongen, in mijn jeugd is een hoop van die rommel echt algemeen goed geworden, dus als je een generatie onderzoekers van het eerste uur wil interviewen, dan moet je bij onze leeftijdsgenoten zijn. Wij weten er meer af dan jij. En ik zat maar al te raak met mijn opmerking over die eerste keer. Dat is algemeen bekend, wist je dat niet? Alleen dat vertelt je dealer er nooit bij. Die komt iedere keer met betere kwaliteit waardoor je gegarandeerd wel die high bereikt als toen. Of niet soms? Dat verhaal moet je wel bekend voorkomen!'
Wichards gezicht trekt wit weg.
'Dus dat zijn precies de woorden van Anthonie. Of niet? Dan zegt ie: Nee, Wichard nu heb ik iets voor je, dat is helemaal te gek! Probeer! En dan valt het toch weer tegen. Of niet? Ja, het is wel leuk natuurlijk, maar om nou te zeggen dat het ook maar haalt bij die ene, die eerste keer, nee, dat niet, hè?' Rob leunt voorover, als om zijn woorden kracht bij te zetten.
Wichard schudt zijn hoofd. Steeds feller.

'Wat doe je! Je denkt dat je alles weet, maar je weet niks! Ik ga. Nu.' Sanne ziet tranen glinsteren. Hoe heeft het zo ver kunnen komen? Rob leunt weer achterover en zegt vlijmscherp: 'Vanavond lukt het weer niet. Dat voorspel ik je nu al. En noem Anthonie Kaerels geen vriend. Noem hem gewoon wat hij is. Noem hem "mijn dealer".'
'Stik maar,' sist Wichard. Met een klap slaat hij de deur achter zich dicht en verdwijnt.
Sanne begint te trillen. 'Ik heb het zo koud,' zegt ze.

'Je hebt misschien wel een koutje opgelopen, door die regenbui,' zegt Rob bezorgd, als hij Sanne een hete groc voorzet, die ze met trillende vingers naar haar lippen brengt.
'Ik was nat tot op mijn huid,' knikt Sanne.
'En door de aanvaring met Wichard kreeg je van binnen ineens ook een ijzige wind te verduren,' merkt Rob op. Ze knikt. 'Ja, zo voelt het inderdaad.'
'Hij draait wel bij. Hij gaat het wel begrijpen. Duidelijker dan dit konden we niet zijn. Geef hem een beetje tijd,' sust Rob goedig.
'Maar hoeveel tijd,' vraagt Sanne zich hardop af. Haar stem hapert en ze schraapt haar keel. Ze voelt hoe haar lichaam overal pijn begint te doen en ze zegt: 'Ik duik onder de wol. Ik moest maar eens lekker slapen, dan ben ik morgen weer een hele piet, hoop ik.'
'Ik stop je onder. Dan kijk ik nog even wat voetbal en rook een pijp. Ik zal een glas sap naast je op het nachtkastje zetten.' Zorgzaam hobbelt Rob achter haar aan en als ze onder het dekbed duikt, stopt hij haar van hoofd tot voeten in. Nog even wrijft hij over haar rug en vraagt: 'Lekker warm?' Sanne knikt. Ze is te doezelig van de groc om nog te praten en haar keel doet zeer.
'Slaap maar lekker,' zegt Rob. Hij geeft haar een kus op haar voorhoofd en loopt dan op zijn tenen weg.

Hoe laat is het nu? Dorst. Zo'n dorst. Sanne tilt een loodzware arm op en voelt op haar nachtkastje. Geen glas. Geen drinken.

Mijn hoofd! Ik moet water. Een beetje water. Ze komt overeind en gaat staan. Naar de badkamer. Een paar stappen. Wat drinken en dan terug. Rob slaapt al. Alles is donker. Wat is die deur scheef. De deurpost is van rubber. Ze slaat met haar hand in de ruimte, voelt nog even hoe koel de tegels zijn aan haar wang en dan is er duisternis.
'Sanne?! Sanne, wat doe je?' De stem van Rob komt van ver en het licht prikt in haar ogen.
'Sssst,' fluistert ze.
'Ben je flauwgevallen? Kom, ik breng je naar bed. O jee, dat wordt een blauw oog en een bult. Wat ging je doen? Kun je staan? Voorzichtig maar. Eerst even zitten. Ben je er weer? Ja? Oei, jij hebt een lelijke griep te pakken, denk ik.'
'Ssssst,' zegt Sanne nog een keer. Haar hoofd bonst en ieder woord weerkaatst duizenden keren tegen de binnenkant van haar schedel. Pijn! En haar armen en benen willen maar niet gewoon bewegen. Het voelt alsof ze probeert te zwemmen in een bad vol vanillevla. Zo moeilijk.
'Omi?' Daar staat Rinke in haar nachtpon. Sanne knikt haar toe.
'Ben je gevallen?'
'Dorst,' fluistert Sanne.
'Ik ga een beker water halen,' biedt Rinke aan. Ze huppelt door het huis alsof het de gewoonste zaak van de wereld is dat haar oma midden in de nacht op de grond zit.
'Probeer overeind te komen, Sanne,' spoort Rob haar aan. Hij heeft haar stevig vast onder haar armen, zodat ze niet nog een keer onderuit kan gaan. Ze probeert weer haar keel te schrapen.
'Laat maar los,' fluistert ze. Zo gauw hij haar loslaat, kruipt ze op haar knieën en even later staat ze rechtop, ondersteund door Rob.
'Naar bed,' zegt hij. Stapje voor stapje gaat ze terug en als ze op de rand van het bed zit, is Rinke er met een beker water. Voorzichtig drinkt ze. Het koude water doet bijna pijn in haar mond. Ze rilt alweer en gaat liggen. Rob slaat het dekbed over haar heen en beseft nu ineens hoe warm ze aanvoelt.

‘Wat ben je heet!’ schrikt hij.
‘Omi heeft koorts,’ zegt Rinke wijs.
‘Dat denk ik ook. Ik ga de thermometer pakken. Pas jij op omi? Ze mag haar bed niet uit.’
Rinke zit naast haar en streelt haar hand. Mijn hand bestaat uit droge takjes, denkt Sanne. Ze ziet duizenden kevertjes langs de rand van het bed marcheren. Waar gaan die naar toe? Zoveel beestjes. En allemaal op pad. Daar is Rinke. Rinke, jaag de kevers weg! Toe dan. Nu meteen! Of komen ze niet op mij af? Nee, ze gaan weg. Ze lopen naar de muur en zijn op weg naar het plafond. Straks lopen ze allemaal boven mijn hoofd en dan vallen ze misschien. O, hemel, hoe moet dat? Onrustig wijst Sanne met haar hand naar de parade van kevers. Ze merkt niet eens dat Rob met de oorthermometer haar temperatuur opmeet en zich te pletter schrikt. Hij pakt zijn telefoon en belt.
Er zit een kever op mijn gezicht, denkt Sanne. Die maakt het helemaal donker. Ze voelt zich wegzakken in de duisternis en geeft zich over. Slaap. Slaap.

‘Blijf jij hier? Ik bel zo gauw we iets weten.’ Dat is de stem van Rob. Tegen wie praat hij? Ze ligt in een skilift. Tadadang. De lift knalt langs de kabels en iedere keer denkt ze: Nu stort ik neer. Die band om haar arm knelt enorm. Au! Een prik. Niet doen! Maar niemand hoort me. Niemand weet wat ik denk. Niemand weet waar ik ben. ‘We zijn er bijna. Je wordt weer beter. Heus waar,’ zegt Rob. Hij heeft me gevonden!

‘Sanne? Kun je me horen?’ Ze voelt de smaak van citroen op haar lippen. Dat is lekker! Haar lippen zijn zo droog. Dag Rob, denkt ze.
‘Mama? Word je alsjeblieft weer beter?’ Dat is Wichard. Ze weet het. Ik wil wel iets zeggen, maar het lukt niet.
‘Dag,’ zegt ze schor.
‘Ze neemt afscheid,’ fluistert Wichard.

Als Sanne haar ogen opendoet, ziet ze seringen. Paars en wit, de geur wolkt haar tegemoet.
'Wat mooi,' fluistert ze. Haar mond is kurkdroog.
'Even drinken,' zegt een kordate stem. Ze voelt een rietje. Ze zuigt. Heerlijk. Wat is dat? Zoiets heerlijks heeft ze nog nooit gedronken. En dan die seringen. Fantastisch. Jammer dat ik op een plank lig. Die is ook een beetje schuin. Ze constateert het nuchter, nauwelijks verwonderd. Ik lig toch lekker, bedenkt ze. Ik lig fantastisch. Op een smalle houten plank waar ik bijna afglijd, omringd door duizenden geurende seringen.
'Het gaat wel iets beter met haar,' hoort ze iemand zeggen. Rob pakt haar hand. Ze weet zeker dat het Rob is.
'Dank je wel,' zegt ze hees. Hoort hij het wel? Ze is zo blij met die seringen.

Mijn moeder sloeg de stelen van seringen altijd plat op de broodplank. Met een hamer. Ze ziet het zo voor zich. De takken kwamen van een enorme boom in de tuin van een tante. Tante Jo. 'Zo blijven ze langer goed,' legde mam uit. De broodplank was smal. Die was ooit doormidden gespleten. Bovenin stond met kunstig ingesneden letters: 'BRO'. De rest van het woord stond blijkbaar op de andere helft. Ze weet het nog precies. Mam had ooit met die plank heel hard op het granieten aanrecht geslagen. Dat kwam omdat Cathy haar een grote mond gaf. 'Rotmeid,' had moeder geschreeuwd. En knal, daar lag de plank in tweeën. Ze waren er allemaal van geschrokken en Cathy had vreselijk gehuild. Van opluchting, bedenkt Sanne. Omdat ze die plank net zo goed op haar kop had kunnen krijgen, zo woedend was mam. En nu ligt zij op die plank. Ze tast met haar vingers onder haar hoofd om de letters te voelen. BRO. Maar iemand pakt haar hand.
'Rustig maar, lieverd. Ik ben hier.' Dat is Rob. Is er wel een broodplank?
'Rob?' Ze weet niet of ze wel geluid geeft. Hoor je mij? Rob?

Waar ben ik? En waar zijn de seringen? Verbijsterd kijkt Sanne in het gezicht van een onbekende jongeman.
'Goedemorgen! Zijn we er weer? Ik denk dat de antibiotica eindelijk goed aanslaan. U bent een heel tijdje onder zeil geweest. Maar nu gaat het vast met sprongen vooruit. Wilt u drinken?' Ze knikt en doet haar ogen weer dicht. Wat is dat licht fel.

Er liggen hier allemaal mensen. Ze maken rare geluiden. Geluiden van pompen, zuigers, mixers, kruimeldieven, droogtrommels, afwasautomaten, espressomachines en puntenslijpers. Het is een afschuwelijk gezicht. Maar het is nog veel erger om al die geluiden te moeten horen. Dan staan er ineens dokters rond haar bed. Een heleboel dokters. Kan ik alweer praten? Ze weet het niet. Maar als ze vraagt: 'Mag ik hier weg?', schieten alle dokters in de lach.
'U gaat zo snel mogelijk naar zaal,' zegt de man met het kale hoofd.

Diezelfde middag ligt Sanne op een zaal met mevrouw Zomer.
'Als uw man straks komt, kan hij televisie voor u regelen,' vertelt een zuster die haar bed handig aan de raamkant parkeert. Ze kondigt aan over een halfuur weer even langs te komen. Ze wijst op de infuuszak boven het bed en zegt: 'Dan moet ik een nieuwe zak aanhaken. Als u iets nodig heeft, moet u bellen, hoor!' Sanne knikt.
'Zo moe,' fluistert ze. Alsof ik een wereldreis achter de rug heb, bedenkt ze. Lopend! En ik ben alleen maar op een bed hierheen gerold. De zuster glimlacht. 'Tuurlijk. Rust maar lekker uit,' zegt ze. 'Als u iets nodig heeft, belt u maar.' Nog even een vriendelijk knikje naar die andere mevrouw en dan slapen, besluit Sanne. Ze ontmoet twee grijsblauwe boze ogen in een rimpelig gezicht. 'Je kunt hier bellen tot je een ons weegt. Ze komen toch nooit,' begint mevrouw Zomer. 'Ik lig hier al drie weken, dus ik weet waar ik over praat. Maak je borst maar nat, vrouwtje. Je bent in de hel beland. De hel van verwaarlozing, hardvochtigheid en spot. Het

is een wonder dat hier van tijd tot tijd een patiënt levend het pand mag verlaten. Ik heb vanochtend vier uur liggen wachten op de po. Iemand met een normale blaasinhoud was al lang geknapt. Of had alles onder geplast. Maar je weet niet hoe ze reageren als je dat doet, nietwaar? Ik heb gehoord dat ze je afspuiten en buiten te drogen zetten. Maakt ze niet uit hoe koud het is. Al is het net zo koud als de soep die je hier bij het middageten geserveerd krijgt! Hoewel, zo koud als die soep wordt het tegenwoordig niet meer. De aarde warmt harder op dan de soep. Over de rest zal ik je niets vertellen. Dat moet je allemaal zelf meemaken. Eén ding is zeker: je kunt het proeven, maar niet doorslikken. Dat lukt van geen kant. Of je moet een eigen mes meebrengen en er heel kleine stukjes van maken. Dat lukt niet met hun bestek en zeker niet met je tanden en kiezen. En dan die lakens! Voel je? Die kriebel? Dat is goedkope katoen in combinatie met een treurige kwaliteit waspoeder. En dan moet je eens nagaan wat je maandelijks aan premie betaalt voor die bende! Het is niveau bananenrepubliek. Hoewel ik vermoed dat die zich hiervoor zouden schamen. En kijk uit als ze je prikken. Er zijn tweedehands naalden in omloop. Dat heb ik gezien. Ik heb gezien hoe ze...' Sanne doet haar ogen dicht. Als de zuster terugkomt, vraagt ze schor: 'Mag ik de oordopjes van de radio in mijn oren?' De zuster giechelt.

Diezelfde avond kijkt Wichard om de hoek van de kamer. Sanne krijgt meteen tranen in haar ogen.
'Hé, jochie,' fluistert ze. Hij rent met een paar enorme stappen op het bed af en buigt zich over haar heen.
'Ik was zo bang dat je dood zou gaan,' fluistert hij. Ze voelt tranen op zijn wangen en veegt ze af.
'En jij?' vraagt ze.

‘Niet meer. Nooit meer. Beloofd.’ Wichard kijkt haar ernstig aan.
‘Fijn,’ verzucht Sanne.
‘Rob komt nog even. Ik ben er morgen weer,’ zegt Wichard. Hij kust haar en loopt naar de deur. Daar draait hij zich nog even om en zwaait. Sanne glimlacht. Wat ben ik gelukkig, bedenkt ze. Rob duikt op en als hij haar kust, ruikt ze pijptabak. Dan pas herinnert ze zich de seringen.
‘Waren er seringen?’ vraagt ze.
‘Ik zal ze morgen voor je meebrengen. Als ik ze kan vinden,’ belooft Rob. Hij zoekt een stoel en gaat naast haar zitten. Ze houden elkaars hand vast en zwijgen. Na een minuut of tien zegt Rob: ‘Ik ga. Rust maar goed uit. Dan ben je weer gauw thuis.’
Sanne knikt. Bij de deur zwaait hij nog een handkus op haar af.
‘Ze houden het niet lang vol, hè?’ zegt mevrouw Zomer scherp. ‘Ze wippen even binnen en zijn weer weg. Ach ja, mannen. Als je gezond bent en achter ze aan kan draven met drankjes en hapjes en borsten en billen, dan houden ze de moed er wel in. Dat verveelt niet zo gauw. Maar als je ziek bent, tja, dan ziet het plaatje er ineens een stuk minder aantrekkelijk uit. Dan weten ze eigenlijk niet eens wat ze moeten zeggen. Voor je er erg in hebt, zijn ze er weer vandoor. Dat is hard. Heel hard. Maar waar. Ach, dat zullen we moeten accepteren. Dat was zeker je zoon? Die eerste, bedoel ik? Nou, die was helemaal zo weer opgekrast. Hij hield zijn jas aan, toch? En die andere. Is dat je man? Die ging tenminste nog even zitten. Twee tellen. Veel langer was het niet. Toen stond hij weer op en was hij...’ Met haar laatste krachten propt Sanne de oordopjes van de radio in haar oren.

Langzaam krabbelt Sanne op. Ze weet niet hoe snel ze weer op de been moet komen om mevrouw Zomer te ontvluchten. En omdat die aan bed is gekluisterd door een gebroken heup, is de gang haar enige verlossing van de onafgebroken litanie van het oude kwaadaardige dametje.
Als Yvonne op visite komt, herinnert ze zich ineens de speurtocht door alle roddelbladen. Ze veert er helemaal van op en be-

groet haar met een brede grijns. 'Hoe gaat het nu met je?' vraagt Yvonne bezorgd. 'Ik ben zó bang geweest! Ik heb iedere avond met Rob gebeld, maar ik mocht niet naar je toe! Je was zo ziek!'
'Beter,' knikt Sanne. 'En met jou? Ik heb al die roddelbladen doorgespit, maar...'
'Ssssst, niet meer over praten. Nooit meer over praten,' zegt Yvonne.
'Maar ik kon dat bericht niet vinden!' dringt Sanne aan. Yvonne schudt haar hoofd. 'Ik schaam me echt dood. Ik was zo paranoia. Er stond helemaal niks in over ons, maar ik dacht dat ik tussen de regels door kon lezen dat hij van me af wilde... Is dat zielig of niet? Belachelijk gewoon. Ik was totaal geobsedeerd door die man. En toen jij zo ziek werd, begreep ik dat het er helemaal niks toe deed. Ik dacht meteen geen seconde meer aan hem. En jij wordt beter, nu. Dus alles is weer goed.' Ze heeft tranen in haar ogen en houdt Sannes hand met allebei haar handen vast.
'Maar wie was het nou? Toch Robert ten Brink?' vraagt Sanne nieuwsgierig. Yvonne lacht: 'Schooier. Je wórdt niet beter. Je bent al beter!'
Cathy en Willem brengen een enorme fruitmand, Daan en Abel een stapel glossy bladen en juffrouw Schaap verrast haar met een voorraad kruidenzakjes. Rob komt iedere avond op bezoek en samen lopen ze dan naar het koffietentje in de hal. Om de paar dagen komt Wichard, een enkele keer met Rinke. En iedere dag is er wel een onderzoekje, een foto, een bloedafname, een dokter die toch nog even wil luisteren, kijken, kloppen en peinzend knikken. Tot die ene dag de kale dokter langskomt met een stapel dossiers in zijn handen. Hij legt ze op haar voeteneind, gaat er gezellig bij zitten en vraagt: 'En? Wat vindt u er zelf van?'
'Ik vind dat ik thuis wel verder kan opknappen. Ik denk dat mijn longen schoon zijn, ik denk dat mijn hoestje alleen veroorzaakt wordt door beschadiging van mijn keel en niet meer door iets engs en ik denk dat ik thuis prima tot rust zal komen,' zegt Sanne.
'Ik zou het niet beter kunnen verwoorden,' lacht de dokter. 'U

mag weg. Vandaag nog. Ik schrijf u nog wel een paar medicijnen voor. U krijgt een inhalator met een ontstekingsremmer en eentje om u wat meer lucht te geven. Verder nog iets voor de nacht om de hoestprikkel te remmen. Bij de zusterpost kunt u het recept ophalen en u kunt telefonisch een afspraak maken voor over een maand. Dan wil ik u nog even terugzien.' Hij kijkt haar lachend aan.
'Fantastisch,' zegt Sanne blij.
Zo gauw de dokter weg is, stapt Sanne uit bed en begint zich aan te kleden.
'Dus je mag weg?' vraagt mevrouw Zomer nieuwsgierig.
'Ja,' zegt Sanne.
'Dan ben ik weer alleen,' concludeert het oude dametje.
'Zo gezellig was het niet. U hebt alleen maar gemopperd en akelige redevoeringen gehouden,' zegt Sanne. Ze heeft net haar broek aangetrokken en kijkt mevrouw Zomer recht in haar gezicht terwijl ze haar rits dichtdoet. Die is met stomheid geslagen.
'Nou ja! Ik vond je stil en ik dacht dat je het wel gezellig vond als ik tegen je aan babbelde! Doe varkens goed, dan krijg je spek! Onvoorstelbaar, zo'n reactie. Heb ik al die tijd mijn best gedaan om je met alles te helpen en je overal op voor te bereiden en te waarschuwen en dan krijg ik als afscheid zo de kous op mijn kop! Hoe durf je...' Sanne onderbreekt haar abrupt met: 'Weet u, als u nou een lieve dame was geweest, dan had ik u nog wel eens opgezocht. Maar als u uw mond opendoet, komen er alleen maar lelijke dingen uit. Heel treurig. U moest maar eens goed nadenken over uzelf, want zo blijft u wel heel erg eenzaam, mevrouw Zomer.'
'O, nu begin je erover dat ik geen bezoek heb gehad, natuurlijk! Dat komt alleen maar omdat mijn kleinzoon op reis is. Als Anthonie terug is, komt hij langs. Iedere dag. Hij is de appel van mijn ogen. En jij, jij bent een lelijk mens!' Ze wijst met een trillende vinger naar Sanne. Sanne schudt haar hoofd en keert zich om, om haar tas in te pakken. Dan hoort ze een bekende stem zeggen: 'Grootmama! Wat ligt u zich op te winden! Ik hoor u helemaal op de gang!'

Sannes mond valt open als ze ziet wie daar binnenkomt. En Anthonie Kaerels is al even verbaasd als hij Sanne ziet.
'Wat doe jij hier?' vraagt hij meteen.
'Ik mag vandaag naar huis,' zegt Sanne verbouwereerd.
'Kennen jullie elkaar? Kom eens hier, lieverd. Ik heb je zo'n tijd niet gezien! Je moet eerst je oma eens fatsoenlijk begroeten,' moppert mevrouw Zomer.
'Ja, ja, natuurlijk,' mompelt Anthonie. Hij loopt naar het bed van Sannes buurvrouw en kust haar.
'Ik ga even bellen. Dan kan Rob me komen halen,' kondigt Sanne aan. Ze stapt de gang op en loopt naar de zusterspost.
'Maar u kunt toch gewoon naast uw bed bellen?' vraagt de zuster verbaasd.
'Ach ja, maar mevrouw Zomer kreeg bezoek en het was zo druk, dat ik dacht, ik bel wel even op de gang.' De zuster glimlacht en schuift de telefoon naar Sanne toe. Rob is opgetogen.
'Ik kom er meteen aan. Wat een zaligheid om je weer thuis te hebben. Maar pas op. Je bent vast nog geen knip voor de neus waard.'
'Ja, ja, toe nou maar,' zegt Sanne ongeduldig. 'Houd die preek maar in de auto.' Rob lacht en zegt: 'Ik ben al onderweg!'
Omdat ze totaal geen zin heeft in een confrontatie met Anthonie Kaerels maakt ze nog een ommetje door de gangen. Maar als ze weer bij haar kamer aankomt, is daar alleen mevrouw Zomer, in dikke tranen.
'Wat nu?' vraagt Sanne verbaasd.
'Ach, hij had haast. Ik snap het wel. Maar ik had zo graag even rustig met hem gebabbeld. Nu ik hier lig, moet hij ook alles alleen doen. Al die reizen. Het valt ook niet mee. Jullie kennen elkaar, hè?' Nieuwsgierig kijkt ze Sanne aan. Die knikt. 'Hij werkt samen met mijn zoon Wichard. Camping 't Raetsel. Maar hoezo, al die reizen alleen?' Nu kijkt Sanne op haar beurt nieuwsgierig naar mevrouw Zomer.

'Zakenreizen. Ik ging meestal voor hem op reis. Naar Ecuador en Colombia. Ik wist dat niet van die camping. Wat doet hij daar dan?'
'Hij helpt met een plan om de camping goed te verkopen. Het wordt mijn zoon te zwaar. De tijd die hij investeert levert te weinig rendement op. Wat doet u dan in Ecuador en Colombia?'
Mevrouw Zomer lacht ineens. 'We spelen vraag en antwoord! Hadden we maar eerder ontdekt dat we eigenlijk half en half familie van elkaar waren!'
'Nou, familie,' zegt Sanne lachend. 'Dat is wel wat overdreven!' Onderwijl denkt ze: ik wil hier meer van weten. Wat zijn dat voor reizen?
'Ja, dat is het wel,' beaamt nu ook mevrouw Zomer. 'Maar toch jammer dat we elkaar niet echt hebben leren kennen.'
'Dat is het inderdaad,' zegt Sanne. 'Weet u, ik kom u nog wel een keertje opzoeken, nu Anthonie het zo druk heeft. Is dat goed?'
Tot haar verrassing kijkt de altijd chagrijnige oude dame haar oprecht dankbaar aan. Ze zegt zichtbaar ontroerd: 'Dat zou ik echt op prijs stellen, kind. Maar denk wel om jezelf. Je bent erg ziek geweest en je moet goed op je gezondheid letten. Zeker de eerste periode. Veel rust nemen!' Ze zwaait erbij met een rimpelig dor vingertje en Sanne knikt gehoorzaam.
'Dan kom ik over een weekje of zo,' belooft ze.
'Dat is mooi,' knikt het omaatje.
Als Rob arriveert, valt Sanne hem met een zucht in zijn amen.
'Ze is zo blij,' zegt mevrouw Zomer. 'En ze heeft beloofd me op te zoeken.'
'O ja?' vraagt Rob verbaasd. Sanne knikt en zegt: 'Mevrouw Zomer is de oma van Anthonie. Grappig hè?'
'Ja, wat een toeval,' beaamt Rob. Zijn gezicht vormt een groot vraagteken, maar Sanne schudt even kort haar hoofd. Hij begrijpt haar seintje meteen en gaat er niet op door.
'Helemaal klaar. We gaan. Nog even langs de zusterspost, want daar ligt een recept voor me,' besluit Sanne. Ze stapt op het bed van mevrouw Zomer af, pakt haar hand en zegt: 'Nou, tot over

een week.' Maar mevrouw Zomer mankeert nog niets aan haar armen en voor Sanne er erg in heeft, staat ze over het bed gebogen en neemt ze drie dorre kussen in ontvangst die ze totaal verrast beantwoordt.
'Fijn, kind. Pas goed op hoor,' zegt het broze omaatje aangedaan.
'Dag mevrouw,' zwaait Rob wijselijk van een afstand.
'Dag meneer. Let goed op haar. Want ze heeft zo weer een ontsteking te pakken. Het lijkt nu wel heel wat, maar ze is flink ziek geweest en daar mag je niet mee spotten. Ik weet hoe mannen denken als en vrouw eenmaal weer terug is: O, die kan alles wel weer en die pakt het hele huishouden wel weer op. Maar zo is het niet, meneer, nee, zo is het helemaal niet, dus ik...'
'Ik weet het hoor. Ik zal heel goed op haar passen,' onderbreekt Rob. 'Nou, dag!' Hij legt een arm om Sanne heen en duwt haar de kamer uit. Op de gang kan Sanne haar lachbui gelukkig onder controle krijgen en pas als ze samen in de auto zitten, hijgt ze: 'Dit is geen ontslag uit een ziekenhuis. Dit is een vlucht!'
'Ik heb een nieuwtje voor je over Anthonie,' zegt Rob ernstig. 'De accountant heeft me gewaarschuwd voor een raar spelletje. Er dreigt een faillissement voor de camping en de bank heeft besloten een interim-manager te benoemen. Raad eens wie? Anthonie Kaerels. De manager van de bank is een vriendje van hem.'
'Ik heb ook een nieuwtje over Anthonie. Hij haalt drugs uit Ecuador en Colombia. Hoewel, hij laat ze meestal halen. Door zijn omaatje. Mevrouw Zomer,' zegt Sanne.

'Rob heeft het je al verteld?' vraagt Wichard de volgende ochtend bij de koffie. Sanne knikt.
'Ik heb meteen een afspraak gemaakt met de accountant. Ik wil van hem alle details nog eens horen. Ik begrijp er eerlijk gezegd niet veel van.' Ze strijkt vermoeid over haar voorhoofd. 'Ik ben nog te moe om alles te snappen, denk ik.'
Wichard wrijft nerveus met zijn hand over zijn bovenbeen. Heen en weer, heen en weer, alsof die beweging hem helpt tot rust te komen.

‘Ik heb er een puinhoop van gemaakt,’ zegt hij.
‘Dat lijkt er wel op.’
‘Ik heb heel veel geld opgemaakt.’
‘Aan drugs.’
‘Ja.’
Het is stil. Ze zwijgen allebei. Sanne hoort zijn ademhaling, gejaagd en van slag. Ze kijkt eens om zich heen en staat dan op. Langzaam loopt ze naar het raam. De camping. Een droom ooit, van haar en van Frank en van Wichard. En nu? Frank is dood. Wichard heeft zijn eigen droom vermoord. Gesmoord in een roes. Een duur roesje. Ze knijpt haar lippen samen en moet moeite doen om alle cynische harde gedachten een halt toe te roepen.
‘Kort samengevat: Anthonie Kaerels leverde jou coke. Dat kostte je veel geld. Dat geld heb je opgenomen met het bedrijf als onderpand. En omdat het bedrijf al dat geld niet zal kunnen opbrengen in korte tijd, moet diezelfde Anthonie Kaerels nu tegen een meer dan leuk salaris een plan bedenken om het bedrijf te redden.’ Sanne kijkt Wichard aan. Die knikt.
‘Zo is het inderdaad.’
‘Dat is zuur.’
‘Ja.’
Weer is het stil. Dan zegt Sanne: ‘Maar je gebruikt niet meer.’
‘Nee. Ik gebruik niet meer.’ Weer kijken ze elkaar aan. Sanne met reserve. Onderzoekend. Lieg je tegen me? Ik weet dat verslaafden kunnen liegen dat het gedrukt staat. Maar Wichard kijkt terug. Recht en eerlijk. Ze glimlacht.
‘Dat is mooi. Schenk jij nog even koffie in?’

De accountant, meneer Van Bruggen, schudt zijn wijze hoofd als hij de samenvatting hoort.
‘Die meneer Kaerels is er niet om de camping te redden, mevrouw,’ zegt hij. ‘Die is er om de bank te redden. De bank wil geld. Daar gaat die Kaerels voor zorgen. En het ligt voor de hand dat de oplossing meteen het einde van het bedrijf betekent.’
‘Maar het bedrijf was gezond!’ zegt Sanne.

‘Het bedrijf leunde op de bank en was redelijk gezond,’ verbetert Van Bruggen. Hij poetst zijn bril met de punt van zijn stropdas, zet hem weer op en zegt: ‘Ik zal even bellen om thee. Dan laat ik u de afgesloten leningen zien van de afgelopen zes maanden.’
Sanne is dankbaar voor de thee bij het zien van de enorme bedragen. Wichard heeft geleend om eerdere leningen af te lossen. Tegen onverantwoorde rentepercentages, zonder dat daar voldoende onderpand tegenover stond. Soms heeft hij grote bedragen ondergebracht in risicovolle beleggingen. Waarschijnlijk in de hoop om snel de achterstand te kunnen aanzuiveren. In geen enkel geval is dat gelukt. Sanne krijgt overzichten in haar handen waaruit blijkt dat de inzet totaal niets meer waard is.
‘Dat geld is dus allemaal weg,’ fluistert Sanne.
‘Ja. Daar is niets van over. Voordat ik het in de gaten kreeg, was het al te laat. In zes maanden is de zaak totaal geruïneerd.’
‘Wat moet hij gedacht hebben?’ fluistert Sanne verbijsterd.
‘Hij heeft niet gedacht. Hij had het geld nodig om schuldeisers tevreden te stellen, hij heeft geprobeerd om het ene gat met het andere te stoppen en hij heeft geprobeerd om zo snel mogelijk geld te maken met risicovolle beleggingen. Hij had geen enkel oog voor de consequenties. Alles wat hij probeerde, is mislukt.’
‘En de wetenschap dat de huidige interim-manager hem op het verkeerde spoor heeft gezet? Hem zelfs heeft geadviseerd?’ Sanne stelt de vraag hoopvol. ‘Kunnen we daar niets mee?’
‘Zou u onder de indruk zijn van zo’n beschuldiging? Als u de directeur was van de bank, bedoel ik? Nee, er is geen enkel bewijs. En al zouden ze een andere interim aanstellen, dan nog...’
‘Dan moeten we bij de afhandeling maar zo goed als mogelijk de vinger aan de pols houden,’ oppert Sanne.
‘Dat is precies het enige wat we kunnen doen,’ beaamt Van Bruggen. Bij de deur schudt hij haar extra hartelijk de hand.
‘Veel sterkte,’ zegt hij. Doodmoe gaat Sanne naar huis.

Een week later is Steef Patrijs ontslagen, heeft juffrouw Schaap te horen gekregen dat ze niet langer op de loonlijst staat en is de receptie gesloten. Op het antwoordapparaat is een boodschap ingesproken. Een vriendelijke vrouwenstem zegt: ‘U bent verbonden met de boodschappendienst van camping ’t Raetsel. In verband met een interne reorganisatie kunnen we helaas geen boekingen in behandeling nemen. Voor nadere informatie kunt u terecht op onze website www.raetsel.nl. We wensen u een prettige dag!’ Wie een poging doet de website op te zoeken, merkt al gauw dat die uit de lucht genomen is. Wichard loopt rond alsof hij wacht op zijn executie en Sanne probeert vergeefs een afspraak te maken met de bank. Maar de mensen die ze wil spreken zijn in bespreking, op vakantie, momenteel onbereikbaar of tijdelijk niet in staat afspraken te maken. ‘Het spijt ons zeer,’ zegt de secretaresse keer op keer met de vasthoudendheid van een pitbullterriër.

Op een avond zegt Rinke, die bij Sanne op schoot zit om zich lekker te laten voorlezen: ‘Omi, wat is obare verkoop?’
‘Obare verkoop? Dat weet ik niet, schat,’ zegt Sanne. ‘Hoezo?’
‘Ik kan al heel goed lezen.’
‘Nou. Dat kan je zeker.’
‘Dat leer ik op school.’
‘Ja. Fijn hè?’ Sanne knuffelt het kinderlijf op haar schoot. Hmmmmmm. Net uit bad, lekker. Ze glimlacht over Rinkes hoofd naar Rob, die in de rookstoel zit met zijn krant op schoot. Hij knipoogt naar haar.
‘Obare verkoop. Dat stond op een brief van papa. Met heel grote letters.’ Sanne kijkt nog steeds naar Rob. Dan springt de gedachte over. Denkt zij het eerst aan de oplossing van Rinkes raadsel of is het Rob? Ze weet het niet. Maar vrijwel gelijktijdig zeggen ze: ‘Openbare verkoop.’ En Rob voegt eraan toe: ‘Van wat?!’

‘Het is mijn auto, mam. En de vrachtauto. Niks om je druk over te maken,’ zegt Wichard meteen. Sanne staat midden in de kamer met de aankondiging van de openbare verkoop.
‘Maar dit is toch te zot? Daar moet toch wel een oplossing voor te vinden zijn? De vrachtwagen!’
‘Mama, ik zal die wagen voor de camping nooit meer nodig hebben. Anthonie probeert nog zo veel mogelijk geld op tafel te krijgen. Dat is alles. Ik had het kunnen voorzien. Ik heb de auto een keer als onderpand ingezet bij een particuliere geldschieter. Het rentepercentage is zo hoog, dat ik blij mag zijn als ik er op deze manier vanaf kom. Maak je er maar niet druk over. Dit valt in het niet bij wat er straks nog meer staat te gebeuren.’ Hij wrijft weer met zijn hand over zijn been, zo langzamerhand een vertrouwd gebaar. Hij is op van de zenuwen, beseft Sanne.
‘Misschien kan Rob je auto kopen. Of ik. Of Yvonne.’ Sanne kijkt radeloos om zich heen.
‘Nee, niet doen. Dit is maar een auto. Dit is niet belangrijk. Echt niet.’ Hij schraapt zijn keel en staat op.
‘Laten we maar hopen dat ze straks een beetje behoorlijk bieden.’

Die middag kijkt Sanne in het hoekje van de kantine toe hoe de vrachtwagen wordt geveild. Het is druk in de kantine. Handelaren uit alle windstreken vullen de ruimte. Een paar in overall, een paar in roze trainingspak met achterovergekamd haar en een dikke gouden ketting om hun nek en ook een paar in keurig pak met stropdas. Zonder uitzondering hebben ze een heel fout luchtje op. Sanne wordt er misselijk van. Is het deodorant, is het aftershave of is het haarlotion? Hoe dan ook, de kantine ruikt op slag verstikkend goedkoop. Wat is er mis met een douche, vraagt Sanne zich af. Maar als het echte bieden begint, kijkt ze gefascineerd toe. Aan het eind van de middag zegt Wichard: ‘Het heeft genoeg opgebracht. Daar mag ik blij om zijn. Toch?’ Ze hoort hem moeizaam slikken. Dan zegt hij: ‘Ik ga Rinke van school halen.’

‘Die Anthonie Kaerels laat zijn gezicht zeker helemaal niet zien?’ informeert Rob op een avond, als ze met zijn vieren aan tafel zitten. Wichard schudt zijn hoofd. ‘Hij regelt alles vanuit zijn eigen kantoor in de stad. Hij belt af en toe om informatie. Maar ik word nauwelijks op de hoogte gehouden. Het is een rare situatie. Het ergste van alles vind ik dat ik zo machteloos ben. Ik kan helemaal niets doen.’ Sanne ziet hoe hij letterlijk een beetje in elkaar zakt en vraagt: ‘Denk je dat het zou helpen als je hem wel te spreken zou krijgen?’
‘Ik zou het wel prettig vinden als ik me een beetje kon voorbereiden op wat er allemaal komen gaat. Ik bedoel maar, moeten Rinke en ik op zoek naar een ander huis? Blijft er nog iets in ons bezit? Of moeten jullie ook je huis uit?’
‘Daar heb ik nog helemaal niet aan gedacht!’ zegt Sanne geschrokken.
‘Het zou een hele geruststelling voor me zijn als ik wist dat ik jullie niet in mijn val heb meegesleept,’ verzucht Wichard.
‘Ik moet nodig eens op bezoek bij mevrouw Zomer,’ bedenkt Sanne. Wichard kijkt haar verbaasd aan. ‘De oma van Anthonie,’ legt ze uit.

Dat doet ze dan ook. Meteen de volgende dag. En mevrouw Zomer kijkt daar oprecht verheugd van op.
‘Dat vind ik nou aardig,’ zegt ze, als Sanne de bos fresia’s op haar bed legt.
‘Die ruiken zo lekker,’ zegt Sanne.
‘Ik wil ze graag op mijn nachtkastje. Dicht bij me. Dan kunnen de oude bloemen wel weg,’ wijst mevrouw Zomer. Sanne pakt meteen de lege sapfles met verdorde rozen.
‘Zal ik deze dan maar gelijk weggooien? Dan heeft u meteen lekkere geuren naast uw bed. Deze rozen zijn zo oud als de weg naar Rome.’ Mevrouw Zomer knikt gedwee.
‘Die waren van Anthonie. Als hij komt, neemt hij wat mee. Maar hij is op reis. Tien dagen. Donderdagochtend terug. Bloemen verwelken hier snel, met die hitte.’

'Absoluut,' zegt Sanne, terwijl ze de oude bloemen in de afvalemmer klapt. 'Is Anthonie weer naar Columbia?'
'Ja, hij moet af en toe de weeshuizen bezoeken. Om te controleren of alles wel goed gaat, natuurlijk. En dan neemt hij weer nieuwe poppetjes mee. Om te verkopen aan wereldwinkels. En weg te geven natuurlijk. Aan donateurs en geldschieters. Ik zou zo weer op pad gaan voor hem, als ik maar kon. Het is heerlijk om die koppies te zien van die kindertjes. Ze kennen me al, hè? Ze springen om me heen, pakken m'n hand en zingen voor me. Zo schattig!' Mevrouw Zomer wiegt haar hoofd heen en weer, alsof ze de kinderstemmen in de verte kan horen.
'En dan neemt u de pakjes mee terug,' zegt Sanne. Het oude dametje knikt.
'Een pakje van pater Leonardo en een pakje van zuster Maria. Dat hebben zij gemaakt. De kindertjes en de vrijwilligers. Het zijn gelukspoppetjes. Ken je die? Heel leuk. En ik geef ze geld. Voor het tehuis en de kinderen. Iedere twee maanden. Ach ja, die arme Anthonie heeft het er nu maar druk mee.'
'En dan controleert u natuurlijk eerst de gelukspoppetjes,' concludeert Sanne.
'Och nee, die zijn al goed ingepakt. Nee, nee, daar kun je heus wel van op aan! Nee, die gaan zo mijn koffer in. Zo lang ik Anthonie niet hoor klagen, is het allemaal wel goed. Maar genoeg over mijn reizen. Hoe is het nu met jou? En wat ruiken die fresia's lekker!'

Donderdag komt Anthonie aan op Schiphol. Het zinnetje zingt in Sannes hoofd, de hele weg terug. Ze voelt zich bijna schuldig tegenover het kleine grijze omaatje, dat zo onverwacht loslippig was. Aan de andere kant, mevrouw Zomer had een hoop valse trekjes. Die trekjes had Anthonie tijdens zijn opvoeding blijk-

baar haarfijn opgepikt. Ze schudt haar hoofd. Geen medelijden mee hebben. Aan de hoogste boom met die twee. Ze zal de douane tippen dat ze hem moeten oppakken en dat die poppetjes iets bevatten dat helemaal niet in de haak is. Wraak is zoet. Haar handen trillen een beetje als ze de afslag neemt. Ik ben zo woedend dat ik mezelf niet helemaal onder controle heb, beseft ze. Het is alsof ze juffrouw Schaap kan horen. Die zou zeggen: 'Niet bepaald een gemoedstoestand om beslissingen in te nemen.' Ze blaast plukjes haar van haar voorhoofd en besluit nog niet naar huis te gaan. Ze draait het dorp in en parkeert haar auto op het pleintje bij de kerk. Zo'n mooie dag, zulk prachtig weer en zo'n stemming. Ongelooflijk! Hoog tijd voor een kopje thee bij juffrouw Schaap. Met iets lekkers erbij, besluit ze, als ze voorbij de banketbakker loopt.
'Ik vroeg me af wat er zo onweerstaanbaar heerlijk ruikt!' groet ze de kogelronde bakkersvrouw die achter de toonbank roomboterkoekjes staat af te wegen.
'Dat zijn deze. De appelschuitjes. Net uit de oven. Nog een beetje lauw, zelfs,' wijst de bakkersmevrouw trots.
'Ik wil er graag drie.' Sanne telt. Juffrouw Schaap, Rokus en ik. Maar Rob, die vindt dat ook lekker. 'Doe eigenlijk maar vier', bedenkt ze zich. En Wichard? En Rinke? En dan wil zij er ook nog wel eentje!
'Weet u, doet u er maar drie in een doosje en dan nog vier in een ander doosje. Dan ziet niemand dat ik er twee keer eentje neem,' lacht ze.
'Een appelschuitje kan helemaal geen kwaad. Dat is alleen maar heel gezond,' verklaart de bakkersmevrouw overtuigend.
Juffrouw Schaap zit aan tafel als Sanne de achtertuin inloopt.
'Ik voelde al dat de wind mijn kant op was,' groet ze. 'Thee?'
'Graag. Kijk!' Sanne doet het doosje open en juffrouw Schaap knikt.
'Dat ziet er heerlijk uit. Wat een geur! Hmmmm. Rokus zal zo ook wel langswippen.'
'Mooi. Want ik wil u eerst iets vragen.'

‘Brand maar los,’ biedt Schaapje aan. Terwijl juffrouw Schaap kopjes en schotels op tafel zet en reddert met thee en vorkjes en een kannetje melk, legt Sanne het dilemma van Anthonie Kaerels en zijn drugstransport uit.
‘Ik was vastbesloten om de douane te tippen. Maar ik wil eerst om raad vragen. Misschien is er iets meer uit te slepen dan wraak alleen,’ oppert Sanne.
‘Hmmm, hem ermee onder druk zetten? Bedoel je dat? Gevaarlijk. Heel riskant,’ mompelt Schaapje.
‘Misschien kan ik hem overhalen met ons te overleggen. Zodat we de ontwikkelingen rond de camping beter kunnen volgen. Nu zijn we alle controle kwijt. Dat is zo moeilijk! In de wurggreep van de bank als grootste schuldeiser, dat is één ding. Maar in de grillige handen van Anthonie Kaerels en zijn vriendjes, dat is onverdraaglijk,’ legt Sanne uit. Schaapje knikt.
‘Dat snap ik. Zeker. Dat snap ik heel goed. Wat zegt Rob van je plannen?’
‘Rob?’ Sanne schrikt een beetje van die vraag.
‘Ik heb niks met Rob overlegd. Ik praat er zelfs nauwelijks over met hem. Hij is altijd zo ongeduldig. Zo zakelijk. Hij vindt het niks om te speculeren. Hij wil nooit strategieën bedenken. Dan zegt hij: “Dat bespreken we wel als het zover is”. Maar ik had het er wel over moeten hebben met hem. Eigenlijk.’ Schaapje schiet in de lach.
‘Ja. Eigenlijk wel,’ zegt ze. Ze wijst op de thee die ingeschonken staat en op het appelschuitje en gebiedt: ‘Eet. Drink.’ Dan staart ze nadenkend het raam uit en omdat Sanne vermoedt dat Schaapje een plan aan het uitbroeden is, stoort ze haar niet. Zwijgend drinkt ze van haar thee en met kleine hapjes eet ze het appelschuitje op. Als ze de laatste kruimeltjes van haar bordje op haar vorkje prikt, zegt Schaapje: ‘We moesten samen maar naar Schiphol. Ik kan hier niet op een idee komen. Ik moet die jongeman zien. Dan komt het vast goed. Hoe laat landt dat vliegtuig?’
‘Geen idee,’ zegt Sanne. ‘Misschien landen er wel een paar uit Colombia. Of hij maakt een overstap en zit op een vliegtuig uit

Londen. Wie zal het zeggen. Het blijft een gok om naar het vliegveld te gaan. Hij kan zelfs in Brussel landen en met de trein terugkomen.'
'Gaan er dan zoveel vliegtuigen iedere dag? Dat zal toch niet?' schrikt Schaapje.
'U moest eens weten,' knikt Sanne.
'Ik vlieg nooit. Ik kan me niet voorstellen wat mensen zoeken in zo'n milieuverpestend monster. Afschuwelijk,' schudt Schaap.
Net als Sanne wil opbiechten dat zij toch wel erg genoten heeft van de reizen die ze ooit ondernam, stommelt Rokus binnen.
'Goede middag! Ik dacht al, tijd voor thee! En voor wat kroppen sla. Heerlijk mals. Er is genoeg voor iedereen. Sanne, neem een stuk of vier kroppen mee als je straks gaat. Heerlijk!' prijst Rokus.
'Neem ze allemaal. Je kunt er ook stamppot van maken. Net als met rauwe andijvie. Ik begin groen uit te slaan van al die sla,' moppert Schaapje onderweg naar de keuken om een kopje voor Rokus te pakken.
'Het is zo'n lekkere mopperkont van me,' zegt Rokus glunderend. En dan tegen Sanne: 'Die landmeters waren druk bezig vanmiddag, hè? Dat is toch wat, ik had nooit gedacht dat de gemeente in jullie richting wilde uitbreiden.'

Als Sanne naar huis loopt, ziet ze dat de landmeters nog steeds bezig zijn. Ze zijn niet alleen. Rob staat bij een man die een paaltje vasthoudt. Als Sanne vlak bij hen is, hoort ze hem zeggen: 'En die projectontwikkelaar heeft dus een optie via wethouder Drooglever?'
'Klopt,' zegt de man. 'Een paar belletjes en u weet meer, denk ik?'
'Meer waarover?' vraagt Sanne nieuwsgierig, terwijl ze Rob

even in zijn hand knijpt. Hij draait naar haar toe en kust haar. Dan zegt hij: 'Meer over het terrein van de camping dat de gemeente wil laten ontwikkelen tot woonwijk. Ze hebben al een projectontwikkelaar benaderd die op zijn beurt deze heren heeft gezonden om het gebied in kaart te brengen. Het beslaat de hele camping. Geen vierkante centimeter uitgezonderd.'
'Een mooie plek om te bouwen,' zegt Sanne luchtig. 'Ik heb appelschuitjes voor vanavond bij de koffie. Heb jij Wichard nog gezien?'
'Ik moet eerst eens even rondbellen,' zegt Rob kortaf. Hij knikt de landmeter toe en loopt met Sanne mee. Als ze buiten gehoorsafstand zijn van de man, zegt Rob geërgerd: 'Snap je niet wat ze doen? Ze verkopen de camping als bouwgrond! En die opbrengst komt niet ten goede van jou of van Wichard. Daar zit die Anthonie tussen. Misschien spant hij zelfs wel samen met wethouder Drooglever. Ongelooflijk is dit!'
'Drooglever is vast een van de vriendjes van Anthonie. Net als de bankdirecteur. Ik moet je iets vertellen, lieverd. Straks. Binnen. Voor je gaat bellen. Want we moeten aan de slag, anders loopt dit helemaal verkeerd af, vrees ik,' zegt Sanne. Binnen vertelt ze alles wat ze weet over Anthonie en zijn reis naar Colombia.
'Dus ga ik donderdag met juffrouw Schaap naar Schiphol om Anthonie te onderscheppen. We weten nu iets over hem dat hij niet zomaar zal willen opgeven. Toch? Daar kunnen we ons voordeel mee doen,' zegt Sanne. Rob kijkt haar vol afgrijzen aan.
'Wat haal je in je hoofd? Niemand mag die rommel hierheen halen. Bel de politie en vertel ze alles wat je weet. Dat is het enige wat je moet doen. Je gaat geen drugshandelaar afpersen. Als je dat echt overweegt, ben je wel heel dom bezig, Sanne.'
Met: 'Nou ja, ik bedoel niet direct dat we hem onder druk gaan zetten,' probeert Sanne haar missie wat onschuldiger te laten klinken. Rob trapt er niet in.
'Ik wil het niet hebben. Punt uit. Ik ga nu even bellen. Maar hier hebben we het niet meer over. Je belt de politie maar.' Hij verdwijnt naar de werkkamer en laat Sanne verbouwereerd achter.

Wat nou, je gaat niet? Dat bepaal ik zelf wel. Toch? En we weten nog niet eens wat we gaan doen, Schaapje en ik. Ik vertrouw op Schaap, besluit Sanne. Op internet zoekt ze op hoeveel vliegtuigen die donderdag vanuit Columbia aankomen op Schiphol. Tot haar grote vreugde is het er maar eentje. De KL6754C uit Bogota om 9.15 uur.

'Het is ongelooflijk. Niemand wil commentaar geven. Dit stinkt erger dan een open riool. Wat een smerige politiek,' snuift Rob, als hij weer de kamer inkomt.

'Daarom moeten we er misschien over praten hoe we...' begint Sanne. Maar Rob kapt haar af. 'Je begint nu toch niet weer over dat onzinnige idee van je? Zet dat maar uit je hoofd.' Sanne trekt verbaasd haar wenkbrauwen op.

'En zet niet zo'n gezicht,' snauwt Rob. 'Je weet nu precies hoe ik erover denk.'

'Maar...'

'Nee. Nee. Nee. Duidelijk genoeg voor je?' Zijn gezicht staat op storm. Sanne bijt op haar lip en besluit te zwijgen. Maar haar gedachten tollen door haar hoofd. Hoe durft ie! Ze is nog steeds woedend, als ze even later het eten op tafel zet. Ze eten zwijgend en daarna zegt Rob kortaf: 'Ik ga naar de krant. Wat uitzoeken. Dit laat ik allemaal niet over mijn kant gaan. We moeten de gemeente aanpakken.'

'Ja. En de rest,' mompelt Sanne, als hij zonder haar eerst een zoen te geven de deur uitloopt. Dan zet ze de appelschuitjes in de koelkast. Misschien morgen, denkt ze.

Donderdagochtend heel vroeg zitten juffrouw Schaap en Sanne samen in de auto.

'Ik ben het huis uitgeslopen!' bekent ze aan Schaapje. 'Rob zal wel woest zijn.'

'Misschien spreken we Anthonie niet eens aan. Ik krijg nog steeds geen aanwijzing wat ik moet doen. Maar we zijn op de goede weg. Dat weet ik zeker,' sust Schaapje.

'Ik vertrouw op uw inzicht, juffrouw Schaap,' verklaart Sanne plechtig. Schaapje giechelt.

'Het is in ieder geval een leuk uitje!' Ze hobbelt enthousiast op haar stoel als ze een enorm vliegtuig ziet taxiën op het viaduct boven de snelweg en ze wijst alle kanten op naar landende, stijgende en geparkeerde kisten.
'Fantastisch,' verzucht ze.
'U moet toch maar eens gaan vliegen,' vindt Sanne.
'Voor geen goud,' bekent Schaap.
In de grote hal inspecteert Sanne het bord. Hal 2. Verwachte aankomsttijd: 9.10 uur.
'Vijf minuten vroeger,' wijst ze naar juffrouw Schaap.
'Wind mee,' merkt Schaapje op. 'We hebben nog ruim een halfuur.'
'En dan duurt het toch nog even voordat ze het vliegtuig uit zijn en naar buiten komen.'
'Logisch. Eerst maar eens koffie,' zegt Schaapje.
Ze drinken koffie in een klein tentje en kijken naar de drukte op de luchthaven.
'Zoveel mensen. Ik had dit nooit verwacht,' verzucht Schaap. Dan staat ze ineens op en roept: 'Leonard! Leonard Berghouwer!' Sanne ziet een man in beveiligingsuniform verrast opkijken. Aan een korte lijn houdt hij een enorme Duitse herder. De man loopt op hen af en zegt vrolijk:'Hé! Tante Tita! Wat doet u hier?'

De man in het beveiligingsuniform omhelst juffrouw Schaap hartelijk. Sanne en de Duitse herder kijken geïnteresseerd toe. Bij Schaap is niets toeval, bedenkt Sanne geamuseerd. Staan we te wachten op Anthonie, die waarschijnlijk met een tas vol drugs uit Columbia arriveert, ontmoet juffrouw Schaap een neef die beveiliger is op Schiphol!
'Zo'n tijd niet gezien!'lacht de man. 'U bent geen spat veran-

derd! En dit is?' Hij kijkt Sanne vol belangstelling aan en schudt haar hand. Schaapje introduceert en vertelt meteen: 'We komen een zakenvriend van Sannes zoon ophalen. Die komt terug van zijn kindertehuizen in Columbia. Een jongmens met handelsgeest. Heel bijzonder. Je moet hem eigenlijk even ontmoeten. Of heb je geen tijd? Ja? Leuk! Dan lopen we meteen die kant uit. Anthonie zal zo wel arriveren. Denk je ook niet, Sanne?' Schaapje knikt, babbelt, legt geld op tafel voor de koffie, pakt haar neef Leonard bij de arm en wandelt met hem in de richting van de aankomsthal. Onderwijl vertelt Leonard dat zijn moeder een achternicht is van jufrouw Schaap, dat de hond Bruno heet en dat ze hem niet mag aaien.
'Hij spoort dus drugs op?' vraagt Sanne. Ze heeft er nog steeds geen idee van wat jufrouw Schaap van plan is en ze ziet op tegen het moment dat Bruno Anthonie zal aanwijzen als potentiële drugskoerier.
'Als het goed is, wel,' knikt Leonard. Ze lopen dwars door de mensenmassa, waar ze dankzij de hond moeiteloos doorheen wandelen.
'Bruno heeft op mensen hetzelfde effect als Mozes destijds op de Rode Zee,' merkt Schaapje op. Leonard lacht en vraagt dan: 'Wat aardig dat jullie die zakenpartner helemaal ophalen. Dat moet wel een speciale band zijn?'
'Sannes zoon heeft het wel heel bijzonder met hem getroffen,' zegt Schaapje. Sanne beseft dat juffrouw Schaap met al haar wonderlijke uitlatingen over Anthonie nog geen woord heeft gejokt. Ze zijn inmiddels vlak bij de plaats waar Anthonie door de deur zal komen en Leonard zegt: 'Dit is trouwens wel een prima plek om even te wachten. Je weet maar nooit wat er allemaal uit Columbia arriveert. Het is wel een vlucht die onze speciale belangstelling heeft.'
'Wat spannend!' zegt juffrouw Schaap. Ze staan nu met zijn drieën te wachten. Vooraan staan drie meiden met een spandoek waarop staat: 'Welkom thuis, lieve Danny!' Het is druk. 'Leuk hè?' zegt juffrouw Schaap gezellig tegen Sanne. Die knikt maar

wat. Ze voelt zich alsof ze meespeelt in een toneelstuk zonder ook maar één keertje de tekst te hebben doorgenomen. De eerste mensen komen uit de schuifdeur en worden begroet door de afhalers. Sannes hart klopt in haar keel. Straks komt Anthonie. Hoe zal die hond reageren? Wat zal Schaapje doen? Ze voelt zich benauwd en bloednerveus. Onderwijl blijft Schaapje ongedwongen babbelen met Leonard en tot nu toe blijft de hond ook onbewogen bij alle mensen die langslopen. Nog geen enkele keer heeft hij aanstalten gemaakt om naar een tas toe te lopen. Dan komt Anthonie Kaerels door de deur.
'Anthonie! Anthonie!' zwaait juffrouw Schaap meteen enthousiast. Hij zwaait meteen terug als in een reflex. Maar Sanne ziet hoe hij dadelijk daarop fronst en verbaasd kijkt. Dan heeft Schaapje al aan de mouw van Leonard getrokken en zijn aandacht gevraagd. 'Dat is hem nu! Zie je?' Ze keert zich weer naar Anthonie die naderbij is gekomen en roept: 'Is dit geen verrassing? We geven je een lift!' Ze wijst meteen Sanne op de rode weekendtas die hij in zijn hand heeft. 'Sanne! Zullen wij wat bagage van hem overnemen? Neem jij die tas. Dag jongen. Goed op tijd geland, hè? Kijk, dit is hem nu. Even voorstellen? Dit is mijn neef. Leonard. En deze hond heeft een bijzondere neus voor drugs. Apart, hè?' Ze babbelt, introduceert, Anthonie schudt wezenloos handen en geeft zonder morren de weekendtas aan Sanne. Bruno geeft geen krimp. Hij ruikt niks. Het zit zo goed verpakt, dat hij niks ruikt. Of er zit niks in, bedenkt Sanne. Ze haalt opgelucht adem en kan ineens meebabbelen.
'Dus dit zijn weer nieuwe gelukspoppetjes? Goed zeg! De voorraad was alweer bijna op!' En tegen Leonard: 'Die verkopen ze om fondsen te werven voor de kindertehuizen.' Leonard knikt, maar kijkt alert om zich heen. Bruno is opgestaan en lijkt ergens heen te willen.
'Neem me niet kwalijk. Even achter die mensen aan,' mompelt Leonard. Hij is meteen vertrokken en achtervolgt met Bruno twee jonge mannen met rugzakken om, die in de richting van de grote hal lopen.

'Wij moeten eens even babbelen. We hebben je reet gered uit een netelige situatie. Die hond ruikt nu niets, omdat Sanne de tas vast heeft. Maar zo gauw jij hem pakt, ben je erbij. Dus die tas ben je kwijt. We verwachten je vanavond om negen uur in de kantine van de camping. Daar zal Wichard ook zijn. We willen eens zakelijk met elkaar om tafel zitten en doorspreken wat er allemaal met de camping gaat gebeuren. Ook willen we weten in hoeverre jij daar nog iets leuks in kan aansturen, zodat het voor ons niet al te vervelend afloopt. Snap je dat?' Anthonie knikt met een wit vertrokken gezicht. 'O, daar heb je Leonard weer!' wijst Schaapje. 'Was het niks met die rugzakken? Jammer. Loop je nog een stukje met ons mee? Leuk! We hebben een stomme fout gemaakt. Anthonie staat op lang parkeren. Die moet hierheen. En wij staan daar!' Schaap wijst. Anthonie werpt een wanhopige blik op de tas die Sanne aan haar schouder heeft hangen. Sanne houdt haar adem in. Wat gebeurt er als hij nu zijn tas opeist?

Maar Anthonie zwijgt. Sanne haalt opgelucht adem en pakt de weekendtas om haar schouder nog iets steviger vast. Anthonie mompelt zelfs braaf mee in de malle toneelopvoering, neemt afscheid en loopt daarna in de richting van de sectie 'Lang Parkeren.'

Schaapje babbelt nog wat met haar neef Leonard en pas bij de parkeerautomaat zegt de beveiliger: 'Tante Tita, ik ga weer terug. Straks moet ik bij de aankomst uit de Antillen staan. Ik zal mijn moeder de groeten van u doen. Echt leuk u weer eens te zien.'

'Insgelijks, jongen, insgelijks,' zegt Schaapje enthousiast. Ze neemt afscheid van haar neef, kust en zwaait en blijft de totale regie voeren. In de lift naar het parkeerdek is Sanne eindelijk

alleen met juffrouw Schaap. Ze laat haar greep op de rode weekendtas van Anthonie een beetje verslappen en vraagt: 'Was dat waar wat u net zei? Kon die hond echt niks ruiken doordat ik die tas vastheb?' Schaapje giechelt en zegt: 'Geen idee!'
Bij Schaapje thuis pakken ze de tas uit. Een hemd, wat toiletspullen. Maar verder geen persoonlijke spullen. Wel twee flinke pakketten.
'Hij laat zeker zijn kleren altijd achter. Voor de mensen in het kindertehuis,' bedenkt Sanne.
'Aardig van hem,' zegt Schaapje effen. Ze legt de twee zorgvuldig dichtgetapete pakken op tafel. Ze hebben een scherp mes nodig om alle tape open te snijden. Dan komen ze te voorschijn. Vrij grote gelukspoppetjes. Pas als Schaapje daar haar mes in zet, zien ze wit poeder.
'Dat is het dus,' fluistert Sanne.
'Ja. Dat is het dus,' beaamt jufrouw Schaap. Ze zijn er allebei stil van. Daar ligt de rommel waar Wichard zo afhankelijk van was. Of misschien nog wel is, in zijn gedachten. Daar heeft hij zoveel geld aan besteed dat zijn hele leven overhoop ligt. En dat van iedereen om hem heen. Sanne voelt tranen van woede opkomen. En van verdriet.
'Wat moeten we nu?' vraagt ze schor.
'Inleveren bij de politie,' zegt Schaap.
'Wat moeten we dan vertellen?' Sanne ziet het al gebeuren. Zoveel moeilijke vragen. Zo'n ingewikkelde geschiedenis. Zo persoonlijk ook. Zo akelig. Moeten we dat hele verhaal nu aan de politie opbiechten? Daar heeft ze echt geen zin in! Schaapje blijkt een veel simpeler oplossing te hebben.
'We zeggen gewoon dat we die tas op Schiphol hebben gevonden. Onder de auto. Misschien heeft iemand hem tijdelijk verstopt. Of weggegooid uit angst voor ontdekking. Wie zal het zeggen. Wij wilden hem eerst bij de rechtmatige eigenaar terugbezorgen. Maar we kunnen door de inhoud geen eigenaar achterhalen. En we werden heel nieuwsgierig door die poppetjes. Daar maken we dan nog uitgebreid excuses voor. Klaar. Wedden?' Het

zweet slaat Sanne uit bij het idee. Maar ze vermant zichzelf en zegt: 'Oké. We gaan maar meteen.'
Even later lopen ze samen de hal in van het hoofdbureau van politie. Daar zit een jonge blonde vrouw achter de balie met haar mobiele telefoon te telefoneren.
'Dus ik zeg nog, nee, dat moet je dus niet doen!' Duidelijk privé, hoort Sanne meteen.
'We hebben een tas gevonden op Schiphol,' zegt Schaap dwars door de telefonade heen. De vrouw zwaait ongeduldig met haar hand om Schaapje tot zwijgen te manen en wijst: 'Zet maar neer.' Schaap deponeert de tas op de balie en wacht.
'Nou, inderdaad. Een drama toch met die griet?' vraagt de vrouw door de telefoon.
'Zijn wij hier klaar?' vraagt Schaap. Ze heeft haar ene hand nog om de hengsels van de rode weekendtas. De vrouw knikt ongeduldig.
'Nee, natuurlijk moet je dat niet pikken,' zegt de baliemevrouw. Ze keert zich een beetje van de balie af, maar Schaapje tikt ongeduldig op het stenen blad.
'Zijn we hier klaar? Moeten we niks achterlaten? Een naam of zo? Nee?' De vrouw schudt haar hoofd en blijft aandachtig luisteren naar de telefonade aan de andere kant. Dan besluit Sanne toch maar iets te roepen waar die mevrouw misschoen van op zal kijken.
'Er zitten drugs in,' wijst ze.
'Heel even,' zegt de baliemevrouw in haar mobiel. Dan kijkt ze Sanne en Schaapje aan en zegt: 'Gevonden voorwerp? Ik zal het zo aan de dienstdoende ambtenaar geven. Dank u hartelijk. Als u er nog prijs op stelt dat de eigenaar van de tas contact met u opneemt, mochten we hem kunnen traceren, dan kunt u uw naam en adres achterlaten. Wilt u dat?' Sanne schiet bijna in de lach bij dat idee.
'Wil jij dat?' vraagt Schaap droog.
'Ik niet. Nee hoor. Ik vind het wel best zo.'
'Ik ook,' besluit Schaap. En tegen de blonde mevrouw: 'Dus zo

is het in orde?' Maar die heeft de telefoon alweer aan haar oor en zegt: 'Ga maar door.'
'Nou. Doei!' groet Schaapje laconiek. Samen lopen ze naar de uitgang. Sanne struikelt haast van de lachbui die ze probeert te onderdrukken. Buiten knalt ze los. 'O, Schaap! Wat een malle toestand! Ik dacht nog, dat wordt een heel gedoe! Maar we hebben geen agent gesproken. Hoe is het mogelijk!'
'Die mevrouw heeft straks nog heel wat uit te leggen,' voorspelt Schaapje somber.
'Ons treft geen enkele blaam,' lacht Sanne zonnig.
'Maar straks hangt ons signalement op het opsporingsbord,' voorspelt Schaapje somber. 'Misschien hadden we toch onze namen moeten doorgeven.'
'Dat wilde ze toch niet?' zegt Sanne. Net was ze nog zo opgelucht, maar nu bedenkt ze dat Schaapje toch wel een punt heeft.
'Nou ja, eerst maar eens nadenken hoe we de ontmoeting met Anthonie gaan arrangeren, vanavond,' besluit Schaap. En of het zo moet zijn, meteen trekt er een donkere wolk voor de zon. Sanne rilt van de plotseling kou.

Om zes uur gaat de telefoon en Sanne schrikt ervan. Zou dat Anthonie zijn? Om te zeggen dat hij absoluut niet van plan is om te verschijnen? Of is het Wichard, die toch al wat gespannen reageerde bij Sannes aankondiging dat er die avond een bijeenkomst zou zijn?
'Waar heb je hem dan gesproken? Hoe is dat dan gegaan?' Wichard vertrouwde de hele zaak duidelijk van geen kant.
'Maakt niet uit. Anthonie zal er zijn. En Schaapje ook,' was zo ongeveer het enige dat Sanne erover kwijt wilde. En dat zat Wichard duidelijk niet lekker.
Een beetje zenuwachtig neemt ze op. Het is Rob, die zegt: 'Lie-

verd, ik kom later. Veel later, ben ik bang. De politie is in de hoogste staat van paraatheid, want er is al op twee plaatsen brand gesticht vandaag. Heel gek, op klaarlichte dag. Mijn informant heeft een waanzinnige theorie. Echt vreemd. Ik vertel het je later allemaal nog wel. Ik ga nu met hem mee, want ze verwachten allemaal dat er nog meer gaat gebeuren. Dus je hoeft mijn eten niet warm te houden! Dag lieverd. Kus!'
Opgelucht legt Sanne de telefoon neer. Rob niet thuis, dat komt eigenlijk heel goed uit. Ze zag er al tegenop om alles aan hem uit te leggen. Nu is alles misschien al achter de rug, als hij thuiskomt. Ze besluit meteen geen werk te maken van het eten. Twee broodjes in haar hand en een lange wandeling met Hazel lijkt haar een stuk aantrekkelijker.
Als ze de vlakte op loopt, rinkelt haar mobiele telefoon. Een onbekend nummer, ziet ze. Maar meteen nadat ze haar naam heeft genoemd, ratelt een bekende stem: 'Sanne? Sanne! Ik heb je nummer van de verpleging gekregen! Want ik moest je even laten weten dat ik weg mocht! Anthonie heeft me vanmiddag opgehaald. Ik moet me volgende week melden voor revalidatie en tot die tijd heb ik een verpleegster gekregen van die lieve schat. Hij was nog maar net thuis van zijn reis en toen moest hij al meteen weer op pad om mij te halen. Lief hè? En ik wilde je bellen, want ik was bang dat je anders voor niets langs zou komen. Bovendien wil ik je uitnodigen om hier op visite te komen. Want ik ben van plan het ziekenhuis aan te klagen vanwege al die wantoestanden die we samen hebben beleefd, dus ik heb jouw getuigenverklaring nodig.'
'Wantoestanden?' herhaalt Sanne verbaasd. Mevrouw Zomer zegt verontwaardigd: 'Nou, dat is ook fraai! In plaats van dat je me eerst eens feliciteert met mijn thuiskomst! Ik weet het soms niet met die jonge mensen. Er zit geen greintje fatsoen meer in. Waarmee ik maar zeggen wil, dat je goed op een rijtje moet hebben wat er allemaal mis is gegaan, zodat we sterk voor de dag kunnen komen in de eis tot schadevergoeding.'
'Ik geloof niet dat ik u helemaal volg,' zegt Sanne. 'Maar wat heerlijk dat u weer thuis bent.'

'Ja, ja,' herneemt Anthonies grootmoeder korzelig, 'Dat moet je nu wel zeggen, natuurlijk. Maar zet jij alles ook even op papier? En kom dan zo snel mogelijk. Ik moest straks met Anthonie mee voor een gesprek in een revalidatie-instelling, dus ik hang op. De auto staat al voor en ik zit al in de rolstoel. Ik ga.'
Sanne haalt nog maar eens haar wenkbrauwen op en steekt de telefoon weer in haar broekzak. Allemachtig, wat een geratel! Ze zei niet eens gedag! Meteen krijgt ze de natte neus van Hazel tegen haar hand gedrukt en ze zegt: 'Jij zegt wel gedag, hè? Kom maar. We gaan een stuk hout zoeken en eens even lekker gooien. Wat jij! We maken er een leuke wandeling van.' Hazel springt meteen enthousiast om haar heen en even later bedenkt Sanne dat er niets zo therapeutisch werkt voor overwerkte hoofden als een wandeling met een hond als Hazel. Ze lacht hardop, als Hazel een noodstop maakt omdat ze in haar vaart de stok heeft gemist die Sanne weggooide.
'Kom maar!' lacht ze en ze klapt in haar handen om de labrador aan te sporen. De tak knapt in tweeën en Hazel weet nu niet hoe ze de twee stukken in haar bek moet krijgen.
'Dat is leuk hè, lieverd,' zegt Sanne, terwijl ze de hond aait en een hondenbrokje geeft. Op de terugweg geniet ze van de geuren van het bos, maar ze ziet dat het ook in het begroeide deel van het natuurgebied kurkdroog is.
'Het mag wel eens gaan regenen,' zegt ze tegen Hazel, die links van haar loopt. De hond kijkt naar haar op. 'Hoewel ik het minder lekker vind om in de regen te wandelen,' voegt Sanne toe. Hazel kwispelt vrolijk.
Als ze eenmaal thuis is, begint ze langzaam nerveus te worden. Om halfnegen belt Wichard. 'Mam, ik zit al in de kantine. Ik heb een kan koffie gemaakt en mijn laptop meegenomen. Ook heb ik wat papier en pennen klaargelegd. Kom je zo?'
'Ik wacht nog even op Schaapje. Dan kom ik er meteen aan,' belooft Sanne.
Nog geen vijf minuten later stapt juffrouw Schaap naar binnen.
'Gelukkig, u bent er. Zullen we meteen gaan?' vraagt Sanne ge-

spannen. Schaapje knikt en zegt: ‘Er hangt iets in de lucht. Voel je het ook? Ik ben er niks gerust op.’
‘Dan ben ik vast ook helderziend aan het worden,’ blaast Sanne. ‘Ik heb gewoon een knoop in mijn maag van de zenuwen.’
‘Ja, maar er is meer,’ zegt Schaapje. Ze snuift even alsof ze iets verdachts ruikt en doet even schijnbaar vermoeid haar ogen dicht.

Juffrouw Schaap snuift nog eens nadrukkelijk, schudt dan ongeduldig haar hoofd en zegt: ‘Komaan. We gaan.’
‘Nee, jij niet,’ lacht Sanne tegen Hazel, die meteen enthousiast haar mand uitkomt. ‘We gaan even boodschappen doen. Hazel moet even op het huis passen,’ vervolgt Sanne. En tegen Schaap: ‘Dat zeg ik altijd tegen haar. Ze snapt het helemaal. Kijk maar.’
Hazel heeft zich omgekeerd en loopt teleurgesteld terug naar haar mand.
‘Neem haar maar mee,’ zegt Schaapje in een opwelling. ‘Ik heb zomaar het idee dat dat beter is.’ Verbaasd kijkt Sanne haar aan. Schaapje haalt haar schouders op.
‘Doe nou maar.’
‘Veel keus heb ik ook niet. Ze snapt het al,’ glimlacht Sanne. Want Hazel heeft meteen door wat er aan de hand is. Ze staat al naast haar en kijkt alert omhoog.
Sanne pakt de riem en gedrieën gaan ze op pad. Als ze buiten komen, blaft Hazel kort.
‘Sssst! Wat doe je nu?’ vraagt Sanne verbaasd. Schaapje kijkt om zich heen, duidelijk op haar hoede.
‘Niks te zien. Kom,’ zegt ze.
‘Misschien wel een vos,’ oppert Sanne.
‘Of de bomen. Wat waait het ineens,’ bromt Schaapje. Daarna lopen ze zwijgend naar de kantine, waar het licht al brandt. Door

de ramen heen kan ze Wichard zien zitten. Die kijkt blij op, als hij zijn moeder en juffrouw Schaap binnen ziet komen.
'Koffie?' vraagt hij meteen.
'Graag!'
'Hoe laat is het?'
'Vijf voor negen. Suiker staat hier. Niemand melk, toch?'
'Er zijn nog van die staafjes stuifmelk achter de bar.'
'Gek, zo stil hier.'
'Anders had het hier vol gezeten.'
'Ja. Met dat zachte weer.'
'Rinke al in bed?'
'Diep in slaap.'
Ze vullen de ruimte met gebabbel. Onderwijl tikt de klok de minuten weg. Als het negen uur is, heeft iedereen al een paar keer naar de klok gekeken.
'Het kan wel druk zijn op de weg,' oppert Wichard.
'Hij moest ook nog met zijn oma naar een revalidatiecentrum, voor een afspraak,' zegt Sanne. Schaapje kijkt op.
'Hè? Hoe weet je dat?'
'Zijn oma belde me. Ze is vanmiddag door hem opgehaald uit het ziekenhuis.'
'En vanavond heeft ze een afspraak...'
'Ja, ze zat al klaar in haar rolstoel. En de auto stond voor, zei ze.'
Schaap zegt langzaam: 'Je komt 's middags uit het ziekenhuis en dan heb je diezelfde avond een afspraak met een revalidatiearts.'
'Raar,' vindt Wichard. 'Zeker in de avond.'
'Nou ja, misschien zei ze maar wat,' bedenkt Sanne. Ze haalt haar schouders op. 'Maakt toch niks uit? Of wel soms?'
'Ik weet het niet. Ik krijg het allemaal niet helder,' zegt Schaap. 'Ik heb de hele tijd zo'n rare lucht in mijn hoofd.'
'Misschien van die branden,' vertelt Wichard. 'Het was op het nieuws. Bij de regio-omroep. Niet gezien? Er was brand bij een supermarkt en nog ergens. Misschien ruikt u dat?'
'Rob belde me daar over op. Hij werkt over,' knikt Sanne. Schaapje zit roerloos. Ze ademt diep. Dan zegt ze ineens: 'We

moeten weg. Nu.' Ze staat met een ruk op. Ook Sanne en Wichard gaan meteen staan. Dan breekt de hel los. Sanne hoort gerinkel in de voorraadruimte. Er klinkt een knal, een deur vliegt open. Ze ziet even een steekvlam en daarna is er dat oorverdovend gebulder. Nog meer gerinkel. Een raam slaat in duizend glassplinters naar binnen, een enorme ontploffing verscheurt de ruimte.
'Wegwezen!' gilt Schaapje. Ze rennen. Hazel blaft. Wichard is als eerste bij de deur, maar hij kan hem niet open krijgen.
'Wat is er aan de hand?' roept hij.
'Ram een stoel door het zijraam,' wijst Sanne. Hij pakt zonder nadenken een tafel met stalen poten en slaat een lang smal raam aan gruzelementen. Sanne heeft een tafelkleed om haar handen gewikkeld en knalt de scherven naar buiten.
'Vlug!' zegt ze tegen Schaap. Die aarzelt geen moment en werkt zich door de opening heen. Hazel springt op haar aansporing meteen naar buiten en daarna gaan Wichard en Sanne. Hoestend lopen ze een paar passen en daarna, op veilige afstand van de kantine, keren ze zich om. Uit het raam, waar ze zich zo-even doorheen hebben gewerkt, slaan nu al vlammen.
'Mijn god,' fluistert Wichard. Ze staan aan de grond genageld.
'Dit is opzet. Grove opzet,' zegt juffrouw Schaap ontzet. Dan opeens wordt hun aandacht getrokken door een heldere lichtflits aan de overkant van het kampeerveld.
'Mama! Je huis!' Wichard wijst.
'Mijn huis!' gilt Sanne. Ze begint te lopen, struikelt, hijgt en rent. Hazel springt om haar heen, helemaal van slag door haar gedrag.
'Mama! Kom hier! Je kunt toch niets doen,' roept Wichard. Hij heeft zijn mobiele telefoon in zijn hand en roept erin: 'Ja, brand, ja! De kantine van camping 't Raetsel en ook een woonhuis op het terrein. Wat zegt je nou? Nee, er is niemand gewond. Kan wel even duren? Bent u niet helemaal goed bij uw hoofd? Overal brand? Maar hier fikst alles af! Met die wind! Ja, ik blijf aan de lijn.'

Als Sanne op een meter of vijftig van haar huis is, laat ze zich al op haar knieën vallen.
'Mijn huis,' kreunt ze. Er is niets meer aan te redden. Alles staat in lichterlaaie. Ze ziet hoe het vuur tekeer gaat in haar huiskamer en in haar verbeelding ziet ze alle dierbare foto's, video's en boeken verbranden. Alle tastbare herinneringen gaan voor haar ogen in vlammen op.
Ze kreunt. Dan voelt ze een hand op haar schouder. Het is juffrouw Schaap, die zegt: 'Sanne, we moeten Rinke halen.' Vol angst kijkt ze naar Schaapje, maar die zegt alleen maar: 'Vlug.'

Sanne rent struikelend over het veld naar het huis. Ze zou willen schreeuwen van angst, maar ze rent door, stil, geconcentreerd, zo hard ze kan. Achter zich hoort ze het vuur, de vlammen, balken die instorten en ramen die knappen. De lucht lijkt vol van angstaanjagende geluiden, geloei en geknetter. Ze kijkt niet één keer om. Ze loopt maar door, vol angst, haar adem veroorzaakt een stekende pijn in haar borst en haar hoofd bonkt. Rinke! Rinke! Iets anders denkt ze niet. Het huis staat er rustig, stil en hoog, De rode bakstenen bijna mooi in het bijzondere lichtspel van de fel uitslaande brand in de kantine. Als ze de deur opent, ruikt ze het. Benzine. Hij is hier ook geweest, beseft ze. Of hij is hier nog... Nog niet klaar met zijn vernietigende werk. Want geen enkel moment heeft ze getwijfeld wie hiervoor verantwoordelijk is. Anthonie Kaerels heeft wraak genomen. Vreselijke, allesvernietigende wraak. Ze aarzelt geen moment, rent door de gang en stormt de trap op. De deur van Rinkes slaapkamertje staat open. Met twee grote stappen staat ze bij het kinderbed met de dekbedhoes van K3. Volkomen verbijsterd staart Sanne naar het verkreukelde beddengoed en de roze teddybeer die haar glimlachend aankijkt. Het bed is leeg! Waar

is Rinke? De benzinegeur wordt sterker en ze hoort ineens gestommel in de gang.
'Rinke!' gilt ze in doodsangst. Stappen op de trap, snel, steeds sneller.
'Mama!'
'Wichard?' Ze snikt van angst en opluchting tegelijk. Maar dan heeft ook Wichard het lege bed gezien en ook hij roept meteen: 'Rinke? Rinke!'
'Papa?' Het lichte kinderstemmetje klinkt verwonderd en slaapdronken. Wichard zegt meteen: 'Ze is in mijn bed gekropen!' Hij rukt de deur van zijn slaapkamer open en daar staat Rinke, in een nachtpon met strookjes en rode wangen van de slaap.
'Dag lieverd, kom maar,' zegt Wichard resoluut. Hij tilt zijn kleine meid op, zegt tegen Sanne: 'Kom mam, meteen weg hier,' en daalt zonder aarzelen in rap tempo de trap af. Sanne loopt vlak achter hem. Er is geen tijd te verliezen, beseft ze. Ze wordt misselijk van de zware benzinelucht en ze is bijna verwonderd over het feit dat er nog steeds niets is ontvlamd.
'Snel!' brult Wichard nog eens. Dan ziet ze vanuit haar ooghoeken dat de gordijnen in de woonkamer al branden. Die lucht, dat lawaai! Ze negeert alles wat nu in haar lijf pijn doet en loopt zo snel als ze kan achter Wichard aan. Ze ziet het kleine gezichtje van Rinke op zijn schouder, slaperig en totaal niet geschrokken. De voordeur staat nog open en de smalle gang lijkt als een schoorsteen te werken. Sanne hoort het geloei achter zich en ze voelt de hitte toenemen. Is dat verbeelding of niet? Ze weet het niet, maar ze durft Wichard niet te duwen uit angst dat hij struikelt en valt met de kleine Rinke in zijn armen.
'Toe maar. Toe maar, we zijn er bijna,' mompelt ze. Nog een paar stappen. Nog maar een paar stappen. Of ze in een vertraagde opname zit, zo lang lijkt het te duren. Zo ver is die deur. Zo ver de buitenlucht. Zo ver de veiligheid.
'Oma!' Ze ziet de grote verschrikte ogen van haar kleindochter, die nu haar hoofd heeft opgericht en ontzet langs Sanne heen kijkt.

'Het komt allemaal goed, lieverd,' knikt Sanne geruststellend. Wichard stapt naar buiten en Sanne voelt meteen daarna een hand om haar arm. Een vaste greep trekt haar zonder pardon naar buiten en rolt haar daarna over de grond.
'Wat doe je! Wat doe je!' gilt Sanne. Schaapje zit bovenop haar en beklopt haar hoofd met haar vlakke handen.
'Oma!' hoort ze Rinke weer gillen.
'Alles is goed met oma,' meldt Schaapje kalm. Dan zegt ze tegen Sanne: 'Je haar stond in brand. En je vest. Mazzel dat het wol is en niks synthetisch. Je mankeert niks.' Schaap grijnst en staat op. Dan springt Hazel tegen haar op en ze krijgt een enthousiaste lik over haar gezicht. Dat helpt meteen. Sanne lacht en aait de hond die kwispelend om haar heen dartelt. Tranen schieten in haar ogen van opluchting en emotie. Ze voelt eens op haar hoofd en trekt een gezicht tegen Rinke die nu naast haar staat, met haar handje op haar schouder.
'Dat wordt een kort koppie, vrees ik,' zegt Sanne. De haartjes breken af onder haar vingers, maar als door een wonder voelt ze totaal geen brandwonden op haar hoofd of in haar nek.
'Je stinkt, oma,' zegt Rinke.
'Nou! Inderdaad,' zegt Sanne. Ze krabbelt overeind en geeft Rinke een hand. Met zijn vieren kijken ze naar het huis, waar nu de vlammen uit het dak slaan.
Daar heb ik gewoond met Frank, bedenkt Sanne. En daar heeft Wichard gewoond, met Hannah en de kinderen en nu met Rinke. Al die herinneringen... Ze voelt het verdriet omhoog kruipen, maar vermant zich als Wichard zegt: 'Als de brandweer niet gauw komt, gaan de slaapzalen er ook aan. En de receptie.'
'Er is geen houden aan met die wind. Het slaat al over naar het veld,' bevestigt juffrouw Schaap. Ook Sanne ziet nu de lekkende vuursporen over de kurkdroge grond en besluit: 'We moeten hier weg. Laten we een veilige plek zoeken. Er valt hier niets te redden. Laten we naar het parkeerterrein gaan.' Maar zo gauw ze het pad aflopen, zien ze al dat het onmogelijk is een auto te pakken. Door de hitte hebben de uitgedroogde haagbeukjes

vlam gevat en de geparkeerde auto's zijn omgeven door vuur en rook. Een vonkenregen komt hen tegemoet en Rinke gilt van schrik.

Daar staat m'n auto, denkt Sanne. Het is maar een auto. Alweer overvalt haar een golf van misselijkheid. Ook de oude auto van Wichard is niet zonder gevaar te bereiken. En het kleine bestelautootje komt haar niet bekend voor. Maar wandelaars gebruiken de parkeerplaats vaak om hun auto achter te laten, dus zo ongewoon is dat niet.
'Hoe komen we zo snel en zo veilig mogelijk op de grote weg?' vraagt ze zich hardop af. Schaapje wijst: 'We pakken dit smalle zijpad. Daar staan zulke hoge oude bomen, dat het daar altijd vochtig is. Zelfs al regent het de hele zomer nauwelijks. Als we dat pad volgen, meteen op de grote weg en komen we de brandweer tegemoet.'
Ze lopen achter elkaar aan, in ganzenmars. Wichard loopt voorop met Rinke in zijn armen, daarachter loopt juffrouw Schaap en Sanne sluit de rij, met Hazel naast zich. Het smalle pad is inderdaad verrassend vochtig en al gauw is het bulderende vuur een achtergrondgeluid geworden, minder nadrukkelijk, maar nog altijd onuitwisbaar aanwezig.
Pas als ze asfalt onder haar voeten heeft, beseft Sanne hoe moe ze is. Blijkbaar is ze de enige niet, want Wichard laat Rinke zakken en vraagt: 'Zullen we hier even rusten?'
'Goed idee,' hijgt Schaapje meteen. Ze staat voorover gebogen, volkomen uitgeput. Sanne voelt nu ieder spiertje in haar rug opspelen en Wichard steunt hardop als hij weer probeert rechtop te staan.
'Je krijgt een aardige klap mee van zo'n ontsnapping,' verzucht hij.

'Alles doet me zeer,' knikt Schaap.
'O shit, alles is weg,' beseft Wichard opeens. 'Alle foto's, alles!'
'Nu is beer verbrand,' fluistert Rinke. Dat kleine zinnetje snijdt dwars door Sannes hart. Wichard houdt meteen zijn mond en kijkt Sanne beschaamd aan. Dan zegt juffrouw Schaap: 'Herinneringen kunnen nooit verbranden. Onthoud dat goed. Wat iemand ook probeert kapot te maken, je herinneringen kunnen ze niet verwoesten. Je herinneringen blijven behouden, net zo lang als je erover kunt vertellen. Pas als je dat niet meer kunt, dan is alles weg. Maar voor die tijd, ha! Probeer voor die tijd maar eens dierbare herinneringen te stelen of kapot te krijgen! Dat zal je mooi niet lukken! Net als de herinneringen aan jouw mama, Rinke. Die heb je voor altijd. En dat geldt nu ook voor beer. Ook die blijft voor altijd bewaard.' Ze zegt het op een toon die geen enkele tegenspraak duldt en niemand is hoe dan ook van plan om juffrouw Schaap tegen te spreken. Ze knikken allemaal. Rinke ook, dapper, met tranen in haar ogen.
'Ja, ik zal beer echt nooit vergeten,' fluistert ze. 'En mijn mama ook niet.' Ze slaat haar armen om Wichard heen en hij kust haar op haar kruintje, zonder woorden, diep ontroerd.
Dan klinkt er een sirene in de verte.
'Daar komen ze,' wijst Sanne.
'Beetje laat,' knikt Schaapje. Ze staan op en kijken toe. Eén brandweerauto, nog een ladderwagen en daarachter een rode personenwagen. Met gierende banden verdwijnen ze om de hoek. Wichard zegt: 'Ik zal de politie melden dat iedereen in veiligheid is.' 'Goed idee,' knikt Sanne. 'En daarna Rob bellen.' Wichard belt en bevestigt dat ze langs de weg staan.
'Ik zal het doorgeven aan de dienstdoende commandant. Heeft u al politie langs zien komen?' vraagt de centralist. En na Wichards antwoord: 'Misschien kunt u ze dan even manen te stoppen en het meteen doorgeven. Voor de zekerheid.'
'Doen we,' belooft Wichard.
'Heeft u een ambulance nodig?' vraagt de man daarna. Wichard aarzelt en kijkt eens naar Sanne.

‘Mijn moeders haar heeft in brand gestaan,’ vertelt hij. Sanne schudt haar hoofd.
‘Ik mankeer niks, jongen.’ Maar de centralist heeft al besloten. Die zegt: ‘Ik stuur een wagen om u op te halen. Even controleren, voor de zekerheid.’
‘Ze sturen een auto. Ik denk een ambulance,’ zegt Wichard.
‘Ik hoef niet naar het ziekenhuis, hoor,’ zegt Schaapje meteen.
‘Ik ook niet,’ zegt Sanne. ‘Maar waar moeten we dan heen? Dat is de vraag.’
‘Naar mij natuurlijk. Jullie logeren vannacht gewoon allemaal bij mij. We maken wel wat kermisbedden. Dat komt allemaal goed,’ beslist Schaapje kordaat. Onderwijl staat Wichard Rob te bellen.
‘Hij neemt maar niet op!’ moppert hij even later. ‘Laten we alvast maar wat gaan lopen.’
‘Dat is nog wel een heel eind,’ zegt Sanne bedenkelijk. Ze kijkt eens naar Rinkes blote voeten onder haar nachtjapon en beseft dat het een hele sjouw is met die kleine meid.
‘Misschien wil de ambulance ons wel een lift geven,’ bedenkt Wichard vol goede moed. Maar zo gauw de ambulance is gearriveerd, blijkt die gedachte veel te optimistisch. De ambulancebroeders mogen geen taxi spelen. ‘Met ons mag u alleen naar de eerste hulp. En honden mogen we al helemaal niet meenemen!’ vertelt de man, terwijl hij Hazel over haar kop aait.
‘Zonder Hazel gaan we nergens naar toe,’ beslist Sanne meteen. Ze zit op het randje van de ambulance en laat de ene broeder haar hoofd en nek inspecteren. Die zegt: ‘U hoeft ook niet mee, hoor, mevrouw. Ik kan niets ontdekken dat ik echt moet behandelen. U heeft echt vreselijk geboft.’
‘Dat heb ik allemaal te danken aan juffrouw Schaap,’ vertelt Sanne. ‘Die gooide me op de grond en heeft alles geblust.’
‘Superactie,’ vindt de andere broeder, die ook op de handen van Schaapje geen brandwonden kan vinden. Op dat moment komt er een auto aanrijden en Sanne ziet het meteen. ‘Dat is Rob!’

roept ze tegen Wichard. Die staat al rechtop en zwaait met twee armen in de lucht. Sanne gaat staan en zwaait mee. ‘Rob!!!’
Banden piepen, de auto slingert.
‘O shit,’ fluistert de ambulancebroeder.

Sanne staat aan de grond genageld. Wichard houdt Rinke vast, jufrouw Schaap gilt en de twee ambulancebroeders vloeken eensgezind. Maar het loopt goed af. Rob pakt nog even de zijkant van het asfalt met zijn voorband, corrigeert op tijd en komt met piepende banden tot stilstand op een halve meter afstand van de ambulance.
De deur vliegt open, Rob stuitert de auto uit en rent meteen op Sanne af. Die twee armen om haar heen is precies wat ze nodig heeft. Sanne zucht diep en alle ellende lijkt van haar af te glijden. Rob is er. Gelukkig. Hij zegt: ‘Ik werd helemaal gek toen ik hoorde van de brand op de camping. Ik stond de eigenaar van een pand in het winkelcentrum te interviewen en kreeg een sms’je van de redactie. Wat is er allemaal gebeurd?’ Iedereen begint meteen te vertellen, maar juffrouw Schaap dirigeert met haar armen om stilte en zegt: ‘Dat is een heel verhaal, jongen. We willen graag naar de koffie en zo, dus zou jij ons naar mijn huis willen brengen? Want daar slapen jullie. Dan vertellen we alles.’
‘Sanne en ik ook?’ Rob kijkt haar verbaasd aan.
‘Er staat geen gebouw meer overeind,’ knikt Schaap. Rob smoort een vloek.
‘Ik breng jullie. Maar daarna ga ik nog even op de camping kijken. Allemachtig, wat is er toch allemaal aan de hand?’
‘Anthonie Kaerels,’ zegt Sanne. ‘Daar hadden we een afspraak mee, vanavond. Ik denk dat hij de dader is. Die andere branden zijn vast gewoon een afleidingsmanoeuvre.’

'De bibliotheek en een heel winkelcentrum?' zegt Rob verbaasd.
'Een duivel in het nauw zingt cherubijnen in slaap,' zegt juffrouw Schaap. Op dat moment krijgt de ambulance een oproep en Rob luistert mee.
'Een vermoedelijk slachtoffer op de camping?' herhaalt hij verbaasd.
'Niets is nog zeker, meneer,' zegt de ene broeder gehaast. 'We rijden meteen door. Goeienavond!' De andere broeder is al ingestapt en de ambulance vertrekt met loeiende sirene in de richting van 't Raetsel.
'Ik breng jullie meteen weg,' besluit Rob.
Even later zit Sanne in de badkamer bij juffrouw Schaap. Rinke poedelt in bad en Sanne zingt liedjes voor haar.
'Doe nog eens die van "Merk toch hoe sterk", oma,' lacht Rinke. 'Zulke liedjes leren wij niet op school.'
'Oma wel. En nog veel meer liedjes. Ik zal ze je allemaal leren, oké? Zing mee!' Sanne zingt en Rinke doet dapper mee met de vrijwel onbegrijpelijke tekst. Wichard is met Rob mee om te kijken hoe het met de camping afloopt en juffrouw Schaap is beneden koffie aan het zetten.
'Volgens mij bakt Schaapje koekjes. Ruik je al hoe heerlijk?' vraagt Sanne aan Rinke. Die snuffelt eens uitgebreid en knikt blij.
Als Sanne beneden komt, met Rinke in een T-shirt van juffrouw Schaap, staat er inderdaad een blad met koekjes af te koelen op het aanrecht. Schaapje knikt naar Sanne.
'Mag de televisie aan?' vraagt Rinke. Schaapje schudt meteen haar hoofd. 'Die is stuk,' zegt ze. 'We gaan lekker een spelletje doen. Eerst mag oma nog even onder de douche en daarna ga ik. Ik heb al wat schone kleren voor je klaar gelegd. Kijk maar even. Foei, we stinken een uur in de wind. Dan gaan we bedden maken. Leuk!'
Slimme Schaap, denkt Sanne. Op dit tijdstip is het allemaal niet meer zo gezellig op de televisie en een spelletje met zelf gebakken koekjes is een stuk meer ontspannen na zo'n vreselijke be-

levenis als vanavond. Schaap pakt Mens-erger-je-niet en Sanne stapt onder de douche. Daarna trekt ze de schone kleren aan die juffrouw Schaap heeft uitgezocht: een stevige onderbroek, een T-shirt en een lange donkerblauwe broek met elastiek in de taille. Ze besluit wijselijk niet in de spiegel te kijken en gaat naar beneden.
'Jij bent geel. We staan op winst,' wijst Schaapje. Sanne neemt haar plaats in en speelt verder met Rinke, die af en toe flink moet gapen. Als Schaapje beneden komt, heeft ze al beddengoed mee voor een bedje op de bank. Handig maakt ze het bedje op en als ze Rinke alweer ziet gapen, zegt ze: 'Misschien wil je al lekker op de bank gaan liggen? Dan kan je evengoed luisteren en kijken naar oma en naar mij. Want je bent wel moe, hè meiske?'
Rinke knikt met een wit gezichtje.
'Zal oma je dragen?' biedt Sanne aan.
Rinke slaapt al, zo gauw haar koppie het kussen raakt. Vertederd kijken juffrouw Schaap en Sanne toe.
'Zo,' zegt Schaap tevreden. 'Wil jij nog spelen?'
'Ik wel,' lacht Sanne. Dus beginnen ze aan een nieuw potje met koffie en koekjes. Het is al bijna elf uur als Sannes telefoon gaat. Het is Cathy.
'Waar ben je? Is er niemand gewond? Ik wist niet wat ik zag! De hele camping! Het is op de regiozender. Ik kom meteen naar je toe!'
'We zijn allemaal in orde. Rinke ligt hier op de bank te slapen, dus we kijken niet naar televisie. Het was allemaal al schokkend genoeg. En we slapen bij Schaapje in de kamer, dus je kunt niet komen!' zegt Sanne. Cathy huilt nu hartverscheurend. 'Ik dacht dat jullie verbrand waren. Of iemand, in ieder geval. Ze hebben een dode gevonden! Vreselijk! Weet je zeker dat iedereen veilig is?'
'Ja. Dat weet ik echt zeker. Kom morgen naar Schaapje, dan praten we verder. Maar nu niet. Snap je dat? Ik hou van je en we zijn er allemaal nog.' Snikkend hangt Cathy op en meteen gaat haar telefoon weer.

‘Dat is Rob,’ ziet Sanne op haar mobiel.
‘Lieverd, er is iets ergs gebeurd,’ zegt Rob meteen als ze opneemt.

Even houdt Sanne haar adem in. Wat gaat Rob haar vertelen? Is er iets met Wichard gebeurd? Maar dan hoort ze Wichards stem opgewonden zeggen: ‘Rob, kom op, we mogen even binnen kijken!’ Rob zegt gehaast: ‘Ik zal het je snel vertellen. Er is een dode gevallen. In een auto op het parkeerterrein is een vrouw gevonden, vermoedelijk gestikt door de rook. Het zag er afschuwelijk uit. Maar we mogen nu bij Wichard even naar binnen. Onder begeleiding van de brandweer. Misschien kunnen we er nog iets uitslepen. Hoewel... Het ziet er vreselijk uit. Wichard hoopt dat zijn laptop niet beschadigd is. Het zal wel laat worden. Is dat geen bezwaar?’ Sanne wuift opgelucht al zijn vragen weg en vertelt aan Schaapje wat er aan de hand is.
‘Wij wachten wel,’ zegt ze. ‘Dag lieverd!’ Alweer telefoon. Nu is het Yvonne, die dolblij is dat ze Sanne aan de telefoon heeft. ‘Ze zeiden dat er een vrouw geborgen was. Dus ik dacht even dat jij... Nou ja. Goddank. Je bent er nog. Kan ik iets voor je doen?’
‘Ja, morgenochtend wat ondergoed en kleren brengen,’ bedenkt Sanne meteen. ‘Ik heb nu een onderbroek van juffrouw Schaap aan!’ Schaapje lacht kakelend en Yvonne zegt: ‘Beloofd! Om acht uur. Dan rijd ik daarna door naar mijn werk. Dag meid. Hou je maar taai!’ Sanne heeft de verbinding nog niet verbroken of de telefoon gaat weer over. Nu zijn het Daan en Abel die om beurten zo hard roepen, dat Sanne niet weet wie de telefoon nu eigenlijk in handen heeft.
‘Nee! Je staat op de luidspreker!’ brult Daan. ‘De telefoon ligt op tafel!’ gilt Abel er doorheen.

'Jullie hoeven niet zo te krijsen. Die luidspreker doet het uitstekend,' lacht Sanne. 'Wacht, dan zet ik mijn telefoon ook op de luidspreker. Maar zachtjes, hè? Rinke slaapt op de bank.' Ze legt haar telefoon op tafel en juffrouw Schaap geniet zichtbaar mee van de malle conversatie met Daan en Abel.
'Dus jullie hebben zelfgebakken koekjes? Ik wou dat ons huis eens in brand vloog,' verzucht Abel, waarna er een hoop gestommel klinkt en Daan uiteindelijk zegt: 'Sorry, hoor. Maar ik moest die jongeman even corrigeren. Nou, ga zitten en stel je niet aan. Nee, je oog is niet blauw.'
Abel fluistert nu: 'Ik ben een beetje gewond. Maar wat ben ik blij dat jullie allemaal veilig zijn. We schrokken ons het apelazerus, Daan en ik.'
'Nou. We komen morgenavond met een fles champagne. Om te vieren dat jullie niets mankeren,' beaamt Daan opgelucht.
'Nee, twee flessen! Dan mogen wij ook wel blijven slapen, hè Schaapje? Ach toe, wees eens lief voor je Daantje en je Abeltje,' vleit Abel.
'Je kikkert altijd weer helemaal op van die malle jongens,' zegt Schaap als het gesprek is afgelopen. Sanne knikt. Ze maken bedden met behulp van kussens, een oude matras, een luchtbed en een hoop beddengoed. Alle meubels gaan aan de kant, Hazel moet een stukje opschuiven met haar kleedje en als alles klaar is, verzucht Sanne: 'Ik denk dat ik straks slaap als een roos.' Maar eerst rinkelt de telefoon van juffrouw Schaap.
'Wie kan dat nu zijn, zo laat?' zegt Schaapje hoofdschuddend. En als ze opneemt, lacht ze meteen: 'Och, malle jongen, natuurlijk mankeer ik niks. Dan had ik je wel een teken gegeven. Dat hebben we toch afgesproken? Nee, nee, ga nu maar lekker slapen en niet piekeren. De hele familie is veilig en ze slapen allemaal hier. Kom morgen maar om het met eigen ogen te zien. Dag jongen. Welterusten.' En tegen Sanne: 'Dat was Rokus. Hij was ongerust. Maar ik heb beloofd dat ik even bij hem langs kom, als ik onverhoopt over mocht gaan. Ik weet zeker dat me dat ook wel lukt. Maar lief hoor. Erg lief.' Ze staart even verte-

derd voor zich uit, vermant zich dan en zegt tegen Sanne: 'Waarom ga jij ook niet alvast liggen?' Sanne, die voor de derde keer een geeuw onderdrukt, schudt haar hoofd. 'Nee, dat vind ik niet eerlijk. Dan laat ik u op Rob en Wichard wachten. En u bent vast even moe als ik.'

'Dan nemen we nog maar een kopje koffie,' besluit Schaap.

Het is bijna drie uur in de ochtend uur als Wichard en Rob arriveren.

'En?' vraagt Sanne. Moedeloos schudt Wichard zijn hoofd. 'Niks. Ik kon echt niks meenemen. Mijn laptop stond te druipen van het bluswater, alles is zwart, alles stinkt. Maar wij zijn allemaal veilig en gezond. Dat is wel het voornaamste.' Hij glimlacht iedereen dapper tegemoet en kijkt even naar de kleine Rinke die heerlijk ligt te slapen op de bank. Om beurten gaan ze onder de douche en komen beneden in kleren van juffrouw Schaap. Ondanks het late tijdstip krijgt Sanne daardoor beide keren een onbedaarlijke lachbui.

'Het staat mij inderdaad een stuk beter,' concludeert Schaapje als ze Rob inspecteert in haar lange gebloemde nachthemd.

'En je onderbroek?' vraagt Sanne nieuwsgierig.

'Die laat ik niet zien. Voor geen goud,' bekent Rob. Om halfvier ligt iedereen op bed.

'Welterusten,' fluistert Sanne. Ze krijgt een kneepje in haar hand van Rob, maar van Wichard hoort ze alleen een knorrend en regelmatig ademen. Ook Rinke hoort ze in het stille huis, de ademhaling van een kind, totaal ontspannen. En dan is er het geluid van Hazel, af en toe gaan haar nagels over de vloer, alsof ze in haar slaap nog achter haasjes en eekhoorns aan zit. De oude klok van juffrouw Schaap tikt de minuten weg. Straks slaat hij vier keer, denkt Sanne. Maar dat hoort ze niet meer. Ze slaapt.

Om acht uur staat Yvonne voor de deur met een tas vol kleren. Ze laat de tas meteen vallen en slaat haar armen om Sanne heen. Zo staan ze even, roerloos, zwijgend, in de stille ochtend.
'Nou nou,' zegt Yvonne, als ze Sanne loslaat.
'Ja, ja,' antwoordt Sanne. En daarmee is alles gezegd. Sanne pakt de tas met kleren op en Yvonne belooft diezelfde avond langs te komen.
'Ik neem wel wat salades mee. Maken we een koud buffetje,' zegt ze gehaast. 'Er zitten ook schoenen in. Kijk maar. En slippers.'
'Mooi,' zegt Sanne. 'Daan en Abel brengen champagne mee. Het wordt nog feest!' Maar dan haast ze zich naar binnen en trekt meteen lukraak wat kleren aan uit de tas, want Hazel staat te piepen.
'Ja hoor, schat, we gaan uit,' belooft ze.
Als ze even later de dorpsstraat achter zich heeft gelaten, bedenkt ze dat ze een lange wandeling zou kunnen maken. Naar de camping. Ze aarzelt even. Hazel duwt haar natte neus tegen Sannes hand. Ze bukt zich om de hond te aaien en zegt: 'Dat kan ik maar beter niet doen, hè? Wat een vreemd idee, dat alles weg is. Alles.' Ze haalt eens diep adem en zegt: 'Maar wij zijn allemaal gezond. Kom. We lopen door.' Ze merkt nauwelijks dat de tranen over haar wangen lopen. Pas als ze haar wangen afveegt, beseft ze dat ze geluidloos huilt. Alsof alle emotie zich een weg naar buiten zoekt. En ik ben helemaal niet verdrietig, bedenkt ze. Ik ben blij en dankbaar dat geen van ons allen iets mankeert. Ik mag niet huilen. Het had zoveel erger kunnen zijn. Zo verschrikkelijk veel erger. Ze besluit om een grote omweg te maken. Rinke mag me zo niet zien. Ik moet sterk zijn en vrolijk. Ik zal straks Cathy bellen en vragen of ze wat lekkers meeneemt voor vanavond. We maken er een leuk feest van. Maar eerst moet er een hoop gebeuren. Verzekeringen, de bank, ik moet geld kunnen pinnen en ik moet... Mijn hemel. Mijn paspoort, mijn rijbewijs, alle papieren, alles, alles... Het duizelt Sanne even. Ze is weer terug in de dorpsstraat en ziet in de verte het huisje van Schaapje al. Ze probeert zichzelf te vermannen en zegt hardop:

'Eén ding tegelijk, Hazel.' De hond staat meteen naast haar en kwispelt. 'En ik heb in deze zak geen hondenkoekje, lieverd. Dit is een jas van Yvonne! O heer, ik heb helemaal geen eten voor je!'
'Neemt u mij niet kwalijk, maar zou ik u misschien kunnen helpen?' Er staat een vrouw naast haar met een zwarte labrador aan een rode riem. Hazel en de nieuwkomer besnuffelen elkaar enthousiast en Hazel maakt een paar uitdagende sprongen.
'U bent toch Sanne? Van de camping? Wat verschrikkelijk, die brand. Ik was er helemaal ondersteboven van. Ik ben Marja. En ik heb hondenvoer. Ik woon hier. Als u even wacht?' Ze geeft de riem van haar hond aan Sanne en zegt: 'Hij heet Walter. Ik ben zo terug!'
'Wat verschrikkelijk aardig,' zegt Sanne beduusd. Dan staat ze met de twee honden een tijdlang ingewikkelde figuren te beschrijven om de riemen uit elkaar te houden. Maar ze durft ze niet los te laten, want het ochtendverkeer is al aardig op gang aan het komen. Marja komt een minuut of wat later naar buiten met een plastic zak. Ze zegt: 'Kijk, twee blikken voer, een voorraadje brokken, wat varkensoren, een zakje pensstaafjes en nog wat lekkere koekjes. Minstens voor een dag of twee. En als je er niet genoeg aan hebt, dan kom je maar langs. Doen hoor!' Sanne krijgt even tranen in haar ogen van die onverwachte hartelijkheid.
'Bedankt, joh. Dit is echt fantastisch,' zegt ze.
'Jij had precies hetzelfde gedaan,' lacht Marja. 'En heel veel sterkte in de komende tijd.'
'Echt hartstikke bedankt,' zegt Sanne nog maar een keer.
Bij juffrouw Schaap is het een drukke boel in de kleine woonkamer. Sanne ziet meteen dat deze logeerpartij niet al te lang kan duren. Maar als Wichard en Rob een lijst maken van alles wat er geregeld moet worden en meteen aan het bellen slaan, voelt ze zich een beetje rustiger worden. Ze krijgt de pinpas van Rob met de opdracht: 'Ga jij maar een basisgarderobe aanschaffen voor iedereen. En scheerspul, badspul, tandenborstels en wat jij nodig

hebt aan lippenstift en zo en verder alles wat je kan bedenken. Want ik wil graag een schoon overhemd en zo.'
'Met jouw auto?' vraagt Sanne. Rob schrikt zichtbaar.
'Nee! Jeetje, nee, ik moet zo naar de bank met Wichard en naar de verzekeringsman. En waarschijnlijk gaan we vanmiddag al op de camping kijken. Wat nu?'
'Ik bel Cathy,' zegt Sanne. Haar zus is meteen in tranen als Sanne belt.
'Natuurlijk! Ik kom meteen naar je toe! Ik vind het zo erg, zo verschrikkelijk erg! Ik zei nog tegen Willem, ik zei...'
Sanne onderbreekt haar snel. 'Cathy, kom je dan meteen? Vertel me later maar wat je tegen Wim zei. Ik wil zo snel mogelijk de stad in en kleren uit rekken rukken. Oké?'
Een uurtje later lopen ze in een grote winkel waar ze alles kunnen kopen wat er nodig is. Van tandenborstel tot herenondergoed. Lekker makkelijk, beslist Sanne.
'Maar hoe moeten we dat doen?' bedenkt Cathy zorgelijk. 'We hebben nooit armen genoeg om alles te dragen!'
'Als jij nu alles vasthoudt, dan ga ik wel door de rekken,' oppert Sanne. Al na zes overhemden ziet ze dat dit niet werkt.
'We moeten straks met de roltrap. En met de hele voorraad naar de auto,' zegt Cathy somber.

Daar staan ze dan. Midden in de winkel. Cathy draagt inmiddels zes overhemden, vier spijkerbroeken en drie voordeelverpakkingen herensokken die om de haverklap op de grond glijden.
'We moeten dit anders doen,' besluit Sanne. Ze kijkt eens om zich heen, ziet een mevrouw bij de kassa in bedrijfskleding met een naambordje en zegt meteen: 'Mevrouw Petra Schuller, ik ben Sanne van den Broek. Ik woonde op de camping die gisternacht volledig is afgebrand. Heeft u dat toevallig op het nieuws

gezien? Ja? Mooi. Nu kom ik hier met mijn zus om basiskleren te halen voor mijn echtgenoot, mijn zoon, mijn kleindochter en voor mijzelf natuurlijk. En we moeten tandenborstels, scheerdingen en van alles waar ik nu niet aan denk, maar die ik straks wel tegenkom. Wat denkt u? Kunt u meelopen met een soort karretje?'
Petra Schuller grijnst breed.
'Heel graag mevrouw. Ik haal een kar van achteren waarmee we de winkel bevoorraden. Dan zullen we eens even effectief gaan shoppen en tot besluit nodig ik u en uw zus graag uit voor koffie en wat lekkers in ons restaurant. Daarna kan één van onze medewerkers u helpen alles in de auto te laden.'
'Dat klinkt heerlijk,' knikt Sanne tevreden.
'Ik kom alleen maar aardige mensen tegen vandaag,' zegt ze tegen Cathy als ze later onderweg zijn naar huis.
'Geen wonder dat ze aardig waren bij die winkel. Sjonge, zo'n klant heb je ook niet iedere dag!' vindt Cathy nuchter.
'Nou ja, die mevrouw was aardiger dan ze had hoeven zijn. Ik bedoel maar, je hebt professioneel aardig en gewoon leuk aardig. Toch? En ze haalde ook nog een tweede kopje koffie!'
'Je mag daar altijd bijvullen, dacht ik.'
'Hè Cathy!'
'Ja, dat is toch zo?'
'Nou ja, hoe dan ook, kom je vanavond ook? Met Wim? We nemen allemaal wat lekkers mee, Yvonne maakt salades en Daan en Abel champagne en dan vieren we een feestje dat we er allemaal zonder verwondingen vanaf gekomen zijn. Goed?'
'Leuk,' zegt Cathy. 'Ik zorg voor fruitsalade en ijs. Voor het toetje. En ik neem wel wat frisdrank mee. En misschien mijn warme gehaktballetjes met pindasaus?'
'Lekker,' zegt Sanne.
Rob en Wichard zijn al op pad, als Cathy voor de deur bij juffrouw Schaap parkeert. Maar gelukkig helpen Schaapje, Rokus en Rinke met het naar binnen sjouwen van kleren en spullen. Rinke is meteen dolenthousiast.

'Wil je passen?' vraagt Cathy.
'Jaaaa!' De nieuwe felgekleurde nachtponnen zijn een schot in de roos. Alles past en Rinke is dolblij met al haar spullen.
'Oma heeft gympen voor je gekocht, regenlaarzen en slippers. Schoenen komen later wel. Die moet je passen,' vertelt Cathy. Het zal Rinke een zorg zijn. Die staat ingelukkig in een nachtpon met een afbeelding van K3 in de kamer en probeert met grote passen haar gebloemde rubberen laarzen uit.
Die avond hebben Sanne, juffrouw Schaap en Rinke de tuin ingericht om gasten te ontvangen. Overal branden kleine lantaarns en er staan klapstoelen rond de tafeltjes. In de achterkamer hebben ze de tafel tegen de muur geschoven om plaats te bieden aan het buffet.
'Geeft meteen meer ruimte,' zegt Schaap met een knipoog naar de voorkamer die één groot kermisbed lijkt. Ze zetten de plastic borden en bestek neer en poetsen de glazen op. Daarna hangen ze de slingers op die Rinke uit oude kranten knipt; kunstige spiralen en poppetjes die elkaars hand vasthouden.
'Ik heb nog kerstboomlichtjes voor buiten. Die hangen we tussen de rozen,' bedenkt Schaapje.
Om zeven uur is het feest in volle gang. Daan en Abel schenken champagne en Daan heeft Sanne zo vreselijk sentimenteel toegesproken, dat hij er zelf een huilbui van kreeg.
'Je schaamt je soms om die jongen ergens mee naar toe te nemen,' vertrouwt Abel Cathy toe. 'Hij heeft zichzelf van tijd tot tijd totaal niet in de hand. Héél gênant.' Rob stapt opgelucht rond in een fris overhemd en een nieuwe spijkerbroek. 'De verzekeringsman zit er bovenop. We hebben alles onder controle. Hard gewerkt, vandaag, want er moet heel wat geregeld worden,' hoort Sanne hem tegen Willem zeggen. Wichard heeft Rinke op schoot en fluistert haar iets leuks in de oren, want Rinke lacht schaterend. Ze heeft nog steeds haar gebloemde regenlaarzen aan, waarvan ze tegen Sanne zei: 'Oma, ik heb nog nooit zulke mooie laarzen gehad!' Ze ziet Yvonne lachen met Daan en Abel, ze ziet Rokus in de hoek van de tuin tevreden een pijpje roken

en ze ziet Cathy nog eens rondgaan met haar schaal gehaktballetjes. Het ziet er allemaal zo heerlijk ontspannen en gelukkig uit, dat er een diepe rust in haar neerdaalt.
Dan hoort ze geluid bij de poortdeur. Een lage mannenstem zegt zacht, maar duidelijk: 'Het feest is hier in volle gang, De Boer. Dat zou je toch niet verwachten van mensen die net alles hebben verloren. Maar enfin, je weet wat ze zeggen, nietwaar?'
Een andere stem antwoordt spottend: 'Ja, inderdaad. In de brand, uit de brand. Maar om dat nu zo overduidelijk te vieren? Ze worden steeds brutaler!' Sanne staat aan de grond genageld. De poortdeur gaat open en twee mannen stappen de tuin in. En omdat Sanne de eerste is, die ze tegenkomen, geeft de ene man haar meteen een hand en zegt: 'Mevrouw? Ik ben Jacques de Boer, recherche. Wij onderzoeken de brandstichting op de camping en we hebben hier een lijst van mensen die we graag willen ondervragen. Dat is in de eerste plaats Wichard Molenaar, Dan Robert Willem de Wolf en tot slot mevrouw Sanne de Wolf-van den Broek. En u bent?'
'De laatste,' zegt Sanne.

De rechercheur kijkt Sanne strak aan; ijsblauwe ogen zonder enige uitdrukking.
'U begrijpt natuurlijk dat we met wat vragen rondlopen,' zegt hij. 'Zullen we zeggen, morgen om tien uur? Hoofdbureau?'
'Alle drie?' vraagt Sanne. Jacques de Boer knikt. Zijn collega heeft zich niet voorgesteld, maar staat schuin achter hem alles nauwlettend te bekijken. Dan heeft Abel ineens in de gaten dat er nieuwe mensen zijn gearriveerd. Hij komt meteen enthousiast aangehuppeld, de champagnefles in zijn ene hand en twee glazen in de andere.
'U komt vast een glaasje drinken op de gezondheid van Sanne

en Rob en Wichard en Rinke. Leuk! Ik ben Abel. Hou vast, jongen, dan schenk ik in,' roept hij enthousiast. De Boer schudt zijn hoofd.
'We zijn in functie.' Hij keert zich naar Sanne en herhaalt: 'Tien uur.'
'Doe niet zo flauw,' dringt Abel aan. 'Eén glaasje! Dat kan toch wel? Op het geluk dat niemand iets is overkomen!'
'Niemand? Zo zou ik het niet willen stellen,' zegt De Boer afgemeten. 'Er is een dode gevallen. Of was dat u even ontglipt?'
Abel schrikt zichtbaar en zegt betrapt: 'Ja, u heeft gelijk. Dat is ondoordacht van me. Maar ziet u, die dode ken ik niet. En die anderen, tja, die zijn me zeer lief. Vandaar. Nou ja, dan maar geen champagne, hè? Cola? Sinas? Ook niet?' Al pratend is hij een paar passen achteruit gegaan en nu wisselt hij van plaats met Rob, die de twee mannen heeft opgemerkt en ze een hand komt geven.
'Goed dat u er bent. Wij zitten vanzelfsprekend vol vragen en we hopen dat u alvast wat antwoorden heeft. We vieren een klein feestje, want de opluchting bij onze vrienden en kennissen is groot. We staan er beroerd voor wat onze bezittingen betreft, maar verder mogen we oprecht dankbaar zijn. Het had heel anders af kunnen aflopen,' zegt Rob.
'We willen u morgen spreken. Om tien uur. Op het bureau. En tevens verwachten wij Wichard Molenaar,' zegt De Boer.
'Natuurlijk,' knikt Rob. 'Is de identiteit van de dode in de auto al bekend?' De rechercheurs schudden hun hoofd.
'Niet dat wij weten, meneer. Morgen spreken we u nader. Goedenavond verder.'
'Ja, dank u,' knikt Rob. Hij geeft Sanne een arm en samen wandelen ze terug naar de anderen.
'Ze denken dat we de brand zelf hebben aangestoken,' fluistert Sanne. 'En dat we nu staan te vieren dat het zo goed gelukt is. In de brand, uit de brand, zei die ene in de steeg.'
'Ze weten gauw genoeg dat daar niets van waar kan zijn. Maak je maar niet druk,' sust Rob.

'Op de een of andere manier voelde ik me meteen zo schuldig,' zegt Sanne onrustig.
'Dat is altijd zo met politie. Dat effect hebben ze nu eenmaal. Als er een politieauto achter je gaat rijden, denk je ook meteen dat je van alles fout doet, of dat je licht niet brandt. Dat werkt nu eenmaal zo. Niet over doorpiekeren, gewoon accepteren. Morgen alles gewoon vertellen en klaar.' Hij staat nu voor haar en kust haar blij op haar mond.
'Je hebt gelijk,' zegt Sanne. Maar onderwijl bedenkt ze dat ze misschien ook moet vertellen over Anthonie. Over de sporttas die Schaap en zij hebben afgegeven. Over de verhalen van zijn oma, waardoor ze achterdochtig werd. Het zal al met al een veel ingewikkelder verhaal worden dan Rob nu vermoedt. Ze haalt eens diep adem en loopt dan naar Schaapje.
'Lieve Schaap, luister eens, als de politie mij morgen vraagt naar Anthonie, dan vertel ik alles. Ik ga niet liegen, goed?' Schaap knikt meteen. 'Tuurlijk ga je niet jokken. Dat hoeft ook helemaal niet. Die tas met cocaïne hebben ze al, dus we gaan aan alle kanten vrijuit. Vertel ze maar alles wat ze willen weten en alles wat je weet. Dat ga ik ook doen als ze mij willen spreken. Wel zo makkelijk, toch?' Sanne knikt opgelucht. 'Dus nu nog maar een beetje champagne,' besluit Schaap.
Het is een heerlijke avond. Als alle schalen zijn leeggegeten, de laatste druppel uit de laatste fles is geperst en alle bende is opgeruimd, valt Sanne in een diepe droomloze slaap.
De volgende ochtend zitten ze gedrieën in de wachtkamer van het hoofdbureau. Ze worden tegelijk binnengeroepen en afzonderlijk van elkaar in kleine verhoorkamers geleid. Sanne vindt De Boer tegenover haar, die ze alles vertelt. Af en toe neemt hij even pauze en dan laat hij een assistent koffie halen of wat water. Als ze vertelt dat ze de tas van Anthonie samen met mevrouw Schaap naar het bureau heeft gebracht, verontschuldigt hij zich even. Nu gaat hij controleren of dat verhaal van die tas klopt, bedenkt Sanne. En hij zal Schaapje wel laten halen.

Het is inmiddels al halféén en ze begint flauw te worden van de trek. Als De Boer weer binnenkomt, zegt hij: 'We zullen even onderbreken. Ik weet voorlopig wel genoeg. Ik spreek u graag morgenochtend weer om tien uur. Dan hebben we meteen alles op een rijtje.'
'Ik werk graag mee,' knikt Sanne. Ze voelt zich nu een stuk rustiger en sterker.
Als ze op de gang loopt, ziet ze net juffrouw Schaap een kamer binnengaan. Ze laten er inderdaad geen gras over groeien, bedenkt ze. En opeens bedenkt ze dat zij nog wel met een paar vragen rondloopt. Want wie is die dode vrouw? En waar is Anthonie Kaerels? Ze aarzelt geen moment. Rob en Wichard ziet ze toch nog niet, dus ze loopt naar de balie en zegt: 'Ik zou zo graag nog even rechercheur De Boer spreken?'

'Ik weet niet of ik de inspecteur nog te pakken krijg,' aarzelt de vrouw achter de balie. 'Uw familie wacht op u in wachtkamer 3.' Op dat moment ziet Sanne dat De Boer buiten op de parkeerplaats loopt.
'Ik zie hem al,' zegt ze gehaast. Eenmaal buiten roept ze: 'Inspecteur! Heeft u nog even?!' De Boer keert zich verrast om en Sanne loopt snel op hem af.
'Sorry,' zegt ze, als ze tegenover hem staat. 'Maar ik bedacht ineens dat ik helemaal vergeten ben te informeren naar de identiteit van die vrouw, die omgekomen is.' Hij kijkt haar argwanend aan.
'Waarom wilt u dat weten?'
'Gewoon. Nieuwsgierig, ik weet niet. Het is een deel van het totale plaatje, toch? En net zo goed als u, wil ik ook graag weten wat er nu allemaal precies is gebeurd,' legt Sanne uit. Hij kijkt even peinzend in de verte. Dan schudt hij zijn hoofd.

‘Ik kan niets zeggen over het slachtoffer. De naaste familie is nog niet op de hoogte.’
‘Waarom niet?’
‘We kunnen de familie niet bereiken.’
‘Juist.’
‘Ik zie u morgen. Prettige dag verder.’ De Boer kijkt haar nog eens indringend aan, keert zich om en loopt weg.
Ben ik ook niet veel wijzer van geworden, bedenkt Sanne teleurgesteld. Ze loopt terug naar het gebouw, zoekt wachtkamer 3 op en treft daar Rob en Wichard aan die verveeld in een stapel oude weekbladen zitten te bladeren.
‘Hè, hè, dat heeft lang geduurd,’ groet Rob.
‘Laten we gauw weggaan. Ik moet morgenochtend om tien uur nog terugkomen,’ vertelt Sanne.
‘Waarom?’ vraagt Rob verbaasd.
‘Dat leg ik straks allemaal wel uit,’ zegt Sanne.
Op de tafel van juffrouw Schaap ligt een briefje Daarop staat in de karakteristieke hanenpoten van Schaap: ‘Lieve allemaal. Rinke en Hazel zijn in de moestuin bij Rokus. Ik ben opgeroepen op het bureau. Ik spreek jullie straks. Dag!’
‘Waarom moet Schaapje naar het politiebureau?’ vraagt Wichard verbaasd.
‘Ga zitten. Ik zal alles vertellen,’ zegt Sanne. Daarna vertelt ze de hele geschiedenis op Schiphol, de avonturen met Anthonie, het in beslag nemen van de tas met drugs, en dat Schaapje en zij de tas met inhoud domweg hebben ingeleverd op het politiebureau. Rob en Wichard kijken haar met grote ogen aan en van tijd tot tijd schudt Rob vol ongeloof zijn hoofd.
‘Onverantwoordelijk! Dat je zo veel risico hebt genomen met die vent! Dat is dus een keiharde drugskoerier! Je hebt gespeeld met je leven en met dat van juffrouw Schaap,’ zegt hij verontwaardigd.
‘We wilden hem onder druk zetten om de camping zo goed mogelijk te kunnen verkopen,’ legt Sanne uit. ‘Pas nu besef ik wat voor risico we hebben gelopen. En ik was ook wel bang. Maar

nu weet de politie alles. Nu hoef ik niet meer bang te zijn. En juffrouw Schaap vertelt ook alles, dus is het klaar. Zo klaar als een klontje. Toch?'
'Dat is het nog niet helemaal, vrees ik,' zegt Wichard. 'Want ik denk zeker te weten dat Anthonie die brand heeft gesticht. En waarschijnlijk ook al die andere branden, als een soort afleidingsmanoeuvre en om ervoor te zorgen dat de brandweer het al zo druk had, dat ze zeker te laat bij ons zouden zijn om nog iets te kunnen redden. Maar de grote vraag is: waar is hij? Waar is Anthonie? De politie heeft ook geen idee!'
'Nee, inderdaad. Er loopt nog iets heel griezeligs en wraakzuchtig rond. En dat komt waarschijnlijk vooral door jouw actie,' zegt Rob.
'Ja zeg, straks ga je nog beweren dat die brand mijn schuld is!' zegt Sanne verontwaardigd.
'Natuurlijk niet. Het is mijn schuld. Ik had me nooit door die man moeten laten leiden. En die drugs... En al die idiote trucs om aan geld te komen... Het is allemaal mijn schuld. En toen jij probeerde te redden wat er nog te redden viel, heeft Anthonie op een verschrikkelijke manier wraak genomen,' zegt Wichard.
Sanne zucht.
'Niemand had dit kunnen voorzien,' zegt ze dan. 'Het was een stroomversnelling van gebeurtenissen. We hebben niet altijd de juiste keus gemaakt.'
'Nee. Dat is zo. Dit had je ook nooit kunnen voorzien. Maar je had het wel met mij kunnen bespreken. Ik snap niet dat je dit zomaar met Schaap bent gaan ondernemen,' zegt Rob hoofdschuddend.
'Ik regel wel meer dingen die de camping betreffen zonder daarover met jou te overleggen,' werpt Sanne tegen.
'Maar dit is wel erg extreem. Toch?' Rob kijkt haar verwijtend aan.
Sanne zwijgt. Rob heeft een punt natuurlijk, bedenkt ze. Maar ja, het is nu eenmaal gebeurd! Wat kan ze er nu nog aan veranderen? Ik had er misschien met Rob over moeten praten. Maar

dat deed ik niet, omdat ik bij voorbaat wel wist hoe hij erover dacht. En als alles gelukt was, dan was het mooi geweest. Goed voor de camping en goed voor die partij drugs die nu niet op de markt is gekomen. Maar wat had er allemaal niet kunnen gebeuren? Het had zo verkeerd kunnen aflopen. Dus ze zegt: 'Het spijt me echt. Ik heb het niet goed overdacht. En niet goed overlegd. Maar dat die man in staat was om ons hele leven te vernietigen, daar heb ik geen moment rekening mee gehouden. Anders was ik er natuurlijk nooit aan begonnen. Ik heb nooit beseft dat ik jullie en Rinke en mezelf zo in gevaar heb gebracht. Echt nooit. Geen moment.' Ze krijgt tranen in haar ogen als ze het zegt en Rob heeft meteen spijt van zijn verwijt. Hij slaat zijn armen om haar heen en zegt: 'Natuurlijk niet, lieverd. Dat weet ik heus wel.' Wichard aait met zijn hand over haar rug en zegt schor: 'Als ik eerder om hulp had gevraagd, was dit allemaal nooit gebeurd, mam. Het spijt me zo ontzettend. Het is allemaal mijn schuld.'
Dan gaat de telefoon. Rob neemt op en herhaalt verbaasd: 'Wie zegt u? SBS-Hart van Nederland? Omdat ons hele bezit is verbrand en omdat onze oma...?! Waar heeft u het over?'

'Wat is dat?' vraagt Sanne. Op dat moment wordt er aangebeld. 'Ik ga wel,' zegt ze. Ze hoort Rob nog net zeggen: 'Legt u alles nu nog eens rustig uit.' Dan loopt ze door het smalle gangetje naar de voordeur, die juffrouw Schaap maar zelden gebruikt. De sleutel steekt erin en de deur is overduidelijk al in geen tijden van het slot geweest. Sanne probeert de sleutel om te draaien, maar dat lukt niet zo snel. Als de bel weer rinkelt, mompelt ze: 'Ja, ja, rustig maar. Kom dan ook achterom, net als iedereen!' Maar dan heeft ze de deur van het slot. Als ze hem opendoet, staat ze recht tegenover een camera. Een jong blond meisje met

een lange paardenstaart zegt: 'Dag! U bent Sanne, nietwaar? We willen een mooi portret maken van de hele familie. Want het is wel heel verdrietig wat er allemaal gebeurd is. Vertel. Hoe gaat het nu met u?'
'Ja, wel goed,' zegt Sanne totaal overrompeld. Maar dan staat Wichard al achter haar. Die roept: 'Hé, hallo! Hebben wij toestemming gegeven om te filmen? Nee toch? Hou daar eens even mee op!' De geluidsman houdt hem vanaf het eerste woord al een microfoon boven zijn hoofd, die Wichard nu geërgerd van zich af duwt.
'Voorzichtig meneer,' zegt de paardenstaart vriendelijk. 'U hoeft zo niet te reageren. U heeft toch niets te verbergen? U bent juist slachtoffer van een afschuwelijke pyromaan. Die heeft hier in de omgeving goed huisgehouden, hè? Maar dat waren geen woonhuizen, zoals bij u. U heeft hij wel heel diep getroffen. Uw hele bezit is weg! Wat gaat er nu door u heen?'
'Nou, gewoon, bloed. Zoals altijd. Luister, als je een reportage wilt maken, zullen we eerst moeten overleggen hoe of wat. Dit gaat niet zomaar,' zegt Wichard zakelijk.
'Ik ben gewoon nieuwsfeiten aan het ophalen, meneer. Vrije nieuwsgaring noemen we dat. U kunt natuurlijk zeggen dat u geen commentaar heeft. Dat staat u vrij,' zegt de jonge dame, nog steeds heel beminnelijk. 'Hart van Nederland snapt best dat u het moeilijk heeft met de hele situatie.' Dan keert ze zich naar Sanne en ze vraagt: 'Was het uw moeder?'
'Uw moeder?' Sanne kijkt haar schaapachtig aan.
'Ja?' De jonge vrouw wacht en trekt een begripvol gezicht.
'Ik begrijp even niet waar u het over heeft,' aarzelt Sanne.
'Zullen we even rustig binnen overleggen? Zonder camera?' stelt Wichard nog eens uiterst redelijk voor.
'Sorry meneer, maar daar hebben we geen tijd voor.' De blonde vrouw keert zich naar haar cameraman: 'Nog één shot, dan gaan we door naar die melding. Ik stel de vraag gewoon nog een keer. Zoom je in?' Ze keert zich naar Wichard en zegt: 'Wat vreselijk dat de politie melding maakte van uw oma.' Dan kijkt ze Sanne

aan en vervolgt: 'Was de vrouw in de auto uw moeder? Of de moeder van uw man? En hoe kon dat nu zo gebeuren?' Op dat moment krijgt Sanne de microfoon onder haar neus geduwd. Ze hoort hoe de camera inzoomt.
'Mijn moeder? Die is al jaren dood. En de moeder van mijn man? Hoe komen jullie daar nu bij?' Ze kijkt nu echt verwilderd om zich heen. Dan komt Rob de gang in.
'Stop maar met filmen,' zegt hij vriendelijk. 'Ik heb net jullie productie aan de telefoon gehad en jullie zijn op het verkeerde been gezet. Ik begreep eerst ook helemaal niet waar het over ging, maar wij zijn geen familie van de vrouw in de auto. Sorry. Jullie zijn hier voor niets.'
'Shit,' zegt de blondine hartgrondig. De cameraman laat meteen zijn camera zakken en zucht.
'Nou, dan gaan we maar door naar dat lijk in de stad. Misschien is daar nog iets van te maken,' beslist de blonde dame.
'Laten we eerst maar eens ergens koffie gaan halen,' mompelt de cameraman.
'Of een biertje,' blaast de geluidstechnicus. De blonde dame rolt met haar ogen en zegt: 'Nou bedankt hè? En sorry voor de inval. We dachten echt dat we een goed verhaal hadden. Op naar de volgende maar. Dag!'
'Veel succes,' zwaait Rob vriendelijk. Dan geeft hij de deur een zetje en hij zegt tegen Wichard en Sanne: 'Zullen we even gaan zitten? Ik denk dat ik weet wat er aan de hand is.'
'Ik denk dat ik het ook weet,' fluistert Sanne ontzet.
'En ik heb geen idee,' bekent Wichard.
Pas als ze in de kamer zitten, kijkt Sanne Rob ernstig aan en vraagt dan: 'Mevrouw Zomer?' Rob knikt.
'Mevrouw Zomer?' herhaalt Wichard verbaasd.
'Mevrouw Zomer,' zegt Rob. 'De oma van Anthonie.' Wichards mond valt open.
'Allemachtig,' fluistert hij.
'Toen ik hoorde dat SBS had opgevangen dat de dode vrouw de oma was van een van de betrokkenen, ging me een licht op.

Maar ik heb me zorgvuldig van de domme gehouden. Anders staan wij straks voor de camera uit te leggen wie Anthonie is. We moeten nu heel voorzichtig zijn met wat we zeggen en maar beter zwijgen. Als de media dit verhaal eenmaal te pakken hebben...' Rob zucht teleurgesteld. 'Ik wou dat ik er iets mee kon,' zegt hij. 'Zit je boven op een prachtig verhaal en dan kan je er niks mee.'
'Tot de politie Anthonie heeft opgespoord. Of de gegevens vrijgeeft,' zegt Sanne. Rob knikt. 'Maar dan hebben alle concurrenten het ook.'
'Wisten we maar waar die smeerlap van een Anthonie uithangt,' bedenkt Wichard. Dan komt Rinke met Hazel aangehuppeld vanuit de achtertuin; Rokus volgt met een mand vol sperziebonen. Sanne legt haar vinger op haar mond en zegt: 'Sssst.'

Als Schaapje thuiskomt, zegt Sanne meteen: 'Loop even mee de tuin in.' Ze gaan samen zitten op het bankje onder een lattenwerk dat Rokus een paar jaar geleden heeft getimmerd. De druiven die Schaapje heeft geplant vormen daar een dicht bladerdak, en boven hun hoofd hangen witte en blauwe trossen druiven. Naast de goudsbloemen staat een vogeldrinkbak en in een hoekje geuren kruiden in Schaapjes kleine kruidentuin. Schaapje luistert stil naar Sannes verhaal. Dan knikt ze en zegt: 'Die arme mevrouw Zomer. Dat is toch wel heel treurig.'
'Rinke weet nergens van.'
'Nee. Natuurlijk niet.'
Ze zitten nog even naast elkaar en Sanne verwondert zich over de plotselinge rust die in haar neerdaalt.
'We moeten morgen samen naar rechercheur De Boer. Hij wil ons nog even samen spreken, zei hij. Want hij heeft het hele plaatje nu wel in zijn hoofd. Ik heb nog gevraagd of er een spoor

is gevonden van Anthonie Kaerels. Maar daar moest ik me maar niet mee bemoeien, zei hij. We hadden ons al voldoende in allerlei zaken gemengd, zei hij letterlijk.' Schaapje zucht gelaten.
'Dat komt goed uit. Rob heeft al beloofd dat hij mij zou afzetten, want hij heeft een afspraak met de gemeente voor woonruimte. Wichard gaat met hem mee. Dat scheelt weer een heel gedoe,' beslist Sanne.
'Mooi,' zegt juffrouw Schaap, 'dan liggen jullie dus binnenkort niet meer in mijn voorkamer.' Sanne lacht.
'Nee. Jammer hè?'
Die avond zitten ze allemaal voor de televisie om op het nieuws een follow-up te zien van de brand. Terwijl het uitgebrande busje in beeld komt, zegt de nieuwslezeres: 'De identiteit van het slachtoffer is nog steeds niet bekend.' Het ziet er zo afschuwelijk uit, dat Sanne opstaat en vraagt: 'Wie wil er nog koffie? Rinke, wil jij nog wat limonade van oma?' Dat leidt even af en ze loopt naar de keuken om in te schenken. Ze heeft net de limonadefles in haar handen als ze Wichard hoort roepen: 'O nee, die schoen! Kijk dan! O, wat erg!'
Sanne loopt terug en kijkt naar de televisie. Daar ziet ze de verslaggeefster met de paardenstaart in beeld, die een paar uur eerder nog voor haar neus stond met een camera.
'En is er al wat meer bekend over de schietpartij?' vraagt de nieuwslezer.
De blonde paardenstaart schudt haar hoofd en zegt: 'Nee, de politie wil nog geen uitsluitsel geven over de toedracht. Maar het heeft er alle schijn van dat het een afrekening is. Op klaarlichte dag werd het slachtoffer neergeschoten toen hij uit zijn auto stapte. De vermoedelijke dader reed op een scooter en verdween met volle vaart in westelijke richting. De politie wil echter niets bevestigen. Ook over de identiteit van het slachtoffer is nog geen verklaring afgelegd.'
'Dank je wel,' zegt de nieuwslezer. Hij wendt zich weer tot de camera en zegt: 'Dan gaan we nu naar het weeroverzicht.'
De beelden achter de nieuwslezer veranderen ineens in een

weerkaart met een vriendelijke mevrouw ervoor die alles uitlegt over hogedrukgebieden en warme luchtstromen vanuit de Sahara.
‘Wat zielig hè?’ zegt Rinke met haar heldere stemmetje.
‘Nou,’ beaamt Sanne schor. Wichard, Rob en juffrouw Schaap staren nog steeds verbijsterd naar de televisie.
‘Die meneer onder dat laken was dood, hè? Net als die mevrouw in die auto,’ vervolgt Rinke.
‘Ja lieverd. Heel verdrietig,’ knikt Sanne. ‘Kom, wat was oma ook alweer aan het doen? Ik raak helemaal in de war van al die narigheid op televisie.’
‘Limonade halen!’ roept Rinke.
‘Kom me maar even helpen,’ wenkt ze. Rinke springt meteen op en loopt met haar naar de keuken. Sanne kijkt nog even waarschuwend achterom en vangt de blik van Wichard. Die gebaart: ‘Ja, sorry!’
Na de limonade moet Rinke gaan slapen. Ze ontruimen de voorkamer, de televisie gaat uit en Wichard helpt haar met wassen en tandenpoetsen. Als ze in haar mooiste nachtpon iedereen welterusten kust, weet Sanne dat ze niet heeft gezien wat iedereen zag. Die schoen. Die bijzondere schoen die onder het laken uit stak. Wit slangenleer. Bespottelijk extravagant en ontzettend duur. Hoeveel mensen zouden dat soort schoenen dragen? Ze heeft geen idee. Maar ze kent er in ieder geval één. Anthonie Kaerels.
Als Rinke lekker ligt en zwaait, sluit Wichard de suitedeuren. Dan keert hij zich om en zegt in het algemeen: ‘Dat was dus Anthonie.’
‘Er was blijkbaar iemand erg boos dat die drugs niet zijn gearriveerd,’ bedenkt Schaapje. Rob knikt. ‘Anthonie zat dieper in het criminele circuit dan we vermoedden. Dit is duidelijk een afrekening.’
‘Dat moet hij geweten hebben. Hij heeft geprobeerd om ons te vernietigen, omdat hij al wist dat hij er zelf aan zou gaan,’ zegt Sanne.

'En daar was hij bijna in geslaagd,' verzucht Wichard. Rob staat op. 'Jongens, ik moet even naar de krant. Ik wil horen wat ze daar uitgepuzzeld hebben. Ik heb nu zoveel informatie, dat ik naar de redactie toe moet. Ze moeten een paar aanwijzingen hebben. Straks opent een andere krant met het verhaal. Dat kan toch niet?' Sanne lacht ondanks alles.
'Ga maar gauw,' zegt ze. 'Het bloed kruipt toch waar het niet gaan kan, hè?' Ze staat ook op en samen lopen ze naar de keukendeur. Hazel springt meteen op.
'Ik loop wel even met je mee naar de auto,' biedt ze aan. Hij pakt haar hand en samen lopen ze naar de auto, die Rob om de hoek heeft geparkeerd. Hazel springt om hen heen. Bij de auto slaat Rob zijn armen om haar heen en zegt: 'Ik zal blij zijn als we weer een plek voor onszelf hebben.'
'Nou,' beaamt Sanne.

'Laat je meteen Hazel uit?' vraagt Rob. Hij richt zijn sleutel op de auto om het slot te openen. Sanne knikt.
'We lopen lekker een rondje. Het is mooi weer.'
'Ik zal niet te laat thuis zijn,' belooft Rob, terwijl hij instapt. Hij steekt zijn sleutel in het contact.

In de kleine kamer van juffrouw Schaap is alles rustig. Schaapje zit aan tafel met puzzelboek, waarin ze een sudoku maakt. Ze vult getallen in en gumt mompelend en mopperend verkeerde veronderstellingen weer uit. Wichard bladert in de krant.
'Het is bijna onvoorstelbaar dat dit ons overkomt, hè?' zegt hij tegen juffrouw Schaap. Ze legt meteen haar potlood neer en zegt: 'Ja, ik snap er ook niets van. Het is net alsof mijn voorgevoel me in de steek heeft gelaten. Ik had moeten voorzien hoeveel onheil we over ons afriepen door het afpakken van die tas

met drugs. Ik had dat moeten voelen! Het is heel verwarrend allemaal.'
'U moet uzelf geen verwijten maken,' sust Wichard. 'Hoe kun je dit soort dingen nu van tevoren weten?'
'Ja, hoe, dat weet ik ook niet. Maar ik wist altijd een hoop van tevoren. Of ik kreeg een waarschuwing, in wat voor vorm dan ook. En nu?' Hoofdschuddend pakt Schaapje haar potlood weer op.

'Zullen we samen een rondje lopen? Voordat ik naar de redactie ga? Het weer is zo zacht. En het is nog zo licht.' Rob kijkt Sanne vragend aan. Ze glimlacht meteen: 'Graag! Leuk!' En tegen Hazel: 'De baas loopt met ons mee! Fijn hè?' Hazel weet nu van enthousiasme helemaal niet meer in wat voor malle bochten ze moet springen. Samen lopen ze een pad in dat naar de heide leidt.
'Kijk eens! Je kunt de sterren al zien! Wat een prachtige lucht,' geniet Rob. Hij slaat zijn arm om haar heen en zegt: 'Nog even. Dan wonen we weer in een huis en dan is alles weer gewoon. Misschien kunnen we volgende week even eruit. Lekker naar België? Als we de belangrijkste dingen geregeld hebben, gaan we daar lekker uitpuffen. Goed?'
'Klinkt heerlijk,' geniet Sanne. Hij haalt haar naar zich toe en kijkt haar indringend aan. Dan zegt hij: 'Weet je, ik kan me een leven zonder jou niet meer voorstellen. Dat besefte ik eens te meer na die vreselijke brand. Ik hou enorm veel van je. Dat weet je toch, hè?' Sanne krijgt tranen in haar ogen.
'Tuurlijk weet ik dat. En ik hou van jou. Dat weet jij toch ook? We hebben al zoveel meegemaakt, samen. Dit doorstaan we ook wel. En we beginnen gewoon opnieuw.' Ze zegt het schor en aangedaan en hij kust de tranen uit haar ogen, waar ze weer om moet lachen.
'Jij bent zo sterk,' zegt hij vol trots.
'Jij maakt me sterk,' zegt Sanne. Dan stappen ze door. Hand in hand. In vrede met elkaar en met de rest van de wereld, ook al staat die volkomen op zijn kop.

In de kamer legt Schaapje haar potlood weer neer. Ze kijkt Wichard aan en zegt: 'Die puzzel klopt van geen kant. Er zit vast een fout in.'
'Dat zou best kunnen,' vindt Wichard. 'Zo'n opgave wordt ook maar gewoon door mensen gemaakt. Het hoeft niet altijd te kloppen, natuurlijk.'
'Heel hinderlijk,' vindt Schaap. 'Wil jij nog koffie?'
'Ik neem een biertje,' besluit Wichard. 'Zal ik voor u een portje inschenken?'
'Waar blijft Sanne toch?' vraagt Schaapje zich af.

Rob is weer ingestapt. Sanne leunt tegen het portier en zegt: 'Geen nachtwerk, hè, lieverd? Anders maak je iedereen wakker! Je moet al over iedereen heen klimmen, dus let alsjeblieft op je tijd.'
'Ik beloof het je,' zegt Rob. Hij kijkt haar nog eens aan en zegt: 'Voor twaalf uur ben ik thuis.'
'Ik doe anders gewoon de deur op slot!' dreigt Sanne lachend. Ze bukt en kust hem op zijn mond. Hij kust haar terug. Dan zegt hij lachend: 'Houd je nu op! Zo kom ik nooit op de krant! En zo wordt het almaar later, natuurlijk!' Ze doet een stap naar achteren en maakt met haar arm een hoffelijk gebaar: gaat u maar. Rob trekt de autodeur dicht en draait de autosleutel om.

Wichard zet het glaasje port neer voor juffrouw Schaap en schenkt zichzelf een glas bier in uit het flesje. Schaapje pakt het glaasje op en kijkt ernaar. Tot Wichards schrik zet ze ineens het glas met een klap neer en ze hijgt: 'De auto. O nee! Daar zouden we morgenochtend alle vier in gaan zitten. De auto!' Ze staat op en zegt: 'Snel! Hij is nog niet weg. Hij is nog niet weg. Hoe kan dat? Hij is al een hele tijd weg. Nee, nee, nog niet. Snel!' Wichard aarzelt geen moment. Hij rent achter juffrouw Schaap aan de tuin in en daarna door de steeg heen naar de straat.
'Naar de auto! Zoek de auto!' roept Schaap wanhopig.

Rob start de auto en zoekt de actualiteitenzender op de autoradio. 'Dag lieverd, doe voorzichtig,' zwaait Sanne. Ze doet een stapje naar achteren om Rob meer ruimte te geven. Hij knikt en zwaait. Dan hoort ze een klik. Een luide, onmiskenbare klik. Een vreemd geluid dat ze normaal niet hoort als de auto start.
'Rob?' vraagt ze aarzelend. Ze hoort juffrouw Schaap roepen en keert zich om. En dan, dan verdwijnt de hele werkelijkheid in een wolk van alles overheersend geluid, een schokgolf werpt haar opzij, ze struikelt en valt. Alles om haar heen is zwart en iedere beweging doet pijn. Ze hoort gegil. Krijsend gegil. Verbijsterd vraagt ze zich af: Doe ik dat?

Ze zit op straat, rechtop, met haar arm om Hazel heen. Bloedt die zo? Of is zij dat? Verbijsterd kijkt ze naar haar arm, waar straaltjes bloed langs lopen. Hazel jankt zachtjes. Ze ziet Wichard en Schaapje op haar af rennen. Hulpeloos heft ze haar hand naar ze op, maar ze lopen haar voorbij. Voorbij? Ze draait zich een beetje en dan ziet ze de auto. Wat is er gebeurd? De auto rookt, ziet eruit alsof, alsof... Sanne kreunt. Die auto ziet eruit alsof er een bom in is ontploft.
'Rob...!' Haar stem voegt zich bij het geroep van Wichard en juffrouw Schaap. Ze ziet dat Wichard belt, gehaast en in paniek. Schaapje praat tegen Rob. Rob is er nog. Rob zit gewoon achter het stuur! Ze probeert zich op haar knieën te werken en dat lukt. Nu omhoog. Voorzichtig. Ineens is er een arm om haar heen en een onbekende stem die zegt: 'Mevrouw, misschien kunt u beter rustig blijven zitten. U bent gewond. Er komt zo een ambulance.'
'Nee, ik wil naar Rob,' zegt ze. Het komt er vastberaden uit. Ze kruipt een stuk naar voren en dan is daar Wichard die voor haar gaat staan en zegt: 'Nee, mama. Blijf rustig hier. Je bloedt.' Hij

knikt naar de man die haar probeerde te helpen en zegt tegen hem: 'Wilt u haar tegenhouden? Ze mag het niet zien.'
'Wat mag ik niet zien?' Nu gilt ze wel. Ze hoort het zelf. Maar ze heeft geen enkele controle over haar stem. Ze hoort de tonen van de brandweer. De politie. Een ambulance. Het wordt druk. Er lopen brandweerlieden naar de auto. Er komt een politieagent op haar af. Ze ziet ze vaag, door haar tranen heen. Hazel blijft dicht bij haar, angstig tegen haar aan gedrukt.
'De ambulance is er zo,' sust de onbekende man. Hij houdt haar hand vast en streelt die kalmerend. Ze ziet nu dat de brandweer de auto afdekt met een scherm. Er verschijnt een ambulance en een broeder onderzoekt haar snel. Voor ze het weet heeft ze een infuus en ligt ze op een brancard.
'We nemen u mee,' zegt de broeder vriendelijk. De vreemde man heeft nog steeds haar hand vast en knikt haar toe.
'Heel veel sterkte,' zegt hij.
'Dank u,' knikt ze plichtmatig. Tegen de broeder zegt ze: 'Ik ben niet zwaar gewond. Wat is er met Rob gebeurd? Helpen jullie hem maar gauw. Ik wacht wel. Dan kan hij met me mee naar het ziekenhuis.'
'Er komt voor hem een andere ambulance. We vertrekken nu. U heeft een lelijke wond in uw rug. Die moet zo snel mogelijk gehecht.' De broeder zegt het sussend.
'En Hazel?'
'Mama!'
'Wichard!'
'Ik zorg voor Hazel. Maak je geen zorgen. Ik kom zo snel mogelijk naar het ziekenhuis. Tot zo. Hou je taai, mama!'
'Dank je wel.' Ze voelt nu hoe moe ze is en ze doet even haar ogen dicht. Even maar, even wegzakken.
Als ze haar ogen weer opendoet, ligt ze in een ziekenhuisbed. Wichard zit naast haar.
'Lieverd,' fluistert ze.
'Blij dat je er weer bent,' zegt Wichard. Hij ziet er moe uit, ziet ze.

'Waar is Rob?' vraagt ze meteen. Ze ziet dat Wichard zijn gezicht vertrekt, alsof haar vraag pijn doet. Dan weet ze het. Ze weet het meteen. Het is niet mogelijk die vreselijke waarheid tegen te houden of te doseren. Het komt in één klap over haar heen. Eén overweldigende golf van verdriet. Rob is dood. Haar man is dood. Die waarheid is zo verbijsterend dat ze niet huilt, zelfs geen enkel geluid maakt. Ze houdt haar adem in en voelt het verdriet door haar lijf heen schieten als een pijnscheut waar geen enkel medicijn tegen helpt. Rob is dood. Ze fluistert het:
'Rob is dood.'
Wichard knikt.
'Het was een bom.' Weer knikt hij.
'Een autobom. Dat heeft Anthonie gedaan.'
'Ja.' Wichard zegt het nu hardop. 'Dat was de laatste terreurdaad van Anthonie. Om ons kapot te maken.'
'We zouden pas de volgende dag met de auto gaan. Met zijn vieren. Dan was ik er ook niet meer geweest,' kreunt Sanne. 'Dan had ik dit nu allemaal niet hoeven voelen.'
'Nee. Maar dan was ik er ook niet meer geweest. En juffrouw Schaap ook niet. Dan was Rinke alleen overgebleven.' Wichard merkt het nuchter op. Dat heeft hij zich al eerder gerealiseerd, beseft Sanne. Hij heeft hetzelfde gedacht als ik nu.
'Ik wil hier weg,' zegt ze.
'Ik haal de dokter,' knikt Wichard.
De arts vindt alles best. Sanne heeft twaalf hechtingen in haar rug en zeven op haar schouder. Daar moet ze mee terugkomen. Ze krijgt pijnstillers mee en een paar slaappillen.
'En er is een rechercheur die u nog even wil spreken voor u vertrekt.'
'Dat is De Boer. Die heeft me een lift gegeven,' vertelt Wichard.
'Prima,' zegt Sanne
Als De Boer binnenstapt, condoleert hij haar en dan vraagt hij:
'Hoe is het nu met u?'
'Ik heb een klik gehoord,' vertelt ze meteen. 'Vlak nadat Rob de auto had gestart. Een vreemde klik. Ik had me al omgekeerd en

ik denk dat ik daardoor niet zo erg gewond ben geraakt. Verder heb ik niets verdachts gezien of gehoord.'
'Dank u. Dat is inderdaad alles wat ik wilde weten,' knikt De Boer. 'Als u wilt, geef ik u weer een lift terug.'
'Graag,' zegt Wichard meteen. Ze zitten zwijgend in de auto van De Boer. Vlak voordat ze uitstapt, zegt Sanne in het algemeen: 'Ik kan niet huilen. Ik denk dat ik gek word.'

Sanne ligt die nacht midden in de kamer en ze luistert naar de ademhaling van Rinke en Wichard. Ze slapen allebei. Ook Hazel slaapt, met kleine geluidjes, en zacht gekrabbel van haar nagels op het zeil. Ze is rustig nu, dankzij de pillen. Juffrouw Schaap heeft haar huisarts nog opgebeld en die heeft beloofd te komen zo gauw Sanne in paniek raakt of zijn hulp nodig heeft. Maar Sanne heeft haar hoofd geschud en opnieuw gemeld: 'Ik denk alleen maar dat ik gek word.'
'Volkomen begrijpelijk,' heeft de dokter gezegd. 'Ik kom morgenochtend vroeg even langs.'
De gedachten tollen door haar hoofd. Waar is Rob nu? En de auto? Ze zijn niet langs de zijstraat gereden waar de auto stond. De auto... Het wrak. Wat ervan over is. De zwartgeblakerde hoop schroot. Met daar midden in het lichaam van Rob. Haar Rob. Nee, niet die kant op denken. Niet doen. Hoor ik daar al vogels? Is het al bijna ochtend? Wat een marteling.
Bij de eerste lichtstralen staat ze op. Haar rug en haar schouder doen flink pijn; ze voelt de hechtingen trekken. Zo gauw ze in het kleine keukentje koffie staat te zetten, hoort ze gestommel op de trap. Daar komt juffrouw Schaap al aan. Ze legt even haar hand op Sannes arm en zegt: 'Ik smeer een broodje.' Sanne knikt. Dat ze er niet aan moet denken om te eten, hoeft ze niet hardop te zeggen. Dat weet Schaapje zo ook wel. De vorige

avond hebben ze nog lang zitten praten. Rinke is gewoon door alle commotie heen geslapen en heeft nog steeds geen weet van wat er gebeurd is. Maar Rokus kwam langs vlak nadat Sanne werd afgevoerd met de ambulance. Hij zat nog te wachten met juffrouw Schaap toen Sanne en Wichard door de rechercheur werden thuisgebracht. Met zijn vieren zaten ze lang om de kleine tafel. Net zo lang, tot Sanne zei: 'Ik val om.'
'Dan leggen we je nu gauw neer,' knikt juffrouw Schaap. 'Daar hebben we op gewacht.' Maar de slaap kwam niet. Toch heeft het doezelen langs de rand van het onbewuste haar minder uitgeput dan ze verwachtte.
'We moeten veel regelen,' zegt ze tegen juffrouw Schaap, als ze een slokje neemt van haar koffie.
'Om negen uur kun je de uitvaartonderneming bellen. Dan kun je daarna met iemand van hen alles rustig doorspreken. En als je wilt, ben ik daarbij. En Wichard natuurlijk.' Schaapje knikt naar de boterham met honing die aan blokjes gesneden voor haar ligt. 'Als je je broodje op hebt.' Sanne glimlacht en propt braaf een vierkantje in haar mond. Schaapje knikt goedkeurend en zegt: 'Tot die tijd kun je alvast bedenken wat je allemaal moet regelen. Ik zal je een kladblok geven en een pen. Dan ga ik nu even met Hazel naar buiten.' Sanne voelt de tranen meteen weer in haar ogen schieten. Want ze weet wat Schaapje echt bedoelt. Ze wil kijken of de auto weg is. Om te voorkomen dat Sanne daarmee wordt geconfronteerd.
'Ik wil in de eerste plaats Rob zien,' zegt ze. Schaapje knikt.
'Vandaag,' voegt ze eraan toe.
'Ik hoop dat dat lukt. Robs lichaam is naar Rijswijk, naar het pathologisch laboratorium. Pas als hij wordt vrijgegeven, kun je hem zien. Probeer er vrede mee te hebben dat het misschien langer duurt dan je lief is,' waarschuwt Schaap.
'Ik ben misselijk,' kreunt Sanne. Ze rent meteen naar de wc en is net op tijd. Het spugen doet zeer en ze zakt uitgeput op haar knieën in de kleine ruimte.
'Gaat het weer?' vraagt Schaapje na korte tijd. Ze knikt.

‘Kom,’ zegt Schaap. Ze helpt Sanne overeind en even later zit ze weer aan tafel.
‘Ik ga met Hazel om,’ zegt Schaapje. Ze zwaait even en loopt dan weg, rechtop, een beetje stram. Ze ziet eruit als een wandelstok, bedenkt Sanne. En dat is ze ook. Een wandelstok om op te leunen. Een echte steun.
Sanne schrijft totdat om een uur of halfacht Rinke slaapdronken de voorkamer uitkomt, gevolgd door Wichard.
‘Dag lieverds,’ groet Sanne. Ze krijgt twee kinderarmen om haar heen en een warm lijf dat naar slaap ruikt op haar schoot. Ze knuffelt haar kleindochter bewuster dan ze in tijden heeft gedaan. Wichard geeft haar een kus op haar hoofd en ze streelt zijn rug, innig dankbaar voor de mensen waar ze van houdt. De mensen die er nog zijn. Ze slikt even. Dan zegt ze tegen Rinke: ‘Oma moet je iets heel ergs vertellen. Oom Rob is naar de hemel. Hij is niet meer bij ons.’ Ze hoort dat Wichard zijn adem inhoudt en vol angst de reactie van Rinke afwacht. Die vertaalt glashelder: ‘Is ome Rob dood?’
‘Ja, schat. Oom Rob is dood,’ zegt Sanne schor.
‘En dan kan ik hem nooit meer zien,’ zegt Rinke. Haar grote kinderogen vullen zich met tranen.
‘Nee,’ zegt Sanne. ‘Maar je kunt wel een mooie tekening voor hem maken. Of een brief. Die geven we dan aan oom Rob mee. Hoe vind je dat?’ Rinke knikt meteen enthousiast.
‘Ja! Ik ga straks aan het werk. Ome Rob houdt veel van vlinders, toch? En van bloemen?’ Sanne knikt.
‘En van jou, lieverd. En van jou,’ zegt ze.
Ze wiegt haar kleinkind in haar armen en huilt. Tot de bel gaat en de huisarts zich meldt.
‘Ik laat wat middelen achter,’ besluit hij al snel. ‘Dan kunt u zelf besluiten wat u doet, mevrouw.’
‘Ik heb nog veel te regelen. Daarna wil ik de werkelijkheid wel ontvluchten,’ bedenkt Sanne.
‘Voor zover dat mag lukken, mevrouw,’ waarschuwt de arts.

Om negen uur belt ze met de uitvaartonderneming. Ze heeft al zoveel opgeschreven, dat ze het idee heeft dat het haar rust zal geven als ze de zaken nu echt kan regelen. Schaapje heeft haar na thuiskomst gewaarschuwd dat er op straat nog veel zichtbaar is van de ontploffing.
'De politie heeft de auto opgeruimd, maar het is beter er voorlopig niet langs te lopen,' zegt ze nuchter. En Sanne is daar dankbaar voor. Ze handelt rustig en zakelijk het telefoontje af en maakt een afspraak voor elf uur. Ook belt ze met de verzekeringsadviseur omdat ze geen papieren voorhanden heeft. Die belooft dezelfde ochtend nog langs te komen om de benodigde kopieën af te leveren.
'Is dit wel normaal? Ik vind haar zo rustig,' fluistert Wichard in de keuken tegen Schaap.
Maar Sanne gaat gewoon door met regelen. Ze vraagt Schaapje of Rokus kan komen om Rinke mee te nemen naar de volkstuin.
'Ik wil niet dat ze geconfronteerd wordt met al het geregel voor de begrafenis,' legt ze uit. En als Rinke meehuppelt, haar kleine hand in de grove werkhand van de oude Rokus, wuift ze haar na: 'Dag lieverd! Pluk maar lekker boontjes voor oma. Of wat dan ook.'
'Jouw oma is een smulpaap. Die heeft altijd trek,' bromt Rokus goedig.
'Oma zegt altijd: honger is beter dan ziek,' lacht Rinke en ze zwaait nog een keertje achterom naar Sanne.
Even later ontvangt ze de vrouw van de uitvaartonderneming en wenkt Schaapje en Wichard erbij. Met zijn drietjes zitten ze in een kring en laten alle mogelijkheden de revue passeren.
'Er is meer mogelijk dan onmogelijk,' waarschuwt uitvaartleidster Bente Rijsenhout. 'Als u iets bedenkt dat u graag zou willen, of waarvan u weet dat meneer De Wolf het graag had gewild, aarzelt u dan niet, maar vertel het gewoon.' Sanne knikt.

Dan zegt ze: 'Wilt u je en jij zeggen? En mij Sanne noemen? Meneer De Wolf, dat is vanaf nu gewoon Rob. Dat zou Rob in de eerste plaats zeer op prijs gesteld hebben. Dan zeg ik vanaf nu Bente tegen jou.'
'Heel graag,' glimlacht Bente.
Zorgvuldig spreken ze alles door. Sommige dingen wil Sanne nog niet meteen beslissen. Maar ook dat is geen punt.
'We hebben de tijd. Alle tijd,' verzekert Bente haar.
'Ik wil zelf een bloemstuk voor hem maken. Bram en Lia moeten takken brengen uit België. Kale takken die ieder jaar weer uitbotten, als een belofte van nieuw leven. Bij de rouwkaart wil ik kleine kaartjes meesturen. Daar mogen mensen een boodschap opzetten. Die kunnen ze aan de takken hangen. Ik heb dat ooit met Rob ergens gezien en we waren er allebei heel erg van onder de indruk. Dus we moeten Lia en Bram meteen bellen. En ik wil een kale houten kist. Rinke mag daar bloemen op schilderen. En vlinders. Over de tekst en de muziek wil ik nog nadenken. Daar kom ik op terug.' Sanne haalt opeens benauwd adem.
'Ik word zo moe,' zegt ze.
'Wil je een pilletje nu?' vraagt Wichard bezorgd. Ze knikt.
'Ja, doe maar. Ik moet even slapen. Anders gaat het niet goed.'
'Dan ga ik zo weg,' zegt Bente. 'Ik neem vanmiddag nog even contact met je op. We hebben al naar Rijswijk gebeld en zo gauw Rob naar ons toe kan, bellen we je op. Dan kan je zo snel mogelijk bij ons langs komen. Alleen, ik wil wel graag kleren van hem meenemen. Kleren waar je hem graag in wilt zien. Als je die zou willen uitzoeken, dan neem ik ze meteen mee.'
Sanne staart haar aan. Dan zegt ze: 'Ik weet precies wat ik voor hem uitgezocht zou hebben. Alleen, dat is allemaal verbrand. Ik heb wel nieuwe kleren voor hem. En dat is zo onpersoonlijk.' Ze voelt zich daardoor ineens zo machteloos en intens ellendig. Maar dan zegt Schaapje: 'Rob had vandaag een nieuw jasje aan. Volgens mij hangt z'n oude jasje aan de kapstok.'
Wichard springt overeind en zegt: 'Ja! Dat is zo!' Hij gaat naar

de gang en roept: 'Ja hoor! Mama, het is z'n grijze jasje. Daar woonde hij zo'n beetje in!' Sanne voelt tranen over haar wangen rollen. Ze zegt: 'Wil jij dan de rest bij elkaar zoeken, schat? Maakt niet uit wat je pakt. Maar dat jasje, ja, dat vind ik fijn. Dat ruikt ook naar hem. Naar pijptabak, en nou ja, gewoon, naar Rob.'
'Hier is je pil. En een glas water,' zegt juffrouw Schaap. Sanne slikt en drinkt en zegt tegen Bente: 'Dus u belt vanmiddag.' 'Ja,' beaamt Bente. 'Of ik kom langs.'
'Mooi.'
'Vind je het goed dat wij alvast wat mensen gaan bellen, terwijl je slaapt?' vraagt Wichard.
'Ja. Dat moet wel. Maar laat ze niet langskomen. Niet zonder overleg met mij,' waarschuwt Sanne. 'Dat kan beter tijdens de condoleance. En daar weten we de datum toch nog niet van. Maar hier is het veel te klein en Schaapje heeft al zo veel last van mij.'
'Raar kind,' bromt Schaap hoofdschuddend. Ze legt haar hand op Sannes hoofd en Sanne glimlacht. Dan zegt ze: 'Nu ga ik even liggen.' Ze loopt naar de voorkamer en sluit de serredeuren achter zich. Door de glas-in-loodraampjes heen ziet ze dat juffrouw Schaap haar stoel tot vlak voor de deur schuift om haar nauwlettend in de gaten te blijven houden. En eigenlijk geeft dat haar een heel veilig en warm gevoel. Maar ze heeft niet lang de tijd om daarover te mijmeren, want ze valt meteen in een diepe en droomloze slaap. Ze wordt wakker van harde stemmen in de achterkamer.

'Ik wil dat u weggaat,' hoort ze Wichard zeggen. Er klinkt behoorlijk wat geluid, mensen praten door elkaar heen en het lijkt wel alsof de heel kamer vol mensen staat. Als ze de schuifdeu-

ren opendoet, ziet ze dat dat niet het geval is. Wichard staat met juffrouw Schaap tegenover twee mannen. Ze keren zich allemaal om als ze de schuifdeuren horen en Wichard zegt vol ingehouden woede: 'Sorry mama, ze zijn gewoon naar binnen gelopen. Het was nooit de bedoeling je wakker te maken.'
'Bel de politie maar,' zegt Sanne meteen.
'Dat is helemaal niet nodig, mevrouw,' zegt een kale jongeman. 'Ik ben een collega van Rob.'
'U kunt bellen voor een afspraak,' zegt Sanne afgemeten.
'Rob had ons zeker te woord willen staan,' dringt de man aan.
'O, zeker. Maar niet onvoorbereid. Ik verzoek u dringend weg te gaan en een collega te laten bellen. U wil ik hier niet meer zien.' De man vertrekt zijn gezicht en mompelt 'shit'.
'Dat heb je lekker voor elkaar,' merkt de andere man verwijtend op. Schaapje doet een stap naar voren en zegt: 'Zal ik u even uitlaten? Of komt u er zelf wel uit? U kwam er tenslotte ook zelf in.' En tegen Sanne: 'Ze zeggen dat de politie het bericht van de aanslag heeft vrijgegeven. Gelukkig hebben we zelf alle familie en kennissen al weten te bereiken. Daar hoef je je geen zorgen meer om te maken.' Sanne knikt dankbaar. Ze vraagt niet naar reacties. Die kan ze zich zo ook wel voorstellen. Even heeft ze de neiging om weer terug te gaan naar de bank in de voorkamer, te slapen en te vergeten. Maar ze besluit te regelen. Er moet zoveel gedaan worden. Bijna wanhopig veel.
'Ik ga die rechercheur bellen. Ik wil weten wat we moeten doen met alle aandacht die nu onze kant opkomt. Ik wil alleen schrijvende pers. Geen televisie. Dat wil ik niet.' Onderwijl tikt ze het nummer in op het kaartje dat ze van rechercheur De Boer heeft gekregen. Die beantwoordt meteen met: 'Ik ben bijna bij uw logeeradres. Ik was al onderweg.' Inmiddels heeft juffrouw Schaap de poort op de grendel gedaan om meer onuitgenodigd bezoek tegen te houden.
'Ze zijn wel erg rap,' verbaast De Boer zich, als hij hoort dat er al journalisten aan huis zijn geweest. 'We hebben het bericht zo lang mogelijk achtergehouden. Want we hadden al heel snel re-

sultaat bij ons technisch onderzoek. Het tijdmechanisme in de auto is hetzelfde als de tijdmechanismen waarmee de branden zijn veroorzaakt. Het is duidelijk dat alles door dezelfde dader is veroorzaakt.'

'Anthonie Kaerels,' knikt Sanne. De Boer knikt kort. 'In zijn woning is meer dan voldoende bewijsmateriaal aangetroffen. Helaas kan meneer Kaerels een en ander niet meer bevestigen. Maar we hoeven niet op zoek naar de dader. We weten voor 99% zeker dat hij het was.'

'Dus moeten jullie op zoek naar de dader van de moord op Anthonie,' veronderstelt Sanne. De Boer trekt een vermoeid gezicht. 'Dat is een afrekening. Op bestelling. De kans dat we die dader of daders ooit pakken, is niet groot. Misschien ontrafelen we ooit wie de opdracht gaf. Dat zou mooi zijn. Maar dat zijn vaak constructies in de onderwereld die heel ingewikkelde processen opleveren, de gemeenschap een hoop geld kosten en teleurstellend weinig opleveren. U kent daar wel voorbeelden van, neem ik aan.'

'Dus het dossier is gesloten,' zegt Sanne.

'O nee. Zeker niet. Dat niet. Maar naar de moordenaar van uw man hoeven we niet meer te zoeken. Die is bekend,' knikt De Boer.

'Ik begrijp het,' zegt Sanne. 'En wat moet ik met al die pers?'

'Niets zeggen wat het onderzoek betreft. Dat is alles. Alle vragen in die richting kunt u verwijzen naar de politie. Verder mag u zelf besluiten hoeveel openheid u wilt geven. Dat is heel persoonlijk. De één vindt troost in brede belangstelling, de ander trekt zich liever terug. U moet doen wat voor u het prettigst voelt. Dat is altijd het beste om te doen,' raadt De Boer aan.

'Dan wil ik alleen de krant. Ondanks die achterlijke inval,' beslist Sanne. 'Dat had Rob ook gewild. Hij wilde die avond zelfs naar de redactie om ze op weg te helpen.' Meteen vullen haar ogen zich weer met tranen.

'Ik wens u heel veel sterkte,' zegt De Boer ernstig. Hij neemt haar hand in beide handen en houdt hem even troostend vast.

Na zijn vertrek rinkelt de telefoon aanhoudend. Juffrouw Schaap en Wichard nemen de gesprekken aan en wimpelen alle media af. Pas als de krant van Rob belt, maakt Wichard een afspraak. 'Maar niet de twee medewerkers die hier binnen zijn gedrongen. U kunt iemand sturen die Rob goed gekend heeft en die hij waardeerde. Mijn moeder heeft besloten dat u, ondanks het vervelende incident, de enige bent met wie ze wil praten. Omdat Rob dat zo gewild zou hebben,' zegt Wichard. 'Ja. Over een uur?' Hij kijkt Sanne aan. Ze knikt. 'Dat is prima.' Het telefoontje dat volgt is van Bente, de uitvaartleidster. Schaapje neemt het aan en gaat meteen zitten. Ze huilt.
'Schaap?' Sanne loopt geschrokken op haar af.
'Rob komt vanavond naar het uitvaartcentrum. Je kunt hem morgenochtend zien,' zegt Schaap toonloos. Sanne slaat haar armen om Schaap heen en Wichard pakt door een mist van tranen de telefoon uit Schaapjes hand. Hij zegt: 'Bente? We komen morgenochtend. Ja. Dat is goed. Nee. Schrikken. Ja. Het is nu ineens zo echt. Dat is het. Dank je. Dag!' Hij gaat zitten en staart naar buiten.

Het interview zorgt die middag voor de nodige afleiding en Sanne is blij als ze ziet dat een jonge vrouw de vragen stelt. De man die haar vergezelt, valt af en toe in en het wordt uiteindelijk een mooi gesprek. 'Hij was een gedreven journalist. Wij hadden veel bewondering voor zijn reportages,' vertelt de vrouw. 'Hij was dol op zijn werk,' beaamt Sanne. Aan het eind van het gesprek vraagt de man: 'Wilt u de tekst nog inzien? Controleren op feitelijke onjuistheden?' Sanne schudt haar hoofd. 'Als je twijfelt, bel me dan. Verder vertrouw ik erop dat het goed wordt. Rob had altijd een hekel aan mensen die achteraf alles wilden nuanceren. Ik zou die neiging vast ook hebben. Het is wel goed zo.'

'We zien u op de condoleance,' zegt de vrouw lief en Sanne knikt afwezig. Dat moet ook nog allemaal afgesproken worden. Pffff. Gelukkig is daar Rinke, terug van haar uitstapje met Rokus. Rinke, die tijdens het avondeten honderduit babbelt over de groentetuin. Het voelt zelfs even alsof er niets aan de hand is. Heel even maar. Dan kan Sanne ineens geen hap meer door haar keel krijgen. Maar dat houdt ze dapper verborgen voor de scherpe blik van haar kleindochter. Als Rinke eenmaal op bed ligt, zet Sanne zet zich schrap voor de tweede lange avond. Ze vraagt zich af: Zou dit nu zo blijven? De rest van mijn leven? Mijn god, dat hou ik nooit vol. Ze pakt een kladblok en probeert een tekst te schrijven voor de kaart. Dat zal ze morgen definitief moeten doorgeven. Vaag misselijk schrijft ze, krast ze. Doorhalen. Opnieuw. Wat nou, innig geliefd? Ze herinnert zich de tekst van Connie Palmen bij het overlijden van Ischa Meijer. 'Mijn man is dood.' Ja, zo voelt het. Zo nuchter. Zo helder. Zo verschrikkelijk waar. Zo rauw.
Die avond praat ze voor het eerst met iemand anders dan Wichard, Schaapje, Rinke en Rokus. Yvonne is aan de telefoon en Sanne knikt. Het wordt geen gesprek. Ze huilt maar. En huilt maar. En knikt wat. Dan zegt ze: 'Ja, dag lieverd. Dank je wel.' En lang nadat ze de verbinding heeft verbroken, zegt ze: 'Dat lukt nog niet zo erg.' Om die nuchtere constatering schiet Schaapje verdrietig in de lach.
Als Cathy even later belt, zegt Schaap op eigen initiatief: 'Lieverd, ze belt je morgen. Het wil nu nog even niet lukken. We zorgen goed voor haar. Ja. Dag hoor!' En tegen Sanne ten overvloede: 'Dat was je zusje.' Ook Cootje, Robs moeder belt op. Schaapje praat en troost. Cootje huilt om haar zoon die ze na al die jaren terugkreeg. 'We hadden nog zoveel tijd nodig om onze band op te bouwen. En nu is alles weg. Nu is Rob er niet meer. Zo verdrietig! En zo erg voor Sanne...' fluistert ze. Ook de halfzus van Rob, Helma, vindt bij juffrouw Schaap een geduldig luisterend oor. Wichard maakt op een gegeven moment een hulpeloos gebaar en zegt: 'Al het verdriet om Hannah en de kinde-

ren komt zo keihard terug. Sorry, Schaapje, je hebt helemaal niks aan me.'
'Geeft niks, jongen,' zegt Schaap geruststellend.
Die nacht ligt Sanne weer lang wakker. En als ze de volgende ochtend met een taxi naar de Associatie rijden, is ze zo misselijk dat ze zich even afvraagt of ze de chauffeur niet moet vragen om te stoppen. Maar uiteindelijk is het vertrouwde gezicht van Bente voldoende om haar weer op haar gemak te stellen. Samen gaan ze de rouwkamer in, waar Rob ligt. Wichard en juffrouw Schaap blijven in de deuropening staan. Er brandt een kaars en er staat een bloemstuk op een soort pilaartje. Middenin staat een eikenhouten kist met goudkleurige handvatten.
'De kist die je besteld hebt, wordt vandaag bezorgd. Dan kun je hem zelf beschilderen. Dit is maar tijdelijk,' vertelt Bente.
'Ja,' fluistert Sanne. Ze loopt op haar tenen. Net alsof ik bang ben om Rob wakker te maken, bedenkt ze. Als ze hem ziet, schrikt ze ervan. 'Zo dood,' fluistert ze. 'Zo dood.' Ze wenkt Schaapje en Wichard. Met zijn drieën staan ze naast de kist, de armen om elkaar heen.
'Hij is al helemaal weg,' zegt Schaapje. Sanne knikt.
'Dit is echt alleen maar een lichaam. Daar heeft Rob een tijdje in gewoond,' zegt Wichard met een schorre snik.
'Vreemd genoeg is dat een beetje troost,' zegt Sanne. Ze streelt met haar vinger over de mouw van Robs jasje. 'Ach, jongen toch,' verzucht ze. Zo staan ze nog even. Niet eens zo lang. Tot Sanne zegt: 'Laten we alles maar vastleggen, Bente.'
'Dat is prima,' zegt de uitvaartleidster.
Die middag staat de overlijdensadvertentie van Rob in de krant. Ook de directie en de redactie van de krant hebben een advertentie geplaatst. De kist komt diezelfde middag en Sanne gaat samen met Wichard in de achtertuin aan de slag. Groene grassprieten, een hemelsblauwe lucht en witte schapenwolkjes vormen de basis.
'Als het droog is, mag Rinke vlinders schilderen,' glimlacht Sanne. Ze vindt het prettig om actief bezig te zijn. Dat ze dit

samen met haar zoon doet, geeft haar een onverwacht warm gevoel.
'Dit voelt goed,' zegt ze tegen Wichard. Hij kijkt verrast op en zegt: 'Dat dacht ik ook net! Terwijl ik eerst zoiets had van: mam, wat wil je nu weer allemaal!' Hij glimlacht naar haar en zij glimlacht naar hem. De acrylverf droogt snel en al gauw is het tijd voor Rinke om vlinders te maken. Sanne en Wichard helpen.
'Juffrouw Schaap ook!' zegt Rinke enthousiast. 'Ik wil eigenlijk wel dat Yvonne en Renée ook iets tekenen. En Cathy, Willem, de nichtjes, Daan en Abel, zullen we ze bellen?' stelt Sanne aarzelend voor. 'Of is dat gek?'
'Nee. Dat is niet gek. Dat is prachtig,' zegt Schaap. 'Dat is jouw manier om afscheid te nemen. Ik ga bellen.'

Als Sanne tijdens de condoleance handen schudt, ontelbare handen, hoort ze van iedereen hoe fantastisch het is dat ze hun persoonlijke boodschap aan Rob kwijt kunnen. Ze glimlacht en knikt en voelt zich ongelooflijk sterk. Af en toe wordt het wat rustiger en dan loopt ze even naar de zijkamer, waar de beschilderde kist staat. Hij is nu dicht, maar ze weet dat ook de binnenkant vol staat met dichtregels van Daan en Abel, tekeningen van haar zusje Cathy en haar zwager Willem en boodschappen van Schaapje, Rokus en Yvonne. De buitenkant is een sprookje geworden met vlinders in allerlei kleuren. Ze ziet Rinke weer voor zich, haar tong tussen haar tanden van inspanning en handen onder de verf. Hier en daar zit er nog een vingerafdruk tussen de schapenwolkjes en de grassprieten. Rinke geeft nu briefjes aan iedere bezoeker die een boodschap aan Rob wil meegeven. Ze hebben linten aan de papiertjes gemaakt en Rinke hangt de opgevouwen briefjes aan de kale takken in

Sannes bloemstuk. De takken contrasteren met de groene bladen en de witte rozen. Maar de dode takken zitten nu zo vol kleine briefjes aan lichtgroene linten, dat het lijkt alsof ze tot bloei zijn gekomen.
'Ik heb veel bewondering voor je,' prijst een collega van Rob haar. 'Wat zou Rob dit fantastisch hebben gevonden.'
'Het is het enige wat we nog kunnen doen,' zegt Sanne. 'Hem wegbrengen op de manier die voor iedereen goed voelt en hem recht doet.' De collega knikt en bijt op zijn lip.
'Maar het blijft verdomd oneerlijk,' zegt hij dan schor. Sanne voelt de tranen in haar ogen springen. Ze knikt.
'Ja,' verzucht ze, 'dat is het.' Hij geeft haar nog een kneepje in haar arm en loopt dan verder.
Aan het eind van de avond neemt ze afscheid van de vrienden en de familie. Tot morgen. Ja, morgen. Dan is het definitief. Dan brengt ze Rob weg naar zijn laatste rustplaats. Ze huivert even. Hoe zal ik dat doorstaan? Als in een roes laat ze zich thuis brengen door Wichard. Schaapje gaat naar bed en Rinke valt ook meteen in slaap. Wichard lijkt te aarzelen.
'Ga maar slapen,' knikt ze. 'Ik wil nog even zitten.' Hij kust haar op haar voorhoofd en vertrekt naar de voorkamer. Sanne denkt na. Even alles op een rij. Morgen. De auto's. Mijn kleren. Geleend van Cathy. Kousen. Schoenen. Geleend van Yvonne. Muziek. Geregeld. Toespraken. Afgesproken. Daan leest een gedicht op de begraafplaats. Hij heeft zo'n mooie stem. Zakdoeken. En een tas. Heb ik een tas? O ja, die heeft Cathy ook gebracht. En dan, dan is het klaar. Dan moet ik een huis regelen. Alleen. Of samen met Wichard en Rinke. Als Wichard dat wil. Dat zou prettig zijn. Al is het tijdelijk. Ja. Niet alleen. O nee, niet alleen. Ze hoort de deur kraken en daar komt juffrouw Schaap met haar hoofd om de deur.
'Ik dacht al, je bent vast nog op,' zegt Schaapje nuchter. Sanne knikt.
'Kopje thee?'
'Graag.' Schaapje gaat het keukentje in en even later zitten ze

tegenover elkaar aan de tafel. Sanne nipt van haar thee en wrijft gedachteloos over de patronen van het Perzische tafelkleed.
'Ik zat te piekeren over de toekomst. Ik dacht dat het misschien goed zou zijn om samen met Wichard en Rinke...' begint Sanne. Schaapje lacht.
'Wichard zei gisteren precies hetzelfde. En vanmiddag was er een telefoontje van de gemeente. Ze geven jullie voorrang voor een huurhuis. Als tijdelijke oplossing. Ik heb beloofd het met jullie te bespreken. Ik heb een telefoonnummer en de naam van een contactpersoon. Zo gauw je ruimte hebt in je hoofd, kun je haar bellen. Geeft dat een beetje rust?'
'Dat geeft enorm veel rust,' knikt Sanne. Ze zitten samen. Zwijgen. Drinken thee.
'Het is beter als je wel slaapt. De dokter heeft niet voor niets pilletjes voorgeschreven,' zegt Schaapje, als de thee op is. Ze staat op en kijkt Sanne aan.
'U heeft gelijk. Ik neem een pilletje. Dan ben ik morgen sterker.'
'Goed zo,' zegt Schaapje lief.
Als Sanne haar ogen opendoet, weet ze dat ze geslapen heeft. Maar het voelt alsof er drie kruiwagens over haar heen zijn gereden. Of vier. Heen en weer. Rinke is al lang op en Wichard zit ook al te ontbijten. Ze spreekt hem meteen aan op het aanbod van het huis en zijn plannen om samen ergens in te trekken.
'Dus jij had dezelfde gedachte?' vraagt hij verrast. Ze ziet zijn ogen oplichten.
'Ik wil voorlopig graag alles wat ik over heb gehouden heel dicht bij me houden,' zegt ze.
'Ja, we moeten elkaar maar stevig vast houden. Want het stormt nogal om ons heen,' knikt Wichard. Ze spreidt haar armen en omhelst hem. Ze voelt dat hij huilt.
'Het is allemaal mijn schuld,' zegt hij. Z'n lijf schokt van intens verdriet.
'En mijn schuld kwam daar nog eens bovenop,' huilt Sanne nu ook. Ze houden elkaar vast tot ze voelen dat ze iets rustiger worden. Sanne fluistert troostend: 'Het komt allemaal wel goed.'

‘Ik vind het zo erg voor jou,’ fluistert hij terug.
De dag verloopt als in een roes. Sanne heeft nauwelijks besef van tijd en als ze zich tijdens de herdenkingsplechtigheid omdraait, schrikt ze van de mensenmenigte. Als ze Rob wegbrengen, ziet ze tot haar schrik dat televisiecamera’s opnames maken van de stoet en van de kist. Nou ja, dat had Rob wel begrepen. Nieuws is nieuws, bedenkt ze gelaten. Het grind knarst. Duidelijk kan ze de papiertjes met de berichtjes horen ritselen in de zachte wind. En de stem van Daan, die een gedicht van Bert Schierbeek voorleest: ‘...en zoveel gelachen hebben dat we het nooit zullen vergeten...’
Dan bedenkt ze in een flits: Ik heb geen enkele foto van Rob. Geen enkele foto...

De dagen na de begrafenis blijft dat ene zinnetje in haar hoofd bonken: Geen enkele foto van Rob. Ik heb geen enkele foto van Rob. Het zinnetje herhaalt zich in haar hoofd bij iedere handeling die ze plichtmatig verricht. Bij het afwassen, bij het aankleden, bij het voorlezen aan Rinke, telkens weer denkt ze: ‘Ik heb geen enkele foto van Rob.’ Maar ondanks dat ene zinnetje waarmee het verdriet zich dieper inslijpt in haar veerkracht, gaat het leven gewoon door.
Wichard zorgt voor een stroomversnelling door in haar plaats contact op te nemen bij de gemeente, waar een vriendelijke mevrouw hem te woord staat en doorsluist naar een woningbouwvereniging. Twee dagen later mogen ze twee huizen bekijken.
‘Doe jij maar,’ zwaait Sanne onverschillig. Maar juffrouw Schaap grijpt in.
‘We gaan met z’n allen. Rinke gaat ook mee. Het is goed om een plek te kiezen waar je een positief gevoel bij hebt.’
Een positief gevoel? Sanne kan zich niet voorstellen dat ze dat

ooit terug zal krijgen. Maar omdat Schaap toevoegt: 'Dat is ook voor Rinke heel belangrijk', knikt ze braaf.
Als ze de eerste woning binnenkomen, is ze meteen dankbaar voor Schaapjes advies.
'Kijken jullie nog maar even. Ik wacht wel buiten,' zegt ze tot Wichards verbazing. Als hij weer buitenkomt, zegt hij aarzelend: 'Die andere woning is een flat. Hier is wel een tuintje bij.'
'Laten we daar maar even gaan kijken,' zegt Sanne mat. Ze durft het tegen niemand hardop te zeggen, maar het huis is haar op het eerste gezicht al vijandig. Alsof het naar haar staart met kille, koude ogen. Alsof er veel mensen in geleden hebben. Bij die gedachte voelt ze meteen kippenvel op haar armen.
'Het was geen vriendelijk huis,' merkt Schaapje op. Sanne kijkt haar aan.
'Maar dat kan veranderen door nieuwe bewoners, denk ik,' bemoedigt Schaap. Sanne reageert niet.
De flat is ruim, met ramen op een hoek, zodat je veel overzicht hebt vanuit het keukenraam en vanaf het balkon. De zitkamer is groot; er zijn drie flinke slaapkamers en een kleine hobbykamer. Het is zo in contrast met haar oude huis op de camping, dat het haar in niets herinnert aan die tijd. Misschien is dat het wel, bedenkt Sanne. Misschien maakt dat het makkelijker. Als er al geen tastbare herinneringen meer zijn, dan wil ik ook niet in andere dingen herinnerd worden aan toen, aan wat was, aan wat nooit meer terugkomt.
'Vind je dat een mooie kamer?' vraagt ze aan Rinke, die in een slaapkamer om zich heen staat te kijken.
'Vlak bij die van papa. En die van jou,' wijst Rinke. 'Hmmmmm,' mompelt Sanne. 'Maar wat moeten we dan met die kleine kamer?'
'Dat wordt werkkamer. Voor ons beiden. Voor jouw relatiebureau en mijn nog te bedenken onderneming. Twee bureaus, twee computers, een stapel printpapier en verbinding met het internet. Wat heeft een mens nog meer nodig?' vraagt Wichard met een grimas.

'Een ander mens,' denkt Sanne. Hardop zegt ze: 'Een prullenbak.'
Ze ziet Schaapje in de keuken in de weer met de kastjes.
'Wat vindt u er van?' vraagt ze. Schaapje klapt een kastdeurtje dicht en zegt: 'Ziezo. In iedere ruimte ligt een kruidenzakje. Over twee dagen kunnen jullie hier aan de slag. Dan is alles schoon.'
'Schoon? Dus we hoeven niet te boenen?' vraagt Wichard hoopvol. Schaapje lacht en schudt haar hoofd.
'Nee, helaas. Maar alle oude gedachten zijn dan weg. Daar zorgen de kruiden voor. Dit is een goede plek. Beter dan de vorige. Je had gelijk, Sanne. Ik word hier meteen een stuk rustiger.'
'Het lijkt niet op vroeger,' zegt Sanne kort. Er valt een diepe stilte. Zwijgend omvat iedereen de reden waarom Sanne zich hier beter voelt. Dat stille begrip doet haar goed.
Een dag later is de stroomversnelling nog in volle gang. Wichard krijgt een telefoontje van het verzekeringskantoor dat een grote ondernemer op het gebied van bungalowparken met hem wil spreken.
'Er ligt al een bod op de campinggrond en ik kan u verzekeren dat het zeker de moeite waard is,' heeft de verzekeraar opgewonden meegedeeld. 'Bovendien heeft de man ook nog een ander plan. Maar hij wil eerst met u om tafel. Letterlijk. Ik heb een tafel gereserveerd in De Purperen Kater. Kent u dat? Mooi. We verwachten u morgen om 1300 uur. Dertienhonderd uur. Zo zei Van Wonderen het letterlijk. Zo heet hij dus. Voornaam weet ik niet. Ik kan op u rekenen?'
Als Sanne met Yvonne de flat gaat bekijken, is Wichard, in het enige pak dat hij bezit en dat hij ook op de begrafenis droeg, onderweg naar De Purperen Kater.
Ze maken een inventaris. Er moeten wanden geschilderd worden. De slaapkamers hebben behang op één van de vier muren en Yvonne zegt: 'Dat is wel leuk. Zoeken we voor Rinke een leuk behangetje uit.' Sanne noteert: Rinke behang. Wichard be-

hang. Maten muur: 2.30 × 3.90. De keuken moet schoongemaakt, maar is verder prima.
'Een combimagnetron is ideaal. Verder heb je hier niks nodig,' wijst Yvonne. Ook de badkamer hoeft weinig aanpassingen.
'Nieuwe toiletbril,' zegt Yvonne. Sanne noteert. Het laminaat in de kamer is niet nieuw, maar kan nog best mee.
'Vloerkleden,' beslist Sanne. Yvonne glimlacht haar toe en Sanne weet wat ze denkt. Zelf beseft ze het ook. Dit is het eerste dat ze heeft opgemerkt. Vloerkleden. Om de kamer warmte mee te geven. Ze veegt vermoeid wat haren bij haar ogen weg. Ze berekenen hoeveel verf ze nodig hebben en nemen de maat van de ramen.
'Rolgordijnen misschien,' oppert Yvonne. Sanne staart uit het raam. Ze denkt in een flits: 'Als ik hier sta, kan ik Rob aan zien komen.'
'Kom, we gaan,' zegt ze gehaast tegen Yvonne.

Als Sanne en Yvonne in de bouwmarkt rondlopen en verf, kwasten, rollers en behang in een kar laden, belt Wichard op.
'Ik kan als bedrijfsleider aan de slag in het nieuwe bungalowpark. Een jaar op proef. Daarna vast. Meedenken met inrichting, bouw coördineren, personeel werven, reclamecampagne opzetten, noem maar op. Hartstikke gevarieerd en heel erg leuk. Met pensioenopbouw en auto van de zaak. Een ongelooflijk aanbod,' vertelt hij.
'Heb je al besloten?' vraagt Sanne.
'Ik heb er geen minuut over hoeven nadenken. Ook niet over het bod op de camping. Dat lag vele malen hoger dan het minimum dat de accountant ooit had vastgesteld.'
'Dat is een hele zorg minder,' vindt Sanne. 'Nu gaan we opbouwen.'

En dat gebeurt. Ook letterlijk. Daan en Abel sauzen de woonkamer wit, Yvonne werpt zich op de badkamer, Cathy sopt de keuken met haar leesbril op en Willem is met Rokus aan het behangen. Schaapje is belast met de verzorging; ze zet koffie en maakt broodjes klaar. Sanne is met Wichard naar Ikea om een basisvoorraad meubels te kopen.
'Vandaag alleen bedden, matrassen, beddengoed en klerenkasten,' heeft Sanne besloten.
'Kan ik eindelijk mijn pak eens netjes ophangen,' lacht Wichard. Sanne lacht niet mee en ze beseft dat ook. Als er al eens iets van vrolijkheid de kop opsteekt, krijgt ze een steek van onzekerheid. Mag ze nog wel vrolijk zijn? Maar met Wichard door de winkel lopen en alles noteren wat ze nodig hebben, dat is toch eigenlijk een klein feestje. Als ze eenmaal besloten hebben dat bij elkaar zitten ook heel belangrijk is en dat ze alles kunnen laten bezorgen, breiden ze hun boodschappenlijstje uit met een eettafel, zes stoelen, twee banken, een makkelijke stoel, een hoektafel en een tv-meubel. Verder nemen ze twee felgekleurde vloerkleden mee, een stapel kussens, kaarsen, twee schemerlampen, een hanglamp en een complete inrichting voor een prinsessenkamer met een dekbed vol roze rozen.
'Gauw naar huis,' besluit Wichard, als alles klaar is. Ze kunnen niet meer.
'Naar de flat of meteen naar Schaapje?' vraagt Sanne.
'Naar de flat. Er zouden pizza's zijn en wijn. Om te vieren dat vandaag alles klaar is. Of bijna,' verklapt Wichard, met een geheimzinnige grijns.
'Dus jullie hebben iets gepland? Achter mijn rug om?' dreigt Sanne vrolijk. Vrolijk. Zo maar ineens. Het voelt goed. Ze moet door. Rob zou niet anders gewild hebben.
'Rob zou trots op me zijn geweest,' zegt ze ineens hardop.
'Inderdaad,' knikt Wichard.
Als ze bij de flat parkeren, ziet Sanne al aan de auto's dat iedereen er nog is.
'Zijn ze allemaal gebleven?' vraagt ze blij. Wichard knikt.

Als hij de deur openmaakt, hoort ze vrolijke stemmen in de kamer. Onder de kale peertjes aan het plafond zit een heel gezelschap op klapstoeltjes en meegebrachte tuinmeubels. Er staan glazen en schalen met hapjes.
'Daar zijn ze!' jubelt Yvonne enthousiast. Rinke komt op haar afgerend en omhelst haar innig. Daarna springt ze in de armen van haar vader. Sanne ziet door haar tranen heen dat Cootje er is, de moeder van Rob. Zij is de volgende die Sanne in de armen valt. En Helma volgt, Robs halfzus. Renéetje, Yvonnes dochter, drukt haar een glas witte wijn in haar hand en Cathy proost haar toe van de andere kant van de kamer. Alles ziet er prachtig uit. Daan en Abel stralen in hun witte overalls en Willem en Rokus zitten naast elkaar als onverbrekelijk behangduo. Ze knikken Sanne tevreden toe en steken hun duimen op.
'We hebben een cadeautje,' zegt Cathy. Ze heeft een groot pak in haar handen, in knalrood pakpapier met een grote paarse strik er omheen.
'Voor mij?'
'Ja.' Het wordt stil in de kamer. Iedereen heeft een plaatsje gezocht en Wichard schuift een klapstoel aan.
'Ga maar even zitten,' zegt hij.
'Jij wist hier al van,' merkt Sanne op. Hij knikt.
'We hebben zoveel gekocht vandaag! Onze auto zit nog vol. Maar de rest komt volgende week. Maandag. Toch, Wichard?' Ze kijkt hem aan. Het pak op haar schoot. Haar handen op de paarse strik. Ik wil het niet openmaken. Ik moet huilen. Dat weet ik nu al. Kan ik weg?
'Mag ik het later openmaken?' Ze vraagt het aarzelend. Iedereen schrikt er een beetje van. Ze ziet Daan en Abel knikken. Yvonne knikt ook. Dan zegt juffrouw Schaap: 'Ja. Dat mag. Na de pizza. Je mag er ook mee in de badkamer gaan zitten. Of ergens anders. Dat is misschien wel goed. Vinden jullie ook niet?' Iedereen knikt nu. Cathy zegt: 'Dan hoef je ook geen rekening met ons te houden. Dan is het echt helemaal voor jou.' Ze lacht naar haar zus, lief en bemoedigend.

Geen idee wat in dat pak zit, bedenkt Sanne.
Maar dan gaat de bel. Daar staat een pizzabezorger met een hele stapel dozen op zijn arm. Hij wordt met gejuich begroet en even later zit iedereen aan een enorme punt pizza. Het cadeau ligt in een hoek.
Na de pizza helpen ze de auto van Wichard en Sanne leeg te halen en alle spullen boven te brengen. En terwijl de hulpploeg aan het sjouwen is, pakt Sanne het pak en neemt het mee naar de wc. Ze gaat op de nieuwe bril zitten en maakt de strik open. Ze scheurt het papier los. Het is een boek. En groot donkerblauw boek met een zachte stoffen omslag. Ze houdt haar handen om de kaft heen en voelt hoe haar tranen gaan stromen. Ze weet wat ze in haar handen heeft. En ze weet wat er in zit, voordat ze het openslaat. Dit is een fotoboek. Met foto's van Rob.

Nog dagelijks bladert ze door het album dat ze kreeg van haar vrienden en haar familie: bladzij na bladzij een dierbare herinnering aan Rob, met zorg bijeengebracht. Ze moet vaak slikken bij de foto van Rob op de redactie van de krant, bij de herinneringen aan kerst en aan het kleine huis in de Ardennen. Van de foto van Rob en Rinke, vergroot tot A4-formaat, krijgt ze telkens een brok in haar keel. En de foto waarop ze elkaar stralend van geluk het jawoord geven, slaat ze voor de zekerheid maar over.
Maar onderwijl is de flat een echt thuis geworden, waar ze haar dagen vult met het zorgen voor Wichard en voor Rinke. Wichard is al druk aan het werk voor zijn nieuwe werkgever. De camping is verkocht en langzaam begint het nieuwe bungalowpark vorm te krijgen, veel luxer dan 't Raetsel, maar wel onder dezelfde naam. Ook de oude waterput is gebleven, gerestaureerd en wel. De oude slaapschuren voor de schoolreisjes zijn verdwenen.

'Geen winstmarkt,' legt Wichard Sanne uit. De oude kantine is een echt restaurant geworden. De pachtende horecaondernemer heeft de prijzen flink omhoog gegooid.
'Vraagt die man zoveel voor een gewoon kopje koffie?' vraagt Sanne verbaasd, als Wichard haar rondleidt.
'We mikken op een andere doelgroep. Golfpubliek,' legt Wichard uit. Sanne denkt aan de vogelaars die vroeger voor een appel en een ei een heel seizoen hun tentje konden opslaan op het grote veld. Aan de schoolkinderen uit de stad, die helemaal in paniek kwamen vertellen dat ze een vos hadden gezien. Aan Steef Patrijs die fantastische maaltijden kookte met onbespoten groente uit de tuin van Rokus. Dat wordt nu allemaal ingewisseld voor mensen in ruitjesbroeken die voor veel geld een huisje huren om een balletje te slaan. Ze wordt een beetje narrig van de gedachte.
'Maar die golfclub is toch een particuliere club?' bedenkt ze ineens. Ze herinnert zich dat Rob heeft gefoeterd op het verdwijnen van zoveel natuur voor de aanleg van wat hij noemde een 'speeltuintje', en dat hij haar drie keer moest voorlezen wat de jaarlijkse bijdrage was voor het lidmaatschap van die club. Ze weet het niet meer precies, maar ze weet nog wel dat ze haar oren niet geloofde. Wichard knikt.
'Ja, inderdaad. Alleen de eigenaar van de club is tevens de eigenaar van deze keten van bungalowparken. Hij combineert dit soort dingen in elke regio. Vandaar.'
'Nou ja, zolang jij er maar prettig werkt. Dat is op dit moment het belangrijkste,' vindt Sanne.
Rinke heeft haar draai helemaal gevonden en ze heeft ontdekt dat haar beste schoolvriendin Eva precies een etage onder haar woont. Dus die is zo verschrikkelijk blij met het nieuwe huis, dat ze al een keer heeft gezegd: 'Hier gaan we nooit meer weg hè? Hier komt toch geen brand?'
Sanne doet zo goed mogelijk haar best om Rinke een stabiele basis mee te geven, na die vreselijke ervaring. Dat lukt haar aardig. Ook Wichard is prima aan de slag en hij ziet er beter uit dan ooit. Soms vraagt Sanne: 'Is er iemand in je leven? Je ogen

stralen zo!' Maar dan lacht hij en zegt: 'Natuurlijk! Twee zelfs! Rinke en jij.'
'Alleen met mij gaat het nog niet zo goed,' zegt Sanne op een dag hardop voor de spiegel. Ze ziet de blauwe kringen onder haar ogen, de vale kleur op haar gezicht en de verdrietige blik in haar ogen.
'Je leeft helemaal niet,' merkt ze op. De conclusie is zo schrijnend raak, dat ze meteen op haar bed gaat liggen en haar ogen dicht doet. Als ik nu eens twee dagen achter elkaar zou kunnen slapen, misschien dat ik me dan beter voel. Misschien dat dan al die mist in mijn hoofd optrekt en dat ik weer het idee krijg dat ik er bén. Dat ik adem en voel en lach en huil, niet zoals nu, gedempt en achter glas. Nee, echt, intens, waar, helder. Ze huilt geluidloos, totdat ze een stem hoort in de hal.
'Oma?'
'Ja, schat.' Ze schiet overeind. Is het alweer zo laat? Ze schraapt haar keel, boent haar wangen droog en zegt: 'Oma zal thee zetten. Wil jij ook?' Daarmee is het zeldzame moment van zelfreflectie verdwenen. Maar niet vergeten. Ze denkt er aan als Cathy vraagt: 'Gaat het wel goed met je? Je moet eigenlijk op een cursus. Dat leidt een beetje af.' Of als Daan en Abel vragen: 'Hoe gaat het nou? Je moet met ons mee op reis. We zijn nog nooit in New York geweest. Lijkt je dat wat? Even wat anders?'
Of als Yvonne vraagt: 'Zullen we weer eens uit eten gaan? Of heb je zin in een film? Je moet er eens uit, lieverd. Echt! Misschien is een beetje afleiding wel goed.'
Pas als juffrouw Schaap zegt: 'Het gaat niet goed met je. Zo kan je niet doorgaan, Sanne', laat ze haar masker zakken en antwoordt: 'Nee. U heeft gelijk. Maar ik weet niet wat ik eraan moet doen! Ik heb tijd nodig. De tijd heelt alle wonden, toch?'
'De tijd heelt alle wonden, maar hij slaat er nog veel meer, zegt Hans Dorresteijn al in een liedje. Ik denk dat je zelf een plan moet bedenken. De tijd gaat dit niet voor jou in orde maken,' zegt Schaapje bezorgd. Sanne haalt diep adem, moeizaam, alsof het pijn doet op haar borst.

'Wie zijn tranen spaart, heeft straks alleen maar verdriet op de bank, zeg ik altijd maar,' waarschuwt Schaapje.
'Misschien moet ik een tijdje naar België,' bedenkt Sanne. 'Alleen. Wandelen met Hazel. Nadenken.'
'Dat klinkt goed,' knikt juffrouw Schaap.

Sanne loopt. Kilometers. Blind haast voor alles om haar heen. Alleen Hazel lijkt ze op te merken, de natte neus even tegen haar hand, alsof de hond wil zeggen: Ik ben er, ik loop naast je. Meestal antwoordt ze. 'Dag meisje. Ben je daar.' Maar dagenlang loopt ze als door een mist. Ze schakelt haar telefoon uit, haalt voldoende boodschappen voor een week en verschuilt zich in het kleine huis, niet bereid om iemand te zien. Ze probeert een boek te lezen, maar kan geen geduld opbrengen om in een nieuw verhaal te stappen. Dus pakt ze *Honderd jaar Eenzaamheid,* dat ze al een aantal keer heeft gelezen. Ze pakt de familiegeschiedenis gemakkelijk op en begint te genieten van de herkenning. Ze koopt geen krant en laat de televisie uit. Af en toe vult ze de stilte in het huis met klassieke muziek, maar meestal blijft het stil. Buiten hoort ze de regen, of de wind in de bomen. En in het huis hoort ze de diepe ademhaling van Hazel die gekruld in haar mand ligt te slapen. De stilte werkt helend. Op een dag ziet Sanne een vliegenzwam, met een enorme ronde bolle hoed.
'Kijk!' wijst ze Hazel. Die kwispelt maar eens extra en Sanne beseft dat dit de eerste keer is dat ze iets in haar omgeving helder opmerkt. De dagen erna keert de mist terug in haar hoofd, tot ze op een ochtend geritsel hoort in de bladeren. Het is een merel, die driftig in de dode bladeren rond pikt. Ze staat stil en bekijkt hem met een glimlach. De hoed van de vliegenzwam begint in te zakken en vormt een kommetje voor regenwater. Een muisje

heeft er een klein kartelrandje aan geknaagd en Sanne vraagt zich af of vliegenzwammen niet giftig zijn voor muizen. De bladeren van de Amerikaanse eiken vertonen opeens waanzinnige kleuren. Was dat gisteren nog niet? Ze bekijkt ze verbaasd. Ook haar pas voelt veerkrachtiger. Die avond eet ze voor het eerst met smaak, al is het een eenvoudig bord met spaghetti met wat pesto, wat zontomaatjes en geraspte Parmezaanse kaas. Als ze in een impuls besluit een fles wijn te ontkurken, moet ze even slikken. Maar dan zegt ze hardop in de lege kamer: 'Ik mag best genieten. Daar moet ik me niet schuldig bij voelen. Anders red ik het nooit.' In gedachten ziet ze Schaapje twee duimen opsteken en ze weet: Ik zit op de goede weg.
Na anderhalve week zet ze haar telefoon weer aan en belt met Wichard om te vertellen dat alles goed met haar is. 'En met jou? En Rinke?'
'Fantastisch!' jubelt Wichard meteen. Om daaraan toe te voegen: 'Maar we missen jou natuurlijk wel!'
'Is dat zo,' merkt Sanne bedachtzaam op. Wichard lacht.
'Ja, natuurlijk is dat zo. Daarom ben ik nu ook zo blij om wat van je te horen!'
'Ik bel gauw weer. Zeg jij tegen iedereen dat het goed met me is?' vraagt Sanne. Opeens voelt ze zich doodmoe, alsof ze een hele prestatie heeft geleverd.
'Tuurlijk, mam. Doe ik. Ik wacht wel op jouw telefoontje. Goed?'
Hij begrijpt het gelukkig, denkt Sanne dankbaar.
Als ze die middag op het pad in de richting van de conciërgewoning van Bram en Lia loopt, ziet ze Lia naar buiten komen. Voor het eerst duikt ze geen zijpad in, maar ze zwaait vanuit de verte. Lia komt meteen op haar af.
'Hoe lang ben jij hier al? Stiekemerd!' groet ze.
'Al ruim een week,' bekent Sanne. 'Maar ik wilde even totale rust en stilte.'
'Snap ik best. Ben je al aan wat gezelligheid toe? Morgenavond eten?' vraagt Lia. Sanne aarzelt even. Maar dan besluit ze: 'Ja. Ik kom.'

Het etentje is ontzettend gezellig en Lia heeft speciaal voor haar een fles wijn ontkurkt.
'Ik hoop dat ie nog goed is. Wij drinken geen wijn,' zegt ze er meteen bij. Het is een zoete witte wijn en Sanne schrikt van de eerste slok. Maar na een half glas is ze er helemaal mee verzoend en twee glazen later begint ze hem zelfs lekker te vinden. Bram vertelt heerlijke verhalen over vroeger en Lia schudt na ieder verhaal haar hoofd en merkt op dat hij vreselijk overdrijft. Dan vertelt ze op haar beurt een geschiedenis die nog ongeloofwaardiger is dan de verhalen van Bram. Ook Sanne komt los. Als ze vertelt over de meezingmusical *The Sound of Music* waar juffrouw Schaap totaal onverwacht een prijs won met haar zelfgemaakte jurk van gordijnstof, ligt Lia slap van het lachen over tafel en Bram moet zijn bril afzetten om zijn ogen droog te poetsen.
'Het was hartstikke gezellig,' zegt Sanne, als ze afscheid neemt. 'Komen jullie volgende week bij mij eten?' Ze spreken een dag af en Sanne loopt licht en blij naar huis, samen met Hazel. Die nacht slaapt ze voor het eerst aan één stuk door en als ze om zeven uur wakker wordt, is haar hoofd helder.
De derde week gaat ze een kop koffie drinken in het restaurantje, waar ze bekenden tegenkomt die haar condoleren. 'Het is wennen, alleen. Maar het heelt, juist door de eenzaamheid hier en de rust. Dat maakt het makkelijker, lijkt het wel,' vertelt ze. De mensen luisteren aandachtig, wensen haar sterkte en halen herinneringen op aan Rob. Het voelt goed en vertrouwd en ze zwaait hartelijk als ze afscheid neemt. De vierde week belt ze juffrouw Schaap en twee dagen later belt ze Yvonne, waar ze lang en gezellig mee aan de telefoon hangt. De vijfde week haalt ze diep adem en belt haar zus Cathy. Die zegt: 'En? Heb je haar al ontmoet?'
'Wie?' vraagt Sanne verbaasd.
'O jee, ik en mijn grote bek,' schrikt Cathy.

'Nou, ik moet ophangen, want de buurvrouw komt net binnen,' zegt Cathy gehaast.
'Ho even!' roept Sanne. 'Wat bedoel je met "Heb je haar al ontmoet?!" Cathy!' Het is al te laat. De verbinding is verbroken. Sanne probeert een paar keer terug te bellen, maar haar zus neemt niet op. Als ze voor de vierde keer het nummer herhaalt, beseft ze wat Cathy bedoelt. Ze heeft Wichard gezien. Met een vrouw. En daar heeft Cathy haar conclusies uit getrokken. Natuurlijk. Dat is het. Maar het hoeft helemaal geen vriendin te zijn. Wichard kan wel een zakenlunch hebben gehad. Of gewoon, een afspraak met een medewerkster. Misschien heeft hij wel iemand meegevraagd om kleren te kopen. Hij roept altijd dat hij geen smaak heeft. Dus misschien had Rinke iets nodig. Of hijzelf. En toen heeft hij... Wat zit ik toch allemaal te bedenken? Waarom bel ik hem niet op? Ze aarzelt, met de telefoon in haar hand. Ze hoeft alleen maar een 2 in te drukken. Dan krijgt ze Wichard aan de lijn. Eén cijfertje. Dat is alles wat ze hoeft te doen. Ze haalt diep adem en legt dan de telefoon neer. Nee. Ze belt niet. Tenminste, niet vanwege de uitlating van Cathy. Als er iets is, dan belt hij zelf wel. Op een moment dat het hem uitkomt. Of dat hij het belangrijk genoeg vindt om aan haar te melden. Ik ga niet als een kip zonder kop zitten vissen wat er aan de hand is. Jakkes. Dat is gewoon niet netjes.
'Hazel?' De hond komt kwispelend haar mand uit.
'We gaan wandelen.' De frisse lucht doet haar goed en gedurende de hele wandeling denkt ze geen moment aan Wichard. Wel bedenkt ze dat het tijd wordt om terug te gaan. Want ineens mist ze Rinke. Ze glimlacht bij de gedachte aan haar kleindochter. Met Rinke naar Artis. Naar de vlindertuin. Ja, daar heeft ze zin in. Vanavond Wichard bellen, neemt ze zich voor. Ze loopt het holle pad in de richting van het grote jachthuis. In het oude dennenbos zijn een paar dennen op grote hoogte afgebroken. Een

vreemde windvlaag heeft ze als luciferhoutjes door midden geknakt. In het mos glinsteren ontelbare spinnenwebjes. En als ze de bocht omgaat langs de lage dennen, staat daar ineens een reetje. Helemaal alleen, op stokjesdunne pootjes. Het staat roerloos naar Sanne te kijken en Sanne staart even bewegingloos terug. Dan, ineens, springt het hertje met grote sprongen in de richting van het jachthuis.
'Ik hoop dat de jagers er niet zijn, beest,' mompelt ze. Hazel kom meteen op haar af, die heeft het reetje niet eens opgemerkt.
'Zag je dat niet?' vraagt Sanne glimlachend. 'Dat hertje sprong zo naar het jachthuis! Heel onverstandig.' Hazel staat ineens stil en snuffelt aandachtig.
'Nu ruik je het pas, hè? Hij is al weg. Of zij. Ik denk wel dat het een "zij" was. Kom, we gaan langs het weitje.' Ze neemt een zijpad en baggert door de blubber langs een wei waar soms wat koeien staan. Beneden bij het stroompje laat Hazel zich in het water zakken. Genietend baddert ze en drinkt. Daarna schudt ze zich vlak naast Sanne uit.
'Ook weer bedankt,' zegt die lachend. Ze loopt terug door het bos dat ze 'het bos van de uil' noemt, omdat Rob en zij daar ooit een grote uil zagen vliegen, geluidloos, als een briesje. Hij ging op een tak zitten en draaide toen zijn kop om en keek hen strak aan. Sanne en Rob staarden ademloos terug. Nog iedere keer speurt Sanne naar de uil, maar ze heeft hem nooit meer gezien. Als ze langs de meertjes loopt, hoort ze in de verte geluid van kettingzagen. Het geluid wordt steeds sterker, naarmate ze dichter bij het huis komt. En als ze vlakbij is, ziet ze het: houthakkers zijn druk bezig het dichte dennenbos tegenover hun huis uit te dunnen. Ze krijgt er meteen tranen van in haar ogen. Wat wilde Rob graag meer licht en wat mopperde hij altijd op die ondoordringbare muur van dennenbomen. En nu gebeurt het. Terwijl Rob daar geen plezier meer om kan hebben. Verdorie. Bij iedere boom die de houthakkers omhalen, voelt ze een steek in haar hart. Maar ze voelt het wel. Duidelijk en onmiskenbaar. Verdriet, vreugde, ontroering, ik voel het weer.

‘We gaan naar huis,’ zegt ze tegen Hazel. De rest van de middag besteedt ze aan het opruimen van het huis. ’s Avonds maakt ze een maaltijd van alle restjes uit de koelkast en daarna belt ze Wichard.
‘Hé, mama! Hoe gaat het?’ vraagt hij meteen.
‘Het gaat heel goed. Ik wil morgen opbreken en naar huis gaan. Ik hoop er om een uur of vier te zijn. Ik haal wel boodschappen en dan kook ik voor jullie, oké?’
‘Dat is hartstikke goed nieuws,’ zegt Wichard. Het klinkt lief, maar ze kent hem al zo lang, dat ze meteen hoort dat hij andere plannen had.
‘Was je iets anders van plan? Dan moet je het gewoon zeggen, hoor! Ik val je ook maar rauw op je dak, natuurlijk.’
‘Nou, eigenlijk wel, ja. Ik had al een oppas voor Rinke, want ik heb een etentje van mijn werk. Niets officieels, of zo. Maar wel leuk,’ vertelt Wichard.
‘Dan doen we het toch anders?’ stelt ze voor. ‘Dan eet ik met Rinke. En dan zie ik jou later die avond?’
‘Ja. Ja, laten we dat maar doen,’ zegt hij. Er valt even een stilte. Sanne beseft dat hij niet alles vertelt. Lang niet alles. Ze besluit het op de man af te vragen.
‘Wichard? Is er iets?’

‘Nee, nee, er is niets. Ik zit alleen even te denken. Ik zeg de oppas af en dan kan jij lekker met Rinke eten. Dat zal ze helemaal geweldig vinden!’ De stem van Wichard klinkt nu ineens een stuk enthousiaster. Hij sluit af met: ‘Dan zie ik je ’s avonds. Als ik thuis kom.’
‘Prima! Dat doen we. Waar is Rinke na schooltijd?’
‘Bij Eva. Daar is ze altijd. Je kunt haar daar gewoon oppikken.’
‘Doe ik. Ik verheug me erop. En ook op jou weer te zien, natuurlijk.’

‘Ik ook, mam. Je klinkt goed.’
‘Ja, het gaat ook beter. Dag lieverd. Ik zie je morgen.’
Ik verbeeld het me, denkt Sanne. Hij moest gewoon een plan maken in zijn hoofd. Daarom viel hij even stil. Er is helemaal niets aan de hand, houdt ze zichzelf voor. Ik ben gewoon in de war gebracht door de uitlating van Cathy. Wat een raar gedoe allemaal.
‘Morgen gaan we naar huis,’ zegt ze tegen Hazel. En haar hart maakt een sprongetje. Naar huis. Naar Rinke. En naar Wichard.
De volgende dag haalt ze nog even snel een stofzuiger door het huis. Hazel ligt in haar mand en kijkt verontrust toe. Gaan we weg? Waarom? Het is hier toch prima! Als Sanne de mand wil uitzuigen, staat de hond op en loopt beledigd naar buiten. Sanne krijgt inmiddels steeds meer haast. Naar huis! Naar Rinke! Ze betrapt zichzelf erop dat er in haar hoofd een liedje zingt en dat ze zachtjes meebromt. Ze gooit haar tassen op de achterbank, legt het hondenkussen van Hazel in de achterbak, schakelt de hoofdstop om, zet de koelkastdeur op een kiertje om schimmel te voorkomen en dan is het eindelijk tijd om de deur af te sluiten. Ze kijkt nog eens om zich heen. Ja, Hazel is al buiten. ‘Dag huis’, fluistert ze. ‘Dank je wel.’ Dan zet ze haar zonnebril op en loopt naar de auto.
‘Hazel, kom! In!’ Hazel zit bij de grote dennenboom op de hoek van het brede bospad. Ze kijkt toe hoe Sanne wijst naar haar kussen. Maar ze verroert geen vin.
‘Kom op, Hazel,’ spoort Sanne aan. Ze moet lachen om die eigenwijze hond die zo overduidelijk helemaal geen zin heeft om de auto in te stappen. Dan zegt Sanne: ‘Ik weet wel dat je het heerlijk vindt in het bos. Maar we gaan naar Rinke en naar Wichard. Dat is ook weer leuk. En thuis kunnen we ook heerlijke wandelingen maken. Dus stap nu maar in. We komen tenslotte gauw weer terug. Dat beloof ik je.’ Blijkbaar werkt haar laatste argument. Hazel komt in beweging. Niet heel snel en absoluut niet van harte, maar toch... Ze komt als in een vertraagde film naar de auto toe en springt in de achterbak.

'Braaf,' prijst Sanne. Ze klapt de achterklep dicht en stapt achter het stuur.
Als ze thuis is, ruimt ze eerst haar vieze was op, brengt haar spullen naar haar kamer, laat Hazel even uit in het park en rijdt naar de supermarkt voor boodschappen. Dan pas loopt ze naar de flat waar het vriendinnetje van Rinke woont. De moeder van Eva doet open.
'Hé Sanne! Wat een verrassing zal dat zijn voor Rinke!' groet Esther.
'Dag Esther. Alles goed met haar? Ik kom haar halen. We gaan lekker samen koken en daarna eten,' zegt Sanne.
'Rinke! Kom eens gauw!' roept Esther naar binnen. Twee tellen later heeft Sanne haar kleindochter in haar armen en duizend kusjes op haar gezicht.
Samen maken ze een pizza van kant-en-klaar pizzadeeg. Rinke mag er alles opleggen wat ze lekker vindt en Sanne maakt een dressing voor de sla.
'Ik wil wel wat meer kaas, hoor,' wijst ze. 'Doe maar extra mozzarella, Rinke.'
'Ik wil geen champignons aan mijn kant,' griezelt Rinke. Tijdens het eten vertelt Rinke over school, over haar vriendinnetje Eva, over papa die een nieuwe pyjama voor haar heeft gekocht met Betty Boop erop en over de buurman die laatst heel harde muziek draaide, midden in de nacht.
'En ik heb Hazel zo gemist,' zegt ze.
'Hazel jou ook,' verzekert Sanne haar. Ze knikken elkaar toe. En ik heb jou ook gemist, pop, denkt Sanne. En jij mij. En samen missen we Rob. Maar dat spreken we niet uit. Welnee. Dat weten we zo ook! Ze glimlacht en voelt zich helemaal warm worden van de enorme liefde voor dit kind. Als ze haar later die avond naar bed brengt, voelt ze tranen in haar ogen springen op het moment dat ze een kus op haar voorhoofd drukt.
'Slaap maar lekker, kleine prinses,' zegt ze schor.
'Huil je, oma?' vraagt Rinke verbaasd.

'Oma kan niet tegen uien. Ik had er veel te veel op mijn pizza. Nu blijf ik maar tranen,' jokt Sanne.
'Papa moet ook altijd huilen als hij uien snijdt.'
'Het is nog erfelijk ook,' verzucht Sanne. Dan gaat het licht uit en fluistert ze nog één keer bij de deur: 'Slaap lekker!'
Als de keuken is opgeruimd en ze met Hazel de avondwandeling heeft gemaakt, gaat Sanne met een kop koffie op de bank zitten. Ze zapt wat langs de netten en bladert door het stapeltje ochtendbladen uit de krantenbak. Net als ze besloten heeft een tweede kop koffie te maken, hoort ze een sleutel in het slot. Daar is Wichard! Blij kijkt ze op. Ze hoort gestommel in de gang en de stem van Wichard die iets onduidelijks mompelt. Ze staat op, klaar om haar zoon te omarmen. Dan gaat de deur langzaam open en Wichard zegt: 'Mama? Niet schrikken, hoor!'

'Schrik je niet?' Wichard vraagt het nog een keer. Dan steekt hij zijn hoofd om de deur en grijnst haar toe. Sannes mond valt open van verbazing. Ze begint te lachen.
'Je bent kaal!' Ze steekt haar armen naar hem uit. Wichard loopt de kamer in en omarmt haar.
'Zo, klein moedertje,' bromt hij. Sanne doet even haar ogen dicht en wiegt met hem mee. Ik ben thuis, denkt ze blij.
'Vind je het wat?' vraagt Wichard, als ze even later samen een glas wijn drinken. Onderwijl aait hij tevreden over zijn spiegelgladde schedel.
'Het staat je fantastisch,' knikt Sanne. 'Al vind ik je ook prachtig mét haar. Het is heel erg in, toch? Zo'n kale bol? En eerlijk is eerlijk, je hebt een mooie kop, zo.' Hij glimlacht tevreden.
'Ik word een beetje ijdel de laatste tijd. En ik krijg ook heel wat aandacht nu, door deze nieuwe "look". Vrouwen vinden het prachtig. Het staat enorm intelligent, hè?'

‘Nou, zo kan het wel weer,’ vindt Sanne.
‘Ik ben blij dat je er weer bent,’ merkt Wichard op. Hij proost haar toe en ze heft haar glas.
‘Ik ook,’ zegt ze oprecht.
Maar als ze die nacht op haar bed ligt, kan ze niet slapen. Ze hoort de ademhaling van Rinke. Haar kleindochter is diep in slaap. Wichard slaapt zonder enig geluid, maar bij de buren hoort ze een vreemd tikkend geluid. Het is niet helemaal regelmatig, dus het kan geen klok zijn. Wat is dat toch? De waterleiding? Boven haar klinkt een hard gebonk. Ze schrikt ervan en een tijdlang krijgt ze haar ademhaling niet onder controle. Op de terugweg van de wc ziet ze door de witte gordijnen hoe licht het buiten is, zelfs al is het midden in de nacht. Ze trekt het dekbed ver over haar hoofd en doezelt eindelijk weg. Als ze wakker wordt van een laag dreunend geluid, kijkt ze op haar horloge. Halfvijf. Waarschijnlijk een vrachtvliegtuig. En nog één. En nog één. Vanaf halfzes hoort ze het verkeer op de snelweg in verte. Overal is geluid. Overal is licht. Wat een verschil met de nachten in dat kleine huis aan de bosrand in de Ardennen. Wat is het daar donker. En stil. En wat een sterren zie je als je omhoog kijkt. Het enige dat ik daar ’s nachts hoorde, waren de slaapgeluidjes van Hazel. En dat is nu net het enige geluid dat ik hier helemaal niet hoor! Hoe wen ik er weer aan om hier te slapen? Om halfzeven hoort ze Wichard opstaan. Hij verdwijnt in de badkamer. Over een halfuur kan ik in de badkamer terecht. Daarna Rinke. Om halfnegen breng ik Rinke naar school, zoals ik gisteren met Wichard heb afgesproken. En daarna ga ik naar de drogist voor een slaapmasker en oordoppen. Wie weet helpt dat. En ik ga met Hazel op bezoek bij Schaapje. Misschien heeft die nog wel een wonderthee in voorraad.
Juffrouw Schaap verwelkomt haar met zelfgebakken appeltaart voorzien van een grote klodder slagroom.
‘Gelukkig ga ik straks nog met Hazel de hei op. Dan loop ik alles er weer af,’ lacht Sanne. Daarna doet ze verslag, want Schaapje wil alles weten.

'Heel goed dat je de tijd hebt genomen voor jezelf,' knikt ze. Maar ze fronst bezorgd als Sanne haar vertelt van de doorwaakte nacht. 'Natuurlijk heb ik een kruidenthee. Ik zal zo een zakje meegeven. Maar je moet ook oppassen. Wat je nu aan kracht hebt opgebouwd, is nog heel kwetsbaar. Kijk uit dat je niet alles in anderen steekt. Blijf investeren in jezelf. Zoek ruimte voor jezelf.'
'Ik moet weer aan het werk,' bedenkt Sanne. 'Ik wilde destijds een relatiebureau beginnen. Via internet. Maar nu heb ik daar eigenlijk helemaal geen zin meer in. Ik moet er eens goed over nadenken.'
'Dat moet je zeker doen,' vindt Schaapje.
'Misschien een leuke cursus. En dan ergens aan het werk,' peinst Sanne.
'Het dient zich wel aan, denk ik. Ga maar niet krampachtig op zoek. Als je maar in je achterhoofd houdt dat alles wat je aangeboden wordt nu net die investering kan zijn die je nodig hebt. Of die ruimte. Op de een of andere manier blijft dat woord ruimte maar opduiken,' zegt Schaapje.
'Ik zal erop bedacht zijn,' belooft Sanne.
Ondanks de doorwaakte nacht geniet ze van de wandeling en als ze langs de zandverstuiving loopt, zegt ze hardop tegen Hazel: 'Misschien heb ik deze ruimte wel nodig. Gewoon iedere dag de natuur in. Dat vind jij vast niet erg!' Hazel kwispelt bevestigend. En als ze aan het eind van de dag Rinke ophaalt van school en de armen van haar kleindochter om haar hals voelt, bedenkt ze dat er misschien niet zo heel veel ruimte nodig is om gelukkig te zijn. Dicht bij Rinke en Wichard zijn, dat is al geluk genoeg. Bij die gedachte voelt ze tranen in haar ogen schieten. Maar ze blaast de weemoed snel van zich af en ze wandelt naar huis, terwijl ze luistert naar de enthousiaste verhalen van Rinke.
Al snel heeft ze regelmaat terug in haar leven. Rinke naar school brengen, Rinke ophalen, koken, wassen, huishouden, met Hazel wandelen, boodschappen doen, af en toe bij Yvonne op bezoek,

een keertje bij Cathy langs, een dinertje bij Daan en Abel, een kopje thee bij juffrouw Schaap, er is zoveel te doen dat ze nauwelijks tijd heeft om te denken over een cursus of een baan.
Dan zegt Wichard op een avond: 'Mama, vind je het goed dat Jennifer morgenavond mee-eet?'

'Jennifer?' Sanne kijkt Wichard verbaasd aan.
'Jennifer!' Wichard lacht. 'Ik heb je toch wel eens over Jennifer verteld? Ze werkt op de receptie! Ik zie haar ook regelmatig op de sportschool. En ik eet wel eens samen met haar, als we een avondvergadering hebben. Ze is heel gezellig. Ze is hier wel eens geweest in de periode dat jij in België zat. Het is echt een heel goede vriendin van me geworden.' Hij legt het zo uitgebreid uit, dat Sanne zich meteen schuldig voelt.
'Ja, natuurlijk is dat goed,' zegt ze gehaast. 'Dit is jouw huis. Natuurlijk mag iedereen mee-eten die je uitnodigt. Stel je voor!' En meteen beseft ze hoe krom het is. Nog nooit heeft zij iemand in de flat uitgenodigd. En hij ook niet. En dat klopt natuurlijk niet. Het is ook niet heel erg helder wie hier nu woont en wie hier inwoont.
'Het is óns huis,' verbetert Wichard. 'Dus het is niet meer dan logisch dat ik met jou overleg.' Sanne knikt. Maar ook aan Wichards toon hoort ze dat het niet zo simpel ligt als het nu lijkt. We moeten hier uitgebreid over praten, bedenkt ze. Want dit is raar. Dit klopt totaal niet.
De volgende dag is ze vreemd gespannen voor de gast die Wichard die avond mee zal nemen. Ze maakt er een uitgebreid etentje van met een voorgerechtje en een hoofdgerecht. Net even luxer dan normaal. En ze kiest met zorg een mooie witte wijn uit bij de Thaise vispakketjes.
Als Wichard die avond binnenkomt met Jennifer, staat de tafel

gedekt, zijn de glazen en het bestek glimmend gepoetst en heeft Sanne net de laatste hand gelegd aan het voorgerechtje. Rinke, die aan de lage tafel zat te kleuren, springt op en roept blij: 'Jenni!' Ze huppelt op de jonge vrouw af, die nu naast Wichard midden in de kamer staat, en slaat haar armen om Jennifer heen. Die lacht en aait haar over haar bol, terwijl ze oogcontact zoekt met Sanne. Sanne knikt haar toe. Een geluidloos welkom. En onderwijl voelt ze een steek in haar hart. Rinke vindt Jennifer lief. Rinke heeft Jennifer al veel vaker gezien. Tegelijk ziet ze hoe Wichard naar Jennifer kijkt, vol trots en geluk. Dat is niet de blik van een vriend voor zomaar een vriendin. Wichard is verliefd. Verliefd op Jennifer. En ik ben gewoon plat jaloers. Hartstikke jaloers. Het gaat als een flits door haar heen. Bah, wat lelijk van me. Hoe kan ik zoiets voelen? Jakkes. Ze haalt diep adem, doet twee stappen naar voren en steekt haar hand uit.
'Ha Jennifer, welkom! Ik heb al veel over je gehoord van Wichard. Leuk om je nu in het echt te zien.' Het klinkt hartelijk en ze meent het ook. Maar ze moet moeite doen om die akelige jaloezie naar de achtergrond te duwen. Jennifer kijkt haar open en vrolijk aan.
'Ik heb over jou ook veel gehoord,' knikt ze. 'Wichard is zo dol op je. En dat niet alleen, hij is ook zo ontzettend trots op je. Om hoe je bent en wie je bent ondanks alles wat je hebt meegemaakt. Ik ben blij dat ik kennis met je mag maken.'
Sanne slikt om de onverwachte woorden van Jennifer. Wat hartstikke lief! Dat zegt ze meteen maar hardop. 'Wat hartstikke lief om dat te zeggen! Kom gauw zitten. Willen jullie alvast een glas wijn? Wichard, proef jij voor?'
Daarna is alles heel gezellig. Héél gezellig. Maar als Rinke halverwege het hoofdgerecht zegt: 'Papa, ik wil niet meer eten. Mag ik televisie kijken?' beseft ze ineens weer dat ze niet bij haar op visite zijn, maar dat Wichard hier gewoon woont! Met Rinke. En met haar. Terwijl hij misschien wel zou willen dat Jennifer die nacht bij hem blijft slapen. Wie weet heeft Jennifer dat al een paar keer gedaan. Toen zij in de Ardennen zat. En nu kan

dat ineens niet meer. Nou ja, het kan natuurlijk wel. Wichard is een volwassen man en Jennifer is ook al lang meerderjarig. Maar het voelt raar. Wichard vroeg al of Jennifer hier mocht komen eten. Gaat hij nu straks vragen of ze hier mag blijven slapen? Dit is echt een heel wonderlijke situatie.
'Mam? Waar ben je met je gedachten?' vraagt Wichard. 'Ik vertelde net aan Jennifer over het huis in de Ardennen. Vind je het goed dat we daar eens een weekendje naar toe gaan? Om even lekker uit te puffen? Dan gaat Rinke lekker mee. En Hazel, als je wilt.' Hij keert zich naar Jennifer en zegt lachend: 'Voor Hazel is het huis in de bossen één groot feest. Rob zei altijd: Hazel heeft het mooiste hondenhok van de hele wereld! Maar het lijkt helemaal niet op een hondenhok, hoor. Het is een heerlijk huis.'
Sanne denkt opeens: Ruimte. Dat is het. Ik moet ruimte hebben voor mezelf. Dit is de ruimte voor Wichard, de plek waar Rinke gelukkig kan zijn en waar hij kan bouwen aan een nieuw leven en een nieuwe liefde. Misschien is dat Jennifer. Dat zou heel goed kunnen. Hij heeft ruimte nodig om lekker op de bank te zitten met iemand. En ik ook, misschien. Ooit. Eens. Dan zegt ze: 'Wil jij Rinke naar bed brengen, Jennifer? Dan ruim ik af. Wichard, zet jij koffie?'

Sanne ruimt de vaatwasser in en is net van plan iets op te merken over Jennifer, als Wichard zegt: 'Ik breng Jennifer straks even naar huis. Als ik terug ben, zal ik me wel even melden.'
Sanne glimlacht.
'Net als vroeger.'
'Ja. Gek hè?' Wichard lacht. Zal ik nu zeggen dat Jennifer ook prima hier kan blijven slapen? Ze aarzelt iets te lang. Want Jennifer komt de keuken al in en zegt: 'Rinke raakte met haar hoofd het kussen, hoorde drie zinnen aan uit *Otje* en lag meteen

diep in slaap! Wat heerlijk is dat toch hè? Een kind kan zo vol overgave in slaap vallen. Om jaloers op te worden.' Al babbelend heeft ze Wichard geholpen met de koffie en staat klaar om alles naar de kamer te brengen. Nu is het net alsof ik bij Wichard en Jennifer op visite ben, bedenkt Sanne. En om niet nog vermoeider te worden door alle verwarrende gedachten, zegt ze bij de eerste slok koffie: 'Ik ga straks even om met Hazel. En daarna ga ik op tijd naar bed. Ik ben echt heel moe.' Hazel hoort meteen dat Sanne een wandeling aankondigt en begint zich uit te rekken in haar mand. Wichard kijkt Jennifer aan en zegt dan: 'Nou, ik denk dat we dan, als je terug bent, naar Jens huis lopen. Misschien drinken we daar dan nog een glaasje wijn. Dan storen we jou ook niet. Goed?' Jennifer knikt en Sanne zegt: 'Prima!' Ze zet haar lege kopje neer, staat op en zegt alvast: 'Dit was echt hartstikke leuk.' Jennifer knikt en bevestigt. Ja, het was hartstikke leuk. Maar ook lastig. Ingewikkeld. Raar. Ze lezen het in elkaars ogen en besluiten allebei woordloos daar niets mee te doen. Sanne zegt: 'Tot zo.' Daarna trekt ze haar jas aan, slaat een das om en zegt: 'Dag jongens.' Ze is blij als ze buiten staat. Hazel kijkt haar kwispelend aan. Welke kant gaan we op?
'Naar het park,' wijst Sanne. Hazel springt met vier poten tegelijk op van pret. 'Je bent ook zo'n slimmerd,' prijst Sanne. Even later loopt ze door de waterige kou in het spaarzaam verlichte parkje. Een paar meter voor haar uit loopt een man met een teckel. Daarvoor een man met twee vuilnisbakkies. Alle honden lopen los. Al gauw krijgen ze elkaar in de gaten en rennen dollend door de struiken.
'Die hebben pret,' bromt de teckelman.
'Slapen ze straks goed,' mompelt Sanne terug. De baas van de vuilnisbakkies is ook blijven staan en zegt bij wijze van groet: 'Bar koud, vanavond.'
'Nou.' Ze blazen op hun handen en kijken naar de honden.
'Ik vind het wel mooi zo,' besluit de teckelbaas. Hij fluit. Zijn hond kijkt niet op of om.

'Roep een taks en hij komt straks,' merkt de vuinisbakkenman op. Sanne grijnst en loopt langzaam door. Even later heeft de baas van de teckel zijn hond te pakken. Hij lijnt hem aan en keert om. De vuilnisbakkenmeneer zegt: 'Nou doei.' Hij slaat een pad in naar rechts en zijn honden hebben dat meteen in de gaten. Ze sprinten achter hem aan. Hazel komt maar eens kijken waar Sanne heen gaat en kijkt naar haar op.
'Ik heb helemaal geen zin om naar huis te gaan,' fluistert ze tegen de hond. Dus loopt ze door. Uiteindelijk maakt ze een wandeling van ruim anderhalf uur en als ze terugkomt, hebben Wichard en Jennifer al een glas wijn ingeschonken.
'Je bent lang weggeweest,' zegt Wichard. Hij staat meteen op en Jennifer ook.
'Het was heerlijk buiten,' jokt Sanne. Haar neus en oren doen pijn van de kou en ze krijgt met moeite het koekblik open waar de hondenkoekjes in zitten.
'We gaan meteen, mam,' zegt Wichard. 'Anders wordt het zo laat.'
'Je kunt ook morgenochtend thuiskomen, hoor. Neem de tijd. Ik ben er toch voor Rinke? Nou, kinderen, ik draai mijn mandje in. Welterusten!' Ze loopt meteen naar haar kamer en verdwijnt achter de deur. Daar begint ze te rommelen in laden, om geluid te produceren. Ze hoort Wichard en Jennifer praten, maar kan ze niet verstaan. Wel meent ze duidelijk te horen dat Jennifer lacht. Dan hoort ze: 'Dag Sanne! Dag Mam!' Het klinkt gedempt, om Rinke niet wakker te maken. Maar wel duidelijk hoorbaar. Ze roept op dezelfde toon terug: 'Dag kinderen! Dag!' De deur slaat dicht. En Sanne loopt haar slaapkamer uit, schenkt zichzelf een glas wijn in en schakelt de televisie aan. Ziezo, bedenkt ze, dat heb je goed voor elkaar! Maar zo kan het verder echt niet. Dus morgen naar een makelaar om eens te kijken wat mijn mogelijkheden zijn. Ze proost met haar glas om dit besluit te bevestigen. Dan rinkelt de telefoon.
'Sanne, met Daan. Abel en ik zitten te regelen wat we gaan doen

met kerst. En we willen je uitnodigen. Er komen wat vrienden. En we vragen Yvonne, Schaapje ook, met Rokus en je zus, als ze wil. En Wichard natuurlijk! En Rinke! We gaan een pubquiz doen. Kom jij?'
'Ja, leuk!' zegt Sanne meteen. 'Wichard is er nu niet. Ik vraag hem wel. Zeg, hebben jullie morgen wat te doen?'
'Nee. Niks. Nou ja, Abel moet een nieuwe spencer. Dus we willen even de stad in. Hij heeft iets leuks gezien. Hoezo?'
'Ik wil langs een makelaar. Ik wil me oriënteren op een huis. Voor mezelf.' Sanne zegt het aarzelend, maar Daan jubelt meteen: 'Ja! Toppie! Wat goed, meid. Dat vind ik heerlijk om te horen. Hoe laat gaan we?'

Die ochtend staat ze om tien uur te wachten voor de deur van een makelaarskantoor dat elke week in de krant adverteert met de slogan: 'Huis kopen? Gewoon binnenlopen!' Wichard kwam die ochtend om acht uur binnen; ze hoorde Rinke enthousiast roepen: 'Hé papa! Ben je al aangekleed?'
'Ga jij je ook gauw aankleden? Dan gaan we naar de bakker voor verse broodjes!' had Wichard enthousiast geroepen. Een halfuurtje later hadden ze samen ontbeten en toen Rinke had geroepen: 'Papa! Wat gaan we vandaag doen?', had Sanne gauw verteld dat ze met Daan en Abel had afgesproken om de stad in te gaan. Op de een of andere manier had ze geen zin om uit te leggen dat ze naar de makelaar wilde. Wichard had er geen moment vreemd van opgekeken, maar meteen gezegd: 'Goh, leuk mam! Kom je wel thuis eten?' En meteen had ze beslist: 'Nee, reken maar niet op me. Als je een ander leuk plan hebt, moet je dat gewoon doen. Ik blijf misschien hangen bij Daan en Abel, of ik bel Yvonne op. Ik zie wel.'
'Dan gaan wij Jennifer bellen. Want we moeten nodig eens langs

de dierentuin. Vind je niet?' had Wichard meteen gezegd. In gedachten hoort ze Rinke nog juichen.
Maar dan komen Daan en Abel aangestormd over de stoep, innig gearmd en fel kibbelend.
'Zie je wel! Ik zei nog zo, schiet nou eens op! Daar staat ze al. Al lang zeker?' Daan kijkt Sanne verontwaardigd aan en Abel roept meteen: 'Nou krijg ik weer overal de schuld van. Wat is die man toch lastig! En niet eens netjes begroeten, hè? Foei! Dag lieverd. Wat zie je er fantàstisch uit!' Drie zoenen krijgt Sanne en ze voelt zich meteen mooi en leuk en lief. Terwijl Daan haar begroet en haar toeroept dat hij het zo fantàstisch vindt dat ze naar een eigen stulpje op zoek gaat en dat ze haar gaan helpen, roept Sanne: 'Jongens, ik ben altijd meteen in een beter humeur als ik jullie zie! Ik ben zo blij met jullie steun!' Waarop Abel natuurlijk zijn zakdoek kwijt is en moppert op Daan, die altijd alle papieren zakdoekjes opmaakt en geen nieuwe koopt.
'Wat staan we hier nou te snotteren! Kom op! We gaan een villa uitzoeken voor Sanne,' besluit Daan. Ze laten Sanne voorgaan en ze hoort aan het gesputter achter haar dat ze met z'n tweeën tegelijk de deur proberen binnen te komen. Ze kijkt maar niet om. Een jong meisje zit achter een bureau en die kijkt meteen op bij het geluid.
'Wat kan ik voor u doen, mevrouw?' vraagt ze vriendelijk, als Sanne op haar afkomt.
'Ik wil eens kijken wat er voor huizen in jullie portefeuille zitten. En misschien een zoekopdracht geven. Ik wil een huis. Een huisje. Vandaar. En jullie roepen: "Gewoon binnenlopen!" Dus dat doe ik,' zegt Sanne met een glimlach.
'U boft. Makelaar Dresner is aanwezig. Want ondanks de slogan maken de meeste klanten een afspraak,' antwoordt het meisje lachend. 'Wilt u daar even plaatsnemen? En horen de heren ook bij u?'
'De heren zijn mijn persoonlijke adviseurs,' grijnst Sanne.
'Allemaal koffie dan maar?' vraagt het meisje. Ze wijst naar de warmhoudkan op het salontafeltje, de kartonnen bekertjes en het

schaaltje met zakjes suiker, stuifmelk en koekjes. 'Dan kijk ik even of meneer Dresner nu meteen tijd voor u heeft.'
'Uitstekend. Daan, jij bent moeder. Jij schenkt in,' regelt Abel. En terwijl ze koffie schenken, gaat het meisje naar achteren. Als ze terugkomt, wordt ze gevolgd door een jonge man, die een ferme hand geeft en het hele gezelschap uitnodigt in zijn kantoor.
Sanne vertelt wat haar droom is: een klein huisje, een tuintje, een logeerkamer, rust en ruimte, binnen een straal van dertig kilometer. Daan en Abel knikken goedkeurend.
'U boft, mevrouw,' zegt Dresner. 'Het is volgende week de week van het eigen huis, dus als we tot een overeenkomst kunnen komen, mag ik u een halve procent korting geven op onze makelaarscourtage.'
'O ja?' zegt Daan verbaasd. 'Ik dacht dat het volgende week de week van de blindengeleidehond was. Met extra aandacht voor de nationale collecte en alle hondenkoekjes in de aanbieding.'
'Welnee!' roept Abel meteen. 'Dat was deze week! Maar meneer Dresner is ook een beetje in de bonen, vrees ik. Volgende week is de week van de winterwortel. Wist je dat niet? Ik heb het gisteren nog op televisie gezien. Drie halen, twee betalen en voor sneeuwpopneuzen gratis af te halen bij de groentespecialist.'
'In mijn krant stond een tekening van Fokke en Sukke, die zaten intens te wachten op een week van niks,' voegt Sanne ernstig toe.
'Welke krant lees jij dan?' wil Daan meteen weten.
Makelaar Dresner kijkt met open mond van de één naar de ander en lijkt volslagen de draad kwijt.
'Kunt u het niet meer volgen?' vraagt Abel. 'Dan leg ik het uit. U gaat gewoon honderd procent service leveren en uw stinkende best doen om die mevrouw voor zo weinig mogelijk geld zo leuk mogelijk te helpen en dan maakt het helemaal niet uit welke week het is. Dan is het gewoon een prima week. Snapt u? Dus geen flauwekulverkooppraatjes. Daar zitten we helemaal niet op te wachten.' Ze knikken alle drie vrolijk naar makelaar Dresner, die langzaam zijn mond sluit, knikt en zegt: 'Ik heb 'm door. U

heeft groot gelijk. We slaan dus gewoon de onzin over en gaan aan de slag.'
'Nu zijn we goede vrienden,' zegt Daan meteen tevreden.
'Nou, rustig aan,' vindt Sanne. De makelaar schiet in de lach.

Makelaar Dresner ontpopt zich snel als een prima voorlichter.
'Eerst kritisch de ligging bekijken,' maant Abel.
'Ja, straks zit er een stinkend steegje naast waar iedereen zijn hond uitlaat,' vindt Daan.
'Of een jongerenhangplek waar ze tot midden in de nacht zitten te blowen en bierblikjes over je schutting gooien,' griezelt Abel.
'Of asociale buren die vechthonden fokken en peppillen maken in de schuur,' bedenkt Daan.
'Ja!' roept Abel nu enthousiast, 'Of een buurvrouw die ontvangt, je weet wel, van zo'n 0900-nummer...' En omdat Dresner wel erg wanhopig begint te kijken, onderbreekt Sanne hem met: 'Ik neem ze mee. We gaan op pad. Ik neem contact met u op.'
'Volgens mij was die man opgelucht dat we opstapten,' concludeert Abel, eenmaal op straat. Ze hebben een lijst huizen gekregen die ze in elk geval aan de buitenkant kunnen gaan bewonderen.
'Jullie waren ook wel erg op dreef,' vindt Sanne. Ze haakt haar armen in die van de jongens en met z'n drieën lopen ze in de richting van het centrum.
'Hebben we erg rare dingen gezegd? Nee toch?' vraagt Daan verbaasd. 'Nou ja, eerst naar die winkel waar Abel zo'n leuke spencer heeft gezien. Hè schat? Hij krijgt hem van mij.'
'Jij boft maar,' geniet Sanne. Ze knijpt Abel in zijn arm.
De jongens zetten vervolgens de hele kledingzaak op stelten als Abel eindelijk de spencer past en Daan foetert dat hij voor zo'n

ding niet wil betalen! Wat een flutkwaliteit en wat een vreselijke kleuren. Is Abel niet helemaal goed bij zijn hoofd?
'Meneer, we hebben ook nog andere klanten,' waarschuwt de winkelbediende.
'Precies!' zegt Daan triomfantelijk. 'Trek uit dat ding, Abel, Je moet ook om de andere klanten denken. Die worden misselijk bij de aanblik.' Sanne moet daarom zo vreselijk lachen, dat ze zich excuseert en buiten de winkel wacht hoe het allemaal afloopt. Als de jongens naar buiten komen, heeft Abel een tasje bij zich, dat hij triomfantelijk aan Sanne laat zien.
'De spencer?' vraagt Sanne verbaasd. Daan haalt zijn schouders op. 'Hij vindt hem mooi. Nou ja, toe dan maar. Ik kan hem eigenlijk ook niks weigeren, hè? En smaak, tja, dat is lastig aan te leren. Zullen we eerst lunchen en daarna langs de huizen rijden?'
Ze eten in een klein visrestaurantje en rijden daarna adressen langs die de makelaar heeft opgegeven. Op ieder huis is wel iets aan te merken. De eerste staat pal langs de weg en is erg verzakt. 'Geen wonder met al dat zware verkeer vlak voor je ramen,' merkt Daan op. De tweede staat naast een visfabriek, de derde kijkt uit op een bedrijventerrein, kortom, iedere keer weer zegt Sanne: 'Nee. Hier word ik niet gelukkig.' Ze zijn halverwege de lijst, als ze een adres niet kunnen vinden. Daan keert de auto nog maar een keer en Abel wijst: 'Die boerderij heeft nummer 42 en dat huis ernaast nummer 46! Maar waar is nummer 44?' Twee keer rijden ze langs en de derde keer zegt Sanne: 'Rijd anders het pad op. Dan vragen we het wel bij de boer.' Net als Daan achter de boerderij wil parkeren, ziet Sanne dat er achter een grote heg nog een huis schuil gaat. Voor de heg staat een groene brievenbus met daarop in plakcijfers: 44.
'Daar wil ik zo'n ouderwetse brievenbus. Een rode,' zegt ze meteen.
'Je hebt het huis nog niet eens gezien!' lacht Daan, terwijl hij stapvoets doorrijdt. Achter de grote heg vangen ze een glimp op

van rode dakpannen, maar echt zicht krijgen ze niet. Pas als Daan achter het huis is gekomen, zien ze de parkeerplek en een schutting.
'Privacy heb je in ieder geval wel,' vindt Abel. Hij wurmt zich als laatste van de achterbank van de auto en strekt zijn benen. Dan zijn Daan en Sanne al bij de poort in de schutting aangekomen. Sanne probeert de klink en tot haar verbazing zwaait de poort soepel open. Ze staan achter in een dichtbegroeide tuin met een groot grasveld in het midden. De oude kastanjeboom vertoont al dikke kleverige knoppen en Sanne ziet een knoestige oude druivenstok tegen het hekwerk naast een klein terrasje achter in de tuin. Een schuurtje zit onder de hedera, en aan de zijkant ligt een grote vijver, vol rottende bladeren. Dan pas ziet ze het huis.
'Het is een poppenhuis,' verzucht Daan.
'Een kabouterhuis,' zegt Abel vertederd.
'Het is mijn huis,' verbetert Sanne.
Op kerstavond, als er van het buffet dat Daan en Abel hebben aangericht nauwelijks meer iets fatsoenlijks over is en iedereen meezingt met de kerstkaraoke-cd die Willem en Cathy hebben meegebracht, fluistert Daan Sanne toe: 'Wil je nu iets meedelen? Want Abel wil zo met de kerstquiz beginnen.' Sanne knikt. Ze gaat staan, tikt tegen haar glas en vertelt over haar huis. Haar poppenhuis. Haar kabouterhuis.
'Mijn nieuwe start,' zegt ze. Haar ogen glanzen, denkt Yvonne en ze knikt Schaapje toe die vrijwel dezelfde gedachte heeft. Wichard krijgt tranen in zijn ogen, maar hij komt meteen op haar af en zegt: 'Ik ben zo blij voor je.' Rinke vraagt: 'Is er wel een plek voor mij?' Sanne knikt meteen en belooft: 'En van de zomer mag je in een tent op het grasveld!' Vrienden van Daan en Abel bieden zich aan als klussers en Rokus vindt dat ze ook maar een moestuin moet aanleggen. 'Ik help wel,' bromt hij goedig. Sanne heft haar glas en denkt: Rob, ik mis je zo wanhopig. Zo intens. Dan schudt ze haar hoofd, knikt iedereen toe en proost: 'Op goede vrienden.' En ieder-

een beantwoordt de toost vanuit het diepst van zijn hart. ‘Op goede vrienden!’

Het is koud, als Yvonne en Sanne hun auto achter het nieuwe huis parkeren. De officiële overdracht is al achter de rug; makelaar Dresner bleek een voortvarend mens. Sannes eerste bod werd meteen aanvaard. Daar kreeg Sanne nog even kippenvel van. Heb ik wel goed gekeken? Waren alle kozijnen niet rot? Of het dak? Of de vloer! De vloer deugt vast niet! Maar omdat ze had besloten de aankoop geheim te houden, waren Daan en Abel de enigen met wie ze enig technisch inzicht kon delen. Die moesten er erg van zuchten.
‘Je kunt toch altijd iemand huren? Voor nieuwe kozijnen? Een soort dinges? Een bouwvakker?’ opperde Daan. En Abel zei nog: ‘Ik heb goed geluisterd, maar de vloer kraakte niet. Toch? Of wel?’
Dus heeft ze de knoop doorgehakt en nu is ze met Yvonne op pad om eens goed te kijken wat er allemaal gedaan moet worden.
‘Kind, wat is dat leuk!’ roept Yvonne meteen, als Sanne de poort openmaakt. Hazel springt vooruit en er hipt een merel weg van het grasveld om zich te verstoppen in de bosjes. In de dikke laag klimop tegen het schuurtje klinkt geritsel. Nu pas ziet ze dat het houtwerk van het huisje ooit lila geschilderd was. In gedachten combineert ze dat met lichtroze klimrozen en diepblauwe monnikskappen. Langs de schutting stokrozen en lupine in alle kleuren die ze maar kan vinden. En natuurlijk langs het terrasje een rand geurende lavendel en tijm en marjolein. Ze krijgt tranen in haar ogen. Yvonne ziet het en slaat meteen haar armen om haar heen. ‘Ik ben zo blij voor je,’ zegt ze.
Dan bekijken ze het huis, ruimte voor ruimte, Sanne noteert in

haar notitieboek: Keuken: aanrechtblad. En ze wijst: 'Kijk, dat had ik al gezien. Het zijn ouderwetse handgemaakte kasten. Ik maak ze schoon en bestel een houten aanrechtblad. Met een wasbak en een kookstel. Zo'n vijfpitter. Dan werk ik een afzuigkap weg in een schouwtje en daar prik ik zo'n kantrandje omheen. Heerlijk!' In de kamer ligt oude vloerbedekking, maar daaronder ligt een vloer van houten planken. Yvonne houdt haar hand boven een kier en zegt: 'Er komt helemaal geen tocht doorheen.'
'Die ga ik beitsen. En dan een mooi kleed erop,' knikt Sanne. De muren zijn allemaal gestuukt en hoeven alleen maar geschilderd. Maar alle kozijnen zijn door de vorige bewoner overgeschilderd met muurverf.
'Wat een drama,' zegt Sanne. Ze haalt haar hand over het raamkozijn en ze ziet in gedachten hoe het wordt als ze alles kaal haalt en mooi overschildert.
'Dat wordt een heel werk,' zegt Yvonne. 'Maar wel dankbaar.'
'Ik zit te denken aan glansverf. Wit. Ik vind dat zo luxe. En de buitenboel wil ik lila houden. De deuren doe ik in een tint wit. Jasmijn, oudwit, levend wit, zoiets. Geen blauwig tintje, maar meer iets roze. Snap je? Warm wit. Dat moet het worden.' Sanne geniet bij iedere beslissing en ze maakt meteen plannen om de trap helemaal kaal te halen en te beitsen en dan de slaapkamer en natuurlijk de logeerkamer. 'Het wordt zo leuk!'
'Maar die badkamer,' aarzelt Yvonne. Ze staan in een klein hokje, er ligt zeil op de vloer dat aan de randen zwart is geworden door het vocht. De tegels zijn gebarsten en de voegen beschimmeld. 'Die gaat eruit. Ik laat de badkamer door een aannemer verbouwen. Dat had ik van tevoren al bedacht. Daar komt een douche, daar een badmeubel en dan is er ook nog plaats voor een tweede toilet. De wc beneden laat ik ook meteen opknappen. Die heeft nog zo'n ouderwetse stortbak met een touw.' Ze wrijft haar handen warm. 'En dan moet er nog een nieuwe cv-ketel in en de verwarmingselementen laat ik vervangen. Die ouderwetse dikke dingen nemen veel te veel ruimte in.' Yvonne kijkt haar bewonderend aan. 'Je had het al helemaal op een rijtje, hè?'

Sanne knikt. 'Ik droom er 's nachts van!' 'Van het voorjaar lekker in de tuin aan de slag,' geniet Yvonne. 'Met Rokus,' zegt Sanne. 'Want ik krijg een moestuin. En daar wil ik een terras.' Ze wijst door het raam en zegt: 'Heb je gezien dat het dubbel glas is? Grappig hè? Dat verwacht je dan weer niet. Het huis is helemaal goed geïsoleerd. Zelfs de zolder is voorzien van isolatiedekens en keurig afgetimmerd. En de kruipruimte is ook prima. Daar hebben ze ook iets tegenaan gemaakt. Daarom tocht de vloer niet.'
'Ik voel me hier nu al thuis. Het is toch heel wat anders dan een flat,' vindt Yvonne.
'Maar jouw flat is ook lekker, toch?' vraagt Sanne.
'Ik houd erg van de ruimte. En die heb ik daar wel,' knikt Yvonne. 'Toch, dit past bij jou. Zo'n huisje en zo'n tuintje. Ja. Dit is echt jouw huis. Heb je al kennis gemaakt met je buren? Die van de boerderij hier voor aan de weg?' Sanne schudt haar hoofd. 'Dat wilde ik vandaag meteen even doen. Loop je zo even met me mee?'
'Leuk,' zegt Yvonne meteen. Ze maken de aantekeningen af. Yvonne meet op, geeft maten door en Sanne noteert. De badkamer opmeten is een hele klus en ook bij de keuken meten ze voor de zekerheid alles drie keer na. Dan zijn ze er zo moe van, dat Sanne besluit: 'We gaan koffie halen bij de buren. Hoop ik!'
Ze lopen naar voren, Hazel volgt kwispelend. Sanne doet de keukendeur open en roept: 'Volk!' Een enorme herder springt grommend naar buiten en Hazel werpt zich piepend op haar rug.
'Kazan! Hier!' roept een woedende stem.

'O nee! Die hond bijt Hazel dood!' gilt Yvonne. De herder heeft zijn kaken om Hazels nek geslagen. Sanne aarzelt geen moment.

Ze pakt de herder bij zijn achterpoten en geeft hem een slinger. Hij piept van schrik en laat meteen los.
'Kazan, hier!' De stem klinkt nu nog woedender en Kazan loopt snel met zijn staart tussen zijn poten naar binnen. Sanne doet vlug de keukendeur achter hem dicht. Hazel staat inmiddels alweer kwispelend overeind en lijkt niets te mankeren. Ook als Sanne haar aait, piept ze niet.
'Ze heeft niks,' zegt Sanne geruststellend tegen Yvonne.
'Ik sta nog steeds te trillen,' concludeert die. 'Dit was niet bepaald een leuke kennismaking.' Sanne lacht. 'Ik heb nog niet eens een gezicht gezien! Jij?' Dan gaat de keukendeur weer open en de stem die net nog zo brulde, zegt nu rustig: 'Wat moet je?'
'Ik ben uw nieuwe achterbuurvrouw,' zegt Sanne. 'Ik heb het huis op nummer 44 gekocht.' Er komt een man naar buiten. Hij is groot, met een kop vol woest haar. Hij draagt een versleten en verwassen overall, een bodywarmer, en een gebreide das met oranje-zwarte strepen.
'En die hond? Is die van jou?' Hij wijst met een zwarte vinger naar Hazel. Sanne knikt. 'Dat is Hazel,' zegt ze.
'Dan moeten ze maar even kennismaken. Kazan weet nu wel dat er met jou niet te spotten valt. En ik ga mijn hond niet vastleggen op mijn erf. Dus ik ga hem loslaten en jij laat hem meteen zien wie je bent, oké?' Sanne knikt. De boer doet de keukendeur open en zegt meteen: 'Kazan, rustig.' Sanne staat rechtop, ziet de hond snel op zich afkomen, gooit haar stem omlaag en herhaalt: 'Kazan, rustig!' De hond kwispelt nu en houdt meteen zijn snelheid in. Hij snuffelt aan haar uitgestoken hand en kwispelt nog harder als Sanne hem begroet met: 'Goed zo jongen! Goed zo, Kazan!' Hazel begint meteen te snuffelen en daarna draaien beide honden om elkaar heen in hun begroetingsritueel. Tot slot gooit Hazel zich nog even kwispelend op haar rug om er geen misverstand over te laten bestaan: Kazan is de baas. Twee tellen later rennen ze samen rondjes, uitgelaten naar elkaars bek happend.

'Nou, dat gaat prima,' vindt Sanne. De boer kijkt goedkeurend knikkend toe, zijn handen in zijn zakken.
'Dat gaat best,' beaamt hij. 'Ik heet Lok. Boer Lok, zeggen de mensen. Je mag ook Jan zeggen. Maakt mij niet uit.' Hij haalt zijn handen niet uit zijn broekzakken, dus Sanne steekt ook haar hand maar niet uit. 'Ik ben Sanne van den Broek. Ik zou het leuk vinden als je Sanne zegt.' 'Komt best in orde,' knikt Lok.
'Ik ben Yvonne. Ik ben een vriendin van Sanne,' zegt Yvonne. En ze vervolgt nieuwsgierig: 'Is er ook een boerin Lok? Of woont u hier alleen?' Boer Lok schudt zijn hoofd. 'Sinds de dood van moeder ben ik alleen. Dat was in 1985. Het went. Het is alleen lastig met m'n haar. Moeder knipte altijd m'n haar. Nu doe ik het zelf.' Hij schudt zijn hoofd met de enorme bos weerbarstig haar dat alle kanten opgroeit. Yvonne grijnst. 'Als Sanne hier eenmaal woont, knipt zij het wel voor u,' zegt ze. Lok kijkt haar argwanend aan, maar Sanne knikt. 'Welja, dat kan ik best. Waarom niet? In ruil voor het lenen van een trekker als ik de sloot naast het huis moet schoonmaken, bijvoorbeeld?'
'Die trekker mag je evengoed wel,' zegt Lok. Hij voelt even aan zijn hoofd, alsof hij bij voorbaat al voelt wat Sanne daar allemaal af zal knippen. Dan keert hij zich om en doet de keukendeur weer open. Voor hij naar binnenstapt, zegt hij: 'Als je hulp nodig hebt, hoor ik het wel.' Hij fluit, Kazan komt aanrennen en vlak voor hij de deur dichtdoet, zegt hij nog: 'Nou, doeg.'
Yvonne en Sanne kijken elkaar aan. 'Geen koffie,' zegt Yvonne. 'Dat gaan we dan maar ergens anders halen. En meteen naar een badkamer kijken?' vraagt Sanne. 'Ja, en verf. En een wc. En schoonmaakspullen,' somt Yvonne op.
Even later zitten ze aan de koffie in een klein tentje dat bekend staat om zijn verse appeltaart. Dus daar hebben ze ook een enorme punt van besteld. Sanne neemt genietend nog een flinke hap van de slagroom en Yvonne zegt: 'Een beetje slagroom en dan meteen een klein slokje hete koffie, dat is ook zo goddelijk!'
'Ik heb een interessante buurman, vind je niet?' vraagt Sanne.

'Hij is een beetje oud,' vindt Yvonne. Sanne schiet in de lach. 'Jij verandert ook nooit! Zo bedoel ik het helemaal niet! Het is gewoon een grappig mens. Interessant. Niet dertien in een dozijn. Dat bedoel ik!'
'Ja. Ja. Ik denk dat hij zeker al in de zestig is. Jij niet?' vraagt Yvonne.
'Yvon, hou je nou op!' zegt Sanne verontwaardigd. Dan buigt Yvonne zich over het tafeltje heen en fluistert: 'Ja, weet je, dat komt, ik zou het zo leuk vinden als de hele wereld weer gelukkig was. Want ik, nou ja, ik heb eindelijk de liefde van mijn leven getroffen. Denk ik. Voel ik. Hoop ik.'
'Echt waar?' Sanne kijkt haar oprecht verrast aan.
'Echt waar. Hij is echt leuk en lief en gezellig en stapel op Renée en hij kan ook nog eens lekker koken!' Yvonnes ogen stralen als ze het aan Sanne vertelt.
'Maar hij is heel lelijk,' knikt Sanne. Yvonne lacht: 'Nee! Hij is prachtig! Als in een damesromannetje. Met zo'n hoekige kaak en een litteken op zijn wang en grijze slapen!'
'Foute man dus,' concludeert Sanne.

'Helemaal geen foute man!' verdedigt Yvonne. 'Nee, echt. Dit is hem. Denk ik.' Ze kijkt er zo serieus bij dat Sanne een lachkriebel voelt opkomen. En ze denkt: Daar gaan we weer. Yvonne heeft weer een complete vlindertuin in haar buik.
'Loop niet te hard van stapel, hè?' waarschuwt ze. Yvonne maakt een geruststellend gebaar.
'Nee, dit pak ik heel voorzichtig aan. Het contact is zo bijzonder. Ik heb hem zelfs nog niet eens ontmoet!' Sanne kijkt haar verbaasd aan.
'Nog niet ontmoet?!'
'Nee. Alleen gemaild. En gechat. Ik heb hem van een internetsite. Zo'n datingservice. En hij is zo grappig! En gevoelig. En leuk. Nou ja, alles!' Yvonne straalt haar tegemoet. Sanne kijkt haar verbaasd aan en zegt: 'Maar net zei je dat hij dol is op Renée en dat hij goed kan koken!' Yvonne knikt. 'Hij stuurt me

fantastische recepten. En hij doet er altijd een regeltje bij voor Renée. Echt heel lief.' Sanne schudt haar hoofd.
'Kijk je alsjeblieft uit?' vraagt ze.
'Je reageert wel erg kritisch voor iemand die nog niet zo lang geleden zelf een contactbureau wilde beginnen,' zegt Yvonne. Sanne knikt.
'Je hebt gelijk. Maar nu jij er zo over praat, zie ik weer allemaal leeuwen en beren op de weg. Dat is bezorgdheid. Ik kan er niks aan doen.'
'Weet ik toch,' zegt Yvonne vertederd. Ze klopt Sanne op haar hand. 'Ik weet wel dat je je alleen maar zorgen maakt. Maar ik doe niets overhaast. Heus waar. Dit lijkt in niets op die vorige malle actie! Daar schaam ik me nog voor! Maar goed, daar praten we niet meer over. Nee, ik ben heel voorzichtig. Ik gebruik zelfs mijn webcam niet. We mailen alleen. En chatten. Heel soms. Ik geniet van die mails, van zijn geestige toon. En ik kijk heus wel uit wat ik hem aan feiten vertel. Ik zit echt niet te wachten op een stalker of iets engs. Heus waar, lieverd.'
'Goed zo,' knikt Sanne moederlijk. En dan, meteen nieuwsgierig: 'Mag ik eens wat van hem lezen?' Yvonne schatert! 'Natuurlijk!' zegt ze. 'En je mag zijn foto zien.'
'Daar geloof ik bij voorbaat al niks van. De man die jij beschrijft is Geoffrey de Peyrac uit de *Angelique*-films. Daar heeft die computerminnaar van je vast een foto van gepikt!'
'O, wat hebben we vroeger gesmuld van die vreselijke films, hè?' herinnert Yvonne zich. 'Weet je nog? Die Angelique werd om de haverklap ontvoerd. Dan zat ze weer bij piraten, dan weer bij slavenhandelaars en dan weer in een harem. Pikant ook, voor die tijd! Ik weet nog dat mijn moeder het smerige films vond!'
'We moeten ze maar weer eens gaan kijken,' bedenkt Sanne. 'Weet je wat? Als ik eenmaal in mijn huisje woon, houden we een Angelique-avond. Met kersenbonbons en rode wijn.'
'Dat klinkt fantastisch. Schaapje wil vast ook wel. En je zus. En Daan en Abel natuurlijk!'

‘Echt een vrouwenavondje,’ lacht Sanne.
Even later lopen ze samen door de bouwmarkt. Sanne bestelt een aanrechtblad van behandeld hout met een ingebouwde vijfpits kookplaat en afvoerbak.
‘Weet je nu zeker dat alle gaten op de goede plek komen?’ vraagt Yvonne voor de zekerheid.
‘Ik heb het allemaal zevenenzeventig keer gemeten,’ zegt Sanne overtuigd. Ze lopen alle toiletpotten langs, totdat Sanne zegt: ‘Als ik toch een nieuwe pot moet installeren, dan wil ik liever een hangend toilet. Alles mooi strak betegeld tot aan het plafond. En een klein wasbakje in de hoek. Beter toch?’ Ze maakt een lijst van de spullen die ze wil hebben en werkt hetzelfde lijstje af bij de badkamerinrichtingen. Uiteindelijk heeft ze haar lijst compleet, inclusief wand- en vloertegels. ‘Overal hetzelfde. Wel zo makkelijk,’ vindt ze. ‘Dan kan mijn aannemer zelf shoppen met mijn lijstje. Die heeft een busje. Daar kan het makkelijk in.’ De tegeltjes voor de keuken nemen ze meteen mee, mooie handgevormde tegels in drie verschillende kleuren wit. En ze laden emmers muurverf, blikken witte glansverf, een heleboel kwasten, rollers, afdekplastic, uitrolbakjes, plastic handschoenen, schuurpapier en schoonmaakmiddelen in hun kar. Yvonne moet alle moeite doen om de volgeladen kar de bocht om te duwen en kreunt: ‘Zullen we eerst nog een kopje koffie nemen en een saucijzenbroodje of zo? Ik moet eten, hoor. Ik val om!’
Bij de eerste slok koffie in het kleine koffietentje van de bouwmarkt krijgt Sanne rillingen over haar rug. ‘Dit is extreem smerig,’ fluistert ze.
‘Ik ga het weggooien,’ zegt Yvonne meteen. Ze maakt malle grimassen om aan te geven dat ze moeite heeft met het doorslikken van het vreselijke bocht.
‘We zijn net gek. Ik geef het gewoon terug en bestel chocomel. Jij ook?’
‘Graag,’ zegt Yvonne. Sanne loopt met de twee kopjes naar de toonbank en zegt vriendelijk: ‘De koffie krijgt u terug. We vin-

den het niet lekker. En we willen graag allebei een chocomel.' Ze zet de kopjes neer en schuift ze naar het meisje toe. Die kijkt haar vijandig aan en zegt: 'Ik geef geen geld terug.' Ze geeft de kopjes een zetje in de richting van Sanne. Sanne glimlacht.
'Daar heb ik ook niet om gevraagd. Hoewel dat een aardige suggestie zou zijn.' Ze schuift de kopjes weer terug.
'Ja, wat moet je nou?' vraagt het kind vijandig.
'Twee chocomel graag. En geen koffie,' zegt Sanne nog maar eens.
'Ik was toch duidelijk? Ik geef geen geld terug!' De toon van het kind is nu een stuk feller en het gebaar waarmee ze de kopjes naar Sanne toeschuift is duidelijk. Ze neemt ze niet retour. Sanne blijft kalm. Ze zegt vriendelijk: 'Maar ik wil die koffie niet. Ik geef het terug. U kunt ons toch moeilijk verplichten die rommel op te drinken?'
'Meneer Boon!' krijst het kind. 'Er is een klacht!'

Achter de balie gaat een deur open. De man die in de deuropening verschijnt, veegt met een nonchalant gebaar zijn haar naar achteren en kijkt om zich heen. Wat een mooie man, denkt Sanne. Tot hij zijn mond opendoet en vraagt: 'Tisser?'
'Ze heb een klacht,' zegt het koffiekind. De man sluit zijn mond weer en knikt Sanne kort vragend toe.
'Ik wil de koffie inleveren en twee chocomel bestellen. Dat lijkt een probleem. Ik begrijp zelf niet goed waarom,' zegt Sanne afgemeten. Onderwijl denkt ze: Zonde van die tanden. Ze heeft ze gezien: vergeelde, deels donkerbruine stompjes. Zulke slechte gebitten zie je tegenwoordig nauwelijks meer. Nou ja, een enkele keer bij een dakloze verslaafde. Maar deze man is verder zo mooi.
'Regel dat,' zegt de man binnensmonds.

‘Maar dan moet ze die chocomel toch gewoon betalen?’ bitst het meisje.
‘Kind, ik sta hier al de hele tijd met mijn portemonnee in mijn hand,’ zucht Sanne.
‘Nou ja!’ Het koffiekind steigert. ‘U wilde in plaats van die koffie die chocomel!’ Sanne is het nu zat. We kunnen straks thuis ook nog wel wat drinken, bedenkt ze. Dus ze zegt: ‘Weet je wat? Ik heb helemaal geen zin in dit gezeur. Laat maar zitten.’ Ze keert zich om en wil weglopen. Maar dan hoort ze meneer Boon uitvaren tegen zijn personeelslid.
‘Je gaat nu meteen twee chocomel brengen naar dat tafeltje met de complimenten en je excuses dat je zulke smerige koffie hebt gezet. Heb je het zelf wel geproefd? Gooi die kan weg en zet nieuwe. Dit is ook echt niet te zuipen. Vooruit. Vlug. Anders kan je meteen je jas pakken.’ Sanne keert zich niet meer om. Ze loopt meteen terug naar Yvonne, ze gaat zitten en zegt: ‘Volgens mij krijgen we nu toch die chocomel. Maar ik betaal hem wel. Wat een gezeur.’ Dan ziet ze pas dat Yvonne verstard naar de balie zit te staren.
‘Yvonne? Wat is er? Moet je er niet om lachen?’ Ze bukt zich en fluistert: ‘Of zit je meneer Boon te bewonderen? Niet doen hoor. Ik heb z’n gebit gezien. Een spreekwoordelijk kerkhof. Echt een geval van diepgewortelde tandartsfobie. Oei, let op, daar komt onze chocomel.’ Meneer Boon arriveert zelf aan hun tafel en mompelt: ‘Uw chocomel. Met complimenten van de zaak. En excuses. Mijn assistent is even in de keuken om uit te huilen. Ik hoop dat het u smaakt.’
‘Dank u wel. Dat is heel vriendelijk van u,’ knikt Sanne. ‘Maar wij willen gewoon betalen, hoor.’
‘Daar komt niks van in,’ zegt Boon afgemeten. Wat zou die man opknappen van nieuwe tanden, bedenkt Sanne. Dan zou hij gewoon kunnen praten en lachen. Wat sneu. Dan ziet ze verwonderd hoe Yvonne nog steeds zonder een woord te zeggen naar Boon zit te staren. Boon maakt een lichte buiging en verdwijnt achter de balie. En Sanne sist: ‘Yvonne! Wat heb je toch?’

'Dat is Daniël,' fluistert Yvonne verbijsterd. 'Maar hij herkent me niet!'
'Wie is Daniël?' vraagt Sanne. Yvonne is meteen in paniek.
'Sssssst!' En pas als Sanne dicht naar haar toebuigt, krijgt ze het antwoord. 'Daniël is mijn internetvriend!' Sanne veert meteen overeind en kijkt naar de man achter de balie.
'Waarom zei hij je niet gedag? Of heb jij nog geen foto meegestuurd?' vraagt Sanne.
'Ja. Dat is ook zo raar. Hij lijkt me helemaal niet te herkennen!' kreunt Yvonne.
'Dat meisje noemde hem meneer Boon,' vertelt Sanne. Yvonne haalt haar schouders op.
'Hij heeft me nooit verteld wat zijn achternaam is.'
'Ga het dan meteen even vragen. Dan weet je het maar,' vindt Sanne. Yvonne schudt paniekerig haar hoofd. 'Nee! Dat is toch idioot! En dan, die tanden! Ja, dat heb ik ook gezien, natuurlijk.' Sanne schiet in de lach.
'En jij maar dromen van die ene zoen bij kaarslicht voor de open haard op een berenvelletje!'
'Schei maar uit,' zucht Yvonne.
'Ik weet wat,' zegt Sanne. Ze staat meteen op, loopt naar de balie en negeert Yvonnes 'Nee, niet doen!'
Voor de balie zegt ze: 'Heeft u nog twee saucijzenbroodjes voor ons?' Ze pakt haar portemonnee en begint het bedrag bij elkaar te tellen.
'Natuurlijk,' knikt Boon. Als hij ze aangeeft op een bordje met servetjes erbij, zegt Sanne: 'Dank u wel. Daniël, was het toch?'
Boon kijkt haar verbaasd aan. Dan schudt hij zijn hoofd.
'Nee, het is Henk. Henk Boon.'
'Ach, ik dacht dat ik u van vroeger kende. Van de lagere school. Nou ja, na zoveel jaar mag je je wel vergissen, hè?' Ze lacht hem stralend toe en loopt weg. Yvonne ziet er inmiddels uit alsof ze het liefst onder de tafel weg zou willen kruipen.
'Hij heet Henk. Henk Boon,' vertelt Sanne sussend.
'Hij heeft me een foto gemaild. Dit is Daniël. Echt waar. Weet je

wat? We gaan zo naar mijn huis en dan laat ik het je zien. Want ik denk dat ik gek aan het worden ben.' Ze ronden hun boodschappen af en brengen alles naar huis.
Bij Yvonne thuis laat Sanne zich op de bank ploffen. Ze meldt: 'Ik ben gesloopt. Totaal gesloopt.' Yvonne heeft meteen haar computer aangezet.
'Kijk nou! Hij zit op MSN!' Sanne kijkt mee en ziet hoe Yvonne intikt: 'Hé Daniël!'Even later tikt Daniël terug: 'Dag lief, lekker geshopt met Sanne?' 'Ik had het hem verteld,' knikt Yvonne. Ze tikt: 'Ja. We zijn naar de Megabouwmarkt geweest. Gelukkig kan je daar ook lekkere koffie drinken. Hoewel, het was vandaag niet te zuipen!' Sanne schiet in de lach en zegt: 'Ik ben benieuwd hoe hij daarop reageert!'

Op het beeldscherm verschijnt: 'Vieze koffie? Ja logisch! In een koffiehoek op een bouwmarkt. Schat, daar moet je ook geen koffie drinken.'
'Snap je dat nou?' vraagt Yvonne. 'Wacht!' Ze tikt wat in haar computer en daar verschijnt een foto van een lachende man met een bos donker haar, grijzende slapen, een litteken op zijn wang en prachtige tanden.
'Dat is Daniël,' zegt Yvonne. Sanne knikt langzaam en zegt: 'Inderdaad. Dat is Boon. Maar wel met mooie tanden.'
'Misschien is dat gefotoshopt,' zegt Yvonne. 'Of hij draagt een vals overzetgebitje of zo. Dit is raar hè?'
'Dit is heel raar,' beaamt Sanne. Yvonne buigt zich weer over haar toetsenbord en tikt: 'Ik dacht dat ik jou ook nog zag in de bouwmarkt?' Ze gaat rechtop staan en houdt haar adem in. Dan verschijnt in haar scherm: 'Was dat maar waar! Ik ben al de hele dag braaf aan het werk. Een opdracht voor een personeelsblad. Taai verslag. Moet nog even doorwerken. Zullen we vanavond mailen?'
'Is goed.' Met die twee woorden sluit Yvonne af. Ze zet haar computer uit en zegt: 'Eerst maar eens koffie. Het is toch wel een raadsel. Heel raar.'

'Ik ben echt benieuwd. Ga je hem nog gewoon vragen hoe het zit?' Yvonne knikt. 'Ja, natuurlijk. Vanavond vraag ik hem op de man af of hij wel zijn eigen foto heeft gebruikt.'
'Spannend! Laat je me wel weten hoe het afloopt?' vraagt Sanne.
Als ze even later naar huis rijdt, Hazel ophaalt en met haar naar de school van Rinke wandelt, denkt ze na over het hele voorval.
'Oma, je luistert helemaal niet,' moppert Rinke. Sanne lacht en geeft haar een kneepje in haar hand.
'Je hebt gelijk, pop. Nu luister ik wel. Dat beloof ik. Vertel maar.' En Rinke vertelt. Over juf, die vandaag helemaal in de war was. 'Want we moesten eigenlijk rekenen vanmiddag. Maar we zijn lekker bezig gebleven met tekenen. En het was zo gezellig! En juf heeft voorgelezen. Nu gaan we morgenochtend twee keer zo hard werken. Dat hebben we beloofd. Het was fijn. Ik vind school heel leuk.' Sanne sluit de juf meteen in haar hart om deze actie. Heerlijk als je zo met kinderen kunt omgaan en ze enthousiast kan maken. 'Dus je moet morgen dan wel heel erg je best doen,' merkt Sanne op.
'Tuurlijk!' zegt Rinke. 'Ik ga driedubbel mijn best doen. En Barry ga ik slaan.'
'Och, nee toch?' Sanne doet alsof ze heel erg schrikt en Rinke lacht. 'Nou ja, ik ga hem niet zo hard slaan, denk ik. Maar hij zit me de hele tijd te plagen. Dan trekt hij aan mijn haar en zo.' Ach, prille liefde, denkt Sanne vertederd.
'Misschien moet je hem vragen om daarmee te stoppen. Dan leg je hem uit dat je het niet leuk vindt?' Rinke haalt haar schouders op.
'Mag ik even rennen met Hazel?'
'Ja, doe maar.' Vertederd kijkt Sanne ze na. Dat kleine heerlijke kind. Wat wordt ze mooi. Wat is ze mooi. En wat voelt het bijzonder, zo eigen, zo vertrouwd. Sanne kijkt toe hoe Rinke voortholt met Hazel, kwispelend en zichtbaar gelukkig, naast haar. Wat een bezit, bedenkt ze. Had Rob dit nog maar mee kunnen maken. Meteen slaat er een golf verdriet door haar heen. Alles

wat je lief hebt, kun je kwijtraken, bedenkt ze triest. Maar dan zwaait Rinke: 'Dag oma!' Sanne vermant zich en zwaait vrolijk terug.
's Avonds, als Rinke al lang slaapt en Sanne met Wichard naar de televisie zit te kijken, zegt ze: 'Dit weekend ga ik aan de slag in het huis. Hebben Jennifer en jij nog zin om te helpen?'
'Eigenlijk niet,' zegt Wichard. En als Sanne verbaasd opkijkt: 'Ik wil je zo lang mogelijk hier houden. Ik zal je missen, mam.'
Ze krijgt daar meteen tranen van in haar ogen. Wichard schrikt ervan. 'Niet huilen, hoor mam! Ik plaag maar een beetje. En ook al zal ik je missen, ik weet best dat het beter is. Voor jou. En ook voor mij. Maar we hebben zoveel meegemaakt, dat het wel prettig was om me even weer een beetje kind te voelen. Lekker iedere dag thuiskomen bij je moeder!'
'Ik vond het ook lekker om weer eens te kunnen moederen,' knikt Sanne. 'Maar ik verheug me ook enorm op het nieuwe huis, op de rust en de vrijheid.' Wichard knikt.
'Dat snap ik best. Eigenlijk ben je geen mens voor een flat.'
'Dus komen jullie ook schilderen?'
'Absoluut,' belooft Wichard.
'Mooi. Dan ga ik nu nog even met Hazel om,' zegt Sanne. Buiten besluit ze Yvonne te bellen met haar mobiele telefoon. Het is een heldere avond, er is geen wolkje aan de lucht en het gras kraakt, als Hazel er overheen loopt. Het is kou, maar omdat er geen zuchtje wind staat, voelt het heerlijk aan. Yvonne heeft al gezien dat Sanne belt, dus die begint meteen met: 'Sanne? Ik weet het nu! Moet je horen! Daniël heeft een foto van een model gebruikt! Hij is eigenlijk heel lelijk. Dat heeft hij nu opgebiecht. En we hebben gegild van het lachen! Dat dat model nu juist in de koffiehoek van de bouwmarkt werkt! En dat wij hem hebben gespot! Dat is ook raar, toch?'
'Ja, schat, dat is raar. Maar het is nog veel raarder om je te verstoppen achter de foto van een ander. Of niet?' vraagt Sanne nuchter.
'Daniël is gewoon verlegen. En hij zal nu een echte foto opstu-

ren. Dat heeft hij beloofd,' verdedigt Yvonne. Dan zegt Sanne ineens: 'Weet je wat ik nog het raarste vind? Henk Boon als fotomodel!'

Iedere dag is Sanne druk aan het werk. En iedere dag zijn er handige of minder handige vrienden om haar te helpen. De aannemer die ze in de Gouden Gids had opgezocht, heet Bertje. Zo noemt hij zichzelf ook tot vervelens toe. 'Bertje zal dat varkentje wel wassen.' 'Bertje moet even in de auto naar een trekveer zoeken.' 'Bertje heeft dat maar weer mooi gefikst.' 'Bertje verschijnt morgenochtend al om zes uur.' Vanwege die laatste uitspraak heeft Sanne hem meteen de eerste dag al de sleutel gegeven, met de mededeling: 'Dan kan Bertje zijn gang gaan.' Al gauw begint de badkamer vorm te krijgen. Ook de wc en de keuken neemt de aannemer onder handen. Als ze op een dag met Daan en Abel de kozijnen staat te schuren, komen haar zusje Cathy en haar zwager Willem langs.
'Oeioei,' loeit Abel meteen. 'Foute kleding!' Cathy heeft een zwarte wollen mantel aan en de kamer stuift van het stof.
'Ik kom ook maar even. We komen van het weekend even helpen, hè Wim? Of is het dan al af?' vraagt Cathy, terwijl ze Sanne drie kussen geeft. Sanne lacht, schudt haar hoofd en begroet haar zwager. 'Nee, voorlopig, dag Willem, wat leuk, voorlopig zijn we nog niet klaar, leuk dat jullie er zijn, en jullie hulp is meer dan welkom,' zegt ze.
Cathy knikt vastberaden. 'Dan komen we zaterdag. Wat moeten we dan doen? Het is maar klein, hè? Nou, heel klein! Echt een arbeidershuisje, hè? Van een boerenknecht, denk ik. Klein tuintje ook. Is dat laminaat op de vloer? Dat ziet er een beetje goedkoop uit, Sanne. Daar kan je beter een houten vloer in gooien. Laminaat past helemaal niet in zo'n omgeving. Je moet het puur

houden. Wat zeg je, Wim? Is het hout? Welnee. Die deuren kunnen ook wel een likje verf gebruiken. Is de vloer niet rot? Welke aannemer heb je? Wie? Daar heb ik nou nog nooit van gehoord. Werkt hij wel netjes? Je moet ze nalopen hoor. Het is zulk onverschillig volk. Ze gooien zo hun beitels in je nieuwe badkuip. Jawel Wim, dat heb ik meegemaakt. Nou ja, niet meegemaakt, maar gehoord.'
Daan staat met open mond naar Cathy te kijken, vermant zich als ze even een stilte laat vallen en zegt dan tegen Sanne: 'Ik vind het altijd zo gezellig als je zus er is!'
'Ik vind het ook altijd heerlijk als jullie er zijn,' knikt Cathy. 'Zo grappig, hè, die vriendschap tussen jullie en Sanne. Ik zeg wel eens tegen Wim, ik zeg, iedere vrouw zou eigenlijk een homovriendje moeten hebben om lekker mee te shoppen. Ja! Want jullie zijn man en jullie houden van winkelen en jullie hebben smaak! Ja toch? Ja, wat dat betreft heb ik geen enkel vooroordeel, hoor. Nou Wim, kom, we moeten nog boodschappen doen. We gaan weer.'
'Wij zijn er zaterdag niet, hoor,' waarschuwt Abel.
'Nee. Wij zijn shoppen,' vult Daan aan. Abel schiet in de lach en Daan giechelt meteen mee.
'Waarom hebben ze nu ineens zo'n pret?' informeert Cathy. En als Sanne haar schouders ophaalt, zegt ze: 'Nou ja, het is altijd een gezellige boel met ze. En ik ga vanavond hachee maken met aardappelpuree en rodekool met appeltjes en ik breng meteen wat naar jou toe. Dan hoef je lekker niet te koken. Ik breng wel voor een man of zes. Dan heb je tenminste genoeg.'
'Nou, wat lief!' zegt Sanne ontroerd. En Daan en Abel roepen meteen: 'Dan komen wij ook eten! Anders krijg je dat allemaal niet op, Sanne. Leuk, Cathy!'
'Kleine moeite,' lacht Cathy. Willem zwaait nog wat en daar gaan ze weer.
'Het blijft een verwarrend portret, die zus van je,' vindt Daan.
'Ja, wonderlijk hè?' beaamt Sanne.
De aannemer komt binnenlopen en zegt: 'Bertje moet kranen

hebben voor de douche en voor het wastafelmeubel. En die heeft u niet op uw lijstje gezet. Dus als u het niet erg vindt, zou ik willen voorstellen om even met Bertje naar de bouwmarkt te rijden.'
'Prima,' zegt Sanne. 'Nu meteen?'
'Dat lijkt Bertje een prima idee.'
Dus rijdt ze even later het erf af met de aannemer. In de verte ziet ze boer Lok op zijn land lopen. Die gaat zeker zijn schaapjes tellen, denkt ze. Bertje houdt in de auto tot haar opluchting zijn mond en ze zit naast hem te luisteren naar oude liedjes van de Beatles, die ze allemaal herkent en mee neuriet.
'Fan van de Beatles?' informeert Bertje.
'Geweest. Ooit,' zegt Sanne. 'Dit zijn allemaal oudjes. Van de lp *Rubber Soul*.'
'Ah, je bent een kenner!'
'Nee,' lacht Sanne. 'Het was gewoon één van de eerste platen die ik ooit heb gekocht.'
Als ze door de bouwmarkt lopen, neuriën ze nog steeds na.
'Bertje zingt altijd "Norwegian wood" bij de parketafdeling,' grijnst de aannemer. Als ze langs de koffietent komen, zegt hij: 'Hier serveren ze de smerigste koffie van het hele westelijke halfrond. Kom, ik zal je eens voorstellen aan de eigenaar. Dat is een vriend van Bertje.'
'Henk Boon,' zegt Sanne.
'Ken jij die? Waar ken jij die van?' vraagt Bertje verbaasd.
'Gewoon. Van zijn koffie.'
'Ja, dat maakt ook wel indruk,' knikt Bertje. Inmiddels zijn ze bij de balie beland. Er is niemand te bekennen. Bertje geeft een klap op het belletje op de toonbank, de deur achter de balie gaat open en een meisje verschijnt. Een ander meisje dan de laatste keer, ziet Sanne.
'Bertje komt voor Henk. Henk Boon,' meldt de aannemer.
'Die is met zijn broer op pad,' vertelt het kind,
'Ah! Met Tanden Tinus?' vraagt Bertje amicaal.

Het meisje lacht en knikt.'Ja, inderdaad. Met Tanden Tinus.'
'Tinus is de tweelingbroer van Henk. Met een heel mooi gebit,' legt Bertje uit aan Sanne.
'Ze zijn naar een speciale kliniek. Voor mensen met tandartsangst. Tinus heeft net zo lang doorgedramd tot Henk toegaf,' vertelt het meisje nu.
'Potverdorie, wat zal ie daarvan opknappen! Bertje weet straks vast niet wat hij ziet. Sjonge! Doe maar eens twee van die overheerlijke koppen koffie, kind.'
'Dus er is een broer met tanden,' begrijpt Sanne. Bertje knikt. 'Tinus is fotomodel. Voor reclameblaadjes en zo. Je kent dat wel. Heeft ie een leuke boterham aan. Ze gebruiken hem ook wel eens voor romannetjes. Je weet wel, die damesromannetjes. Dan is hij weer dokter met een beeldschone verpleegster en dan weer kaperkapitein met een exotische schone. Ja, die jongen heeft een leuk leventje. Maar Bertje is niet jaloers. Bertje houdt van timmeren.'
Terwijl Bertje lekker doorbabbelt, bedenkt Sanne dat ze nog steeds niet van Yvonne heeft gehoord of de ware Daniël een beetje meevalt. Misschien is ze wel helemaal verliefd geworden op de beeltenis van Tanden Tinus! Ze moet er een beetje om grinniken. Zo grappig dat Bertje zonder het te weten het hele raadsel voor haar heeft ontrafeld. En gek genoeg is ze oprecht blij voor Henk Boon. Wat zal die man opknappen als hij een mooi gebit heeft.
'Laat je koffie niet koud worden,' waarschuwt Bertje. Sanne neemt een slok en griezelt. Bertje lacht.
'Wat zei ik? Echt de slechtste van de hele wereld!'
Sanne zoekt kranen uit en Bertje wijst nog een paar dingen aan die hij nodig heeft voor de afvoer. Al gauw hebben ze een kar vol spullen.
Op de terugweg zegt Bertje: 'Ik heb naar schatting nog een klein

dagje nodig. Dan zit het karwei er weer op. En weet je wat ik in het weekend voor je kom doen? Dan zet ik je aanrechtblad erop. Ik had het wel zien staan en ik heb die vrienden van je bezig gezien, maar echt handig zijn ze niet, hè? Dat is dan een cadeautje van Bertje. Hoort zegt het voort.'
'Dat zal ik zeker doen. Ik prijs je aan bij iedereen die met een klusje zit. Ik ben echt hartstikke blij met je,' zegt Sanne meteen.
Als ze terug zijn, besluit Sanne eerst Hazel uit te laten, voor ze verder gaat met het schilderwerk.
'Ga maar. We zijn bijna klaar met schuren. Dan halen we een doek erover en dan gaan we de boel in de grondverf zetten. Dan begint het echte werk,' zegt Daan. Abel staat in zijn handen te wrijven en zegt: 'Al mijn vingers doen pijn. Het meeste moet je toch gewoon met een papiertje doen. Zo'n schuurmachine is alleen maar geschikt voor de grote oppervlakken.'
'Die baby is niks gewend,' pest Daan.
Als Sanne terugkomt van haar wandeling, komt ze op het erf boer Lok tegen. Hij loopt op haar af, met zijn handen in de zakken van zijn overall en zegt: 'Zo.'
'Ja. Mooie middag,' antwoordt Sanne.
'Sneeuw in de lucht,' knikt Lok.
'Is het echt?' Sanne kijkt verbaasd naar boven. Het is behoorlijk bewolkt, dat wel. Maar sneeuw?
Lok steekt een vinger in de lucht en declameert: 'Winterspreeuw en zomerspreeuw geven vaak een flink pak sneeuw.' Sanne schiet in de lach.
'Ik zal u gauw eens voorstellen aan jufrouw Schaap. Daar zult u het goed mee kunnen vinden.'
'Je zou toch "jij" zeggen?' informeert Lok.
'O. Ja,' knikt Sanne. 'Maar wat betekent dat gedoe met die spreeuwen?'
'Ik zag een zwerm zomerspreeuwen arriveren. En onze winterspreeuwen gaan nog niet weg. En dat zou kunnen betekenen dat we sneeuw krijgen. Vandaar,' legt Lok uit.
'Juist. Nou, we zullen zien. Van mij mag het,' lacht Sanne.

‘En wie is die juffrouw Schaap?’ informeert Lok nieuwsgierig als Sanne doorloopt.
‘Mijn eigen wandelende spreukenwoordenboek,’ roept Sanne terug. Ze zwaait en Lok keert zich hoofdschuddend om. ‘Wacht maar af,’ mompelt hij.
Het schilderwerk schiet fantastisch op en aan het eind van de dag doen al haar spieren zeer.
‘Op naar de hachee van Cathy,’ zegt Daan. Abel kreunt alleen nog maar.
Maar in de flat is het heerlijk warm en gezellig. Wichard heeft het eten van Cathy al opgezet en een heerlijke geur komt hen tegemoet. Ook Jennifer is er en Rinke springt meteen om de nek van Daan en Abel, die waarschuwen: ‘Voorzichtig! Voorzichtig! We zijn helemaal afgeknoedeld door al dat werk in het paleis van je oma, lieverd. Voorzichtig!’ En ze lopen zo mal demonstratief krom, dat Rinke bijna omrolt van het lachen.
Het eten is heerlijk en het is heel gezellig, maar door al het zware werk slaat de vermoeidheid snel toe. Bijna meteen na de koffie staat Daan op en zegt: ‘Lieverd, kom, we gaan. Ik moet mijn bed in. Anders val ik straks in slaap in de auto.’ Abel staat dadelijk op en ook Sanne hijst zich overeind. ‘Ik loop even met jullie mee. Hazel moet er toch uit.’ Als ze de galerij oplopen, ziet ze het meteen. Het sneeuwt. Er ligt al een dun laagje in de straten en de vlokken vallen traag en statig recht naar beneden. Ze houden even hun adem in.
‘Wat prachtig,’ fluistert Daan.
‘Boer Lok had het al voorspeld, vanmiddag,’ vertelt Sanne.
Als Daan en Abel instappen, rinkelt Sannes telefoon. Ze kijkt en zegt: ‘Dat is Yvonne!’
‘Neem maar gauw op. Dag schat!’ roepen Daan en Abel. Sanne drukt de gesprekstoets in en zegt: ‘Hé Yvonne!’
‘Sanne, ik ben zo blij dat je opneemt. Mijn internetgeliefde heeft een foto gestuurd. Een heel duidelijke foto.’

Met de telefoon aan haar oor stapt Sanne langs de stille straat naar het park. De sneeuw heeft een geluiddempend dekentje neergelegd over de stenen en ze fluistert bijna, als ze tegen Yvonne zegt: 'Vertel eens gauw.'
'Nou, ik zit nu naar die foto te kijken. Al heel lang. Hij staat op mijn beeldscherm en is heel groot. En heel duidelijk.' Yvonne lacht even, aarzelend.
'Hoe ziet hij eruit?' Het duurt Sanne allemaal veel te lang. Kon ik die foto ook maar zien, denkt ze ongeduldig.
'Ja. Lastig uit te leggen,' begint Yvonne. Sanne schudt haar hoofd en zegt: 'Kind, doe nu even of je net beroofd bent. Je hebt het gezicht van de dader voor je en je zit op het politiebureau aangifte te doen. Oké? En nu ga je hem beschrijven voor een opsporingsbevel.' Yvonne schiet in de lach en zegt: 'Oké, luister. Hij is, nee, ik weet natuurlijk niet hoe groot. Hij is niet dik. Nee. Dat denk ik tenminste niet. Hij ziet er wat gemiddeld uit. Maar misschien heeft hij wel een buikje. Dat kan ik natuurlijk niet zien.'
'Yvonne! Vertel nou!'
'Ja, ja, sorry. Hij is kalend. Fout geknipt haar. Wat langer in zijn nek. Niet over zijn kale hoofd gekamd, gelukkig. Dat zou echt een rampje zijn. Maar wel te lang voor zo'n doorschijnende schedel. Hij heeft een brilletje. Fout brilletje, zwaar montuur, oud model. Beetje drie halen, één betalen en een brillenkoker gratis. Hij heeft aardige ogen. Zit een geestige twinkeling in. En een snor. Ook slecht geknipt. Peper en zout. Met wat dikke langere haren erin. Ik kan zijn mond dus niet zien. Misschien heeft hij een hazenlip. Dat weet ik niet. Een flinke neus. Stevig. Geen rare knobbels erop. Redelijke huid. Gelooid, dat wel. Zo'n mannenhuid van een man van in de vijftig die nooit wat op zijn gezicht smeert. Wat uitgedroogd, eigenlijk. Verkeerd kraagje boven een verkeerde trui. Hij ziet er vreselijk burgerlijk uit. Zo'n man

die naar de markt gaat met zijn vrouw en dan zuchtend de tassen draagt. Veel te lief en altijd afgebekt. Een beetje sneu. Ik zou nooit naar hem kijken, als ik hem op straat zag. En ik zit nu al bijna een halfuur naar hem te staren! Nou, dat is het wel een beetje.'

'Dat klinkt weinig hoopvol,' zegt Sanne

'Ja. Ik ben er een beetje van in de war,' bekent Yvonne. 'Ik denk dat ik hem eigenlijk toch een keer wil ontmoeten. Ik wil weten van dat buikje, en hoe lang hij is en hoe zijn stem klinkt. Want hij kijkt wel heel lief. En hij is zo leuk in zijn brieven.'

'Je hebt groot gelijk. Wie weet is dit wel de man van je leven en kan die snor er gewoon af! Bovendien, Rob had ook een snor. En als je die een beetje leuk knipt, kun je heel goed houden van een man met een snor,' zegt Sanne. Ze glimlacht erbij, ondanks het enorme verdriet en gemis, elke keer als ze Robs naam noemt.

'Ja. Je hebt groot gelijk. Weet je, misschien moet deze Daniël gewoon een keer in de make-over!' lacht Yvonne.

'Nou, dan weet ik wel twee mannen die hem graag een keer onder handen zouden willen nemen,' zegt Sanne meteen.

'Daan en Abel! Briljant idee! Ik ga Daniël bellen. Een afspraak maken. Wordt vervolgd!' Yvonne hangt op en Sanne stopt de telefoon in haar jaszak. Inmiddels is ze met Hazel in het park beland en alles lijkt licht door de sneeuw. Nog steeds vallen de vlokken gestaag en omdat er nauwelijks wind staat, is het heerlijk om te wandelen. Hazel rent enthousiast rond en steekt haar neus in ieder holletje en bergje.

Als ze weer thuis komt, zit Wichard op de bank op haar te wachten.

'Mama, ik wil nog even met je praten, voor we naar bed gaan,' zegt hij.

'Jongen, dat klinkt serieus.'

'Dat is het ook,' zegt hij. 'Wijntje?'

'Graag. Rood.'

Wichard schenkt in, Sanne geeft Hazel nog een hondenkoekje en dan, als ze allebei zitten met hun glas wijn, schraapt Wichard

zijn keel en zegt: 'Als jij eenmaal in je huisje zit, zou je er dan bezwaar tegen hebben, dat, nee, dat zeg ik verkeerd, ik bedoel te zeggen, zou jij er moeite mee hebben wanneer, ahum, dit gaat helemaal niet goed, mam. Sorry. Ik begin opnieuw. Oké. Daar gaat ie. Jennifer en ik hebben besloten te gaan samenwonen. Zo. Dat is eruit.'
'En hoe voelt dat?' glimlacht Sanne.
'Dat voelt enorm goed. Rijk, gelukkig, compleet, vol beloften en héél spannend!' Hij kijkt haar met glinsterende ogen aan, maar toch een beetje onzeker. Zijn brede glimlach ziet ze pas, als ze haar glas heft en zegt: 'Dan drink ik op jouw geluk, lieverd. En op het geluk van Jennifer en Rinke. Dat jullie met z'n drietjes een heerlijk gezin mogen vormen.'
'Een gezin, waar jij altijd welkom bent, mama,' zegt Wichard schor.
'Nou, wat lief,' zegt Sanne ontroerd. Ze moeten allebei lachen om de tranen in hun ogen en Wichard zegt: 'Mooi stel zijn we. Niet verder vertellen, hoor.' Sanne lacht. Voor ze gaat slapen, kijkt ze nog even naar buiten. Er ligt een behoorlijk pak sneeuw, maar door het autoverkeer is de de weg modderig. Alleen op de stoepen en in de groenstroken rond de flat is de wereld smetteloos en prachtig. Ze kijkt en denkt: 'Jennifer wordt de nieuwe mama van Rinke.' Oei. Dat steekt. Ik moet met haar praten. Haar leren kennen. Jennifer. Dan piept haar telefoon. Er is een berichtje.

Op het kleine beeldscherm van haar telefoon leest Sanne: 'Heb afspraak. Zondag. Je moet mee! Slaap je al?' Ze aarzelt maar heel even. Dan belt ze Yvonne op.
'Ik hoopte zo dat je nog zou bellen,' zegt die dankbaar.
'We lijken wel weer achttien,' lacht Sanne.
'Achttien? Zestien!'

‘Vertel.’
‘We hebben afgesproken bij een veiling. Zo’n grappig idee. Hij vertelde me dat hij daar vreselijk aan verslaafd is. Hij koopt nooit wat, maar hij vindt het zo fantastisch om erbij te zijn. Dus daar zien we elkaar. En daarna gaan we wat drinken. Misschien. Maar als ik hem eng vind, dan wil ik meteen weg. Dus ik dacht, als jij nu mee gaat? Dan heb ik rugdekking, zeg maar.’
‘Ja, zeg, jij bent ook een mooie! En als je hem wel leuk vindt, zit ik in mijn eentje op een veiling!’
‘Shit ja. Dat is waar.’ Er valt een korte stilte. Dan zegt Yvonne: ‘Vraag Schaapje mee. Die vindt een veiling vast hartstikke leuk. Gaan we lekker met z’n drietjes. Is dat geen goed idee?’ Sanne schiet in de lach.
‘Weet je, zal ik Daan, Abel, Cathy, Willem en Wichard en weet ik wie nog meer ook maar mee vragen? Ach, nee hoor. Ik plaag je maar. Ik vind het een prima plan. Ik bel Schaap morgen wel. Die kan meteen aanvoelen of die Daniël van jou wel deugt. Dus dat is mooi meegenomen.’
‘Ja! Daar had ik nog niet eens aan gedacht! Ideaal! O, ik heb er zin in. Hij klinkt zo leuk!’
‘Misschien moet je hem maar met je ogen dicht begroeten,’ zegt Sanne.
‘Jij bent erg! Ik hang op. Vreselijk ben je.’ Ze lachen samen en wensen elkaar welterusten.
‘Vijftien. Geen jaar ouder,’ zegt Yvonne nog.
‘Ja, treurig.’ Dat zijn Sannes laatste woorden. Als ze even later in bed ligt, moet ze nog een beetje lachen om de malle afspraak. De volgende dag kan ze juffrouw Schaap al meevragen, want die meldt zich heel vroeg in de ochtend om te helpen in het nieuwe huis.
‘Leuk,’ zegt Schaap. Het is prachtig windstil weer. Een waterig zonnetje staat aan een stralend blauwe lucht en alles is nog wit van de sneeuw. Schaap scharrelt heen en weer met planken en restjes hout en maakt midden op het grasveld een vuur om de rommel te verbranden.

'Mag dat wel?' vraagt Sanne.
'Het is ongeverfd hout,' antwoordt Schaap. Als Sanne niet reageert, bromt ze: 'Er mag zoveel niet.'
'Het is wel leuk, zo'n vuur,' vindt Sanne. Ze kijken in de vlammen. Schaap heeft net een deel van de betimmering van de oude badkamer uit de container getrokken en warmt tevreden haar handen.
'Vuur in de morgen brengt een dag zonder zorgen,' zegt boer Lok, die de tuin ingewandeld is. Schaapje kijkt verstoord op.
'Is dit de man van de weerspreuken?' vraagt ze aan Sanne. Sanne knikt.
'Dat is boer Lok. En dit is juffrouw Schaap.' Boer Lok keurt Schaapje met geen blik waardig en ook Schaap kijkt nauwelijks opzij.
'Die spreuk van je gebruikte mijn grootvader als hij de ram naar de schapen had gebracht,' zegt Schaap.
'Zo.'
'Eén nacht sneeuw en windstil weer brengt al te gauw de zwaluw weer.' Schaap slaat tevreden haar armen over elkaar.
'Wie al te licht verwacht de lente, betaalt de winter nog lang rente,' pareert Lok. 'En wie begin maart zijn muts af wil, die hoest nog door tot half april.' Hij heeft zijn vinger triomfantelijk geheven en kijkt Schaap nu recht aan.
'Zo gauw het zonnetje gaat stoven, komt razendsnel de sneeuwklok boven,' zegt Schaap uitdagend. Sanne heeft met open mond naar deze gedateerde rapbattle gekeken en zegt nu: 'Zullen we maar koffie gaan drinken? Want ik denk dat jullie het over het weer toch niet eens worden.'
'Koffie is altijd lekker,' zegt Lok.
'Dat helpt je misschien meteen om wat optimistischer om je heen te kijken,' snuift Schaap. 'Kijk!' Ze wijst naar het grasveld waar hier en daar bosjes sneeuwklokjes staan.
'Jij lokt ze naar boven met dat gestook,' vindt Lok. Schaap grinnikt een beetje en gooit nog een paar planken op de hoop. Even later zitten ze aan de koffie te praten over het waterbeheer en dat

het een schande is dat die computergestuurde bemaling vaak veel te lang op zich laat wachten.
'Het staat hier vaak helemaal blank. Vroeger zag de dijkgraaf dat het zou gaan regenen en dan werd er op voorhand bemalen. Maar ja, kom daar nu eens om bij zo'n computer. Die slaat pas aan als je al tot je nek in de ellende zit,' moppert Lok.
'Ze gaan hier het grondwater ook verzilten, hè? Hoe doe je dat straks met je schapen?' informeert Schaapje geïnteresseerd. Lok vertelt, moppert, legt uit en Sanne steekt zo heel wat op over het gebied waar ze nu woont.
'Ik zou maar naar alle informatiebijeenkomsten gaan als ik jou was,' raadt Schaapje haar aan. 'Straks woon je midden in een moeras.'
'Als die natuurbeschermers hun zin krijgen, gaan we straks allemaal dood aan malaria,' zegt Lok somber.
'Je bent geen vrolijke man,' zegt Schaap. En daar moet Lok ineens erg om lachen.
De rest van de dag schilderen ze. Schaapje bewondert de badkamer, de keuken en de wc die prachtig zijn geworden en aan het eind van de dag zien ze dat het werk al aardig opschiet.
'Zondag naar de veiling en daarna verhuizen,' zegt Sanne tevreden. Schaapje loopt rond met kruidenzakjes die ze in alle hoeken legt. Als dat klaar is, zegt ze: 'Dit moet een beetje helpen.'

'Helpen?' vraagt Sanne.
'Kruidenzakjes helpen om de kwade herinneringen te verdrijven en de beschermengelen welkom te heten,' legt juffrouw Schaap uit. Sanne kijkt om zich heen. Haar nieuwe huis. Bijna helemaal klaar. Opgeknapt, geschilderd, verbouwd, schoongemaakt, helemaal zoals ze het zich bij het begin al had voorgesteld. Waar ze straks gaat wonen met al haar eigen herinneringen en aan ver-

driet. Daar kan ze geen herinneringen van andere mensen bij verdragen.
'Zijn hier dan zoveel kwade herinneringen?' vraagt ze bezorgd.
'Niet meer dan overal elders,' zegt Schaapje rustig. 'Kwade herinneringen heb je overal. Het is maar net hoe je met ze omgaat. De één verbant ze snel. De ander koestert ze juist en wentelt zich erin. Hoe dan ook, ze zijn er. En de kruidenzakjes neutraliseren dat.'
'Oké. Dan hoop ik maar dat het werkt.'
'Je zult dit huis kleuren met eigen herinneringen. En het tot je thuis maken,' verzekert Schaap haar.
Als ze wegrijden, loopt boer Lok net naar de schapen, met Kazan naast hem. Als Sanne haar hand opsteekt, zwaait hij voor het eerst terug.
'Daar ga je een goeie buurman aan krijgen,' zegt Schaap.
'Dat denk ik ook,' knikt Sanne.
De dagen vliegen om. Als de laatste streek verf gezet is en Sanne eindelijk alle verfpotten en kwasten kan opruimen, begint het inrichten. Ze monteert houten gordijnrails en hangt lichte gordijnen op, brengt de paar meubeltjes die ze in de flat heeft staan over, richt de keuken in en beseft dat ze zo ontzettend veel moet kopen, dat er bijna geen beginnen aan is.
Lok loopt haar tuin in op het moment dat ze voor het raam staat te bedenken dat ze nog geen tuinstoelen heeft. En dat een bankje achterin de tuin ook wel erg leuk zou staan. Hij steekt zijn hand op en maakt het gebaar van 'koffie?' Sanne wenkt hem meteen. Kom maar! Ik ben er ook aan toe. Hij trekt zijn klompen uit bij haar keukendeur en stapt de kamer in.
'Dat wordt mooi,' zegt hij tevreden.
'Ik moet nog een hoop spullen kopen. En ik vind het niet prettig dat het straks allemaal nieuwe spulletjes zijn. Net of er geen ziel in het huis zit. Maar ja, alle oude dingen zijn weg.' Lok knikt. Hij weet wat er met Sannes oude huis is gebeurd.
'Ik heb nog een compleet oud servies. Van mijn tante. Tante Geertruida. Ze was een tweelingzus van mijn moeder. Moeder

heette Anna Geertruida en haar zus heette Geertruida Anna.' Lok glimlacht bij de herinnering. 'Ik heb van haar een servies geërfd. Dat is echt wat voor jou. Je moet zo maar even meelopen.'
'Graag,' zegt Sanne verrast.
'En ik maak een hondenhok voor je. Voor Hazel.'
'Echt waar? Dat vind ik fantastisch!'
'Nou ja, voor al die koffie...' Lok neemt nog maar eens een slok en pakt een koekje uit de trommel die Sanne hem voorhoudt.
'Ik heb ook nog een mooie oude koektrommel. Dat lijkt me ook wel wat,' zegt hij.
Een half uurtje later staat Sanne in het huis van boer Lok voor een enorm kabinet. Lok wijst. Dat servies, met dat kleine roosje, is dat niet leuk? En helemaal compleet, negendelig.
'Zelfs een soepterrine,' zegt Sanne. Ze voelt zich helemaal gelukkig bij het zien van het prachtige klassieke servies. De koektrommel heeft een Japans aandoende schildering van gouden takken met roze jasmijn. Daarop zitten twee vogeltjes aandoenlijk tegen elkaar aan te kroelen. Ze is op slag verliefd op het plaatje.
'En misschien wil je die hebben?' vraagt Lok. Hij wijst naar een klein theetafeltje. Een glazen kastje met daarop een los dienblad met prachtig houtsnijwerk. De ruitjes in het kastje zijn gegraveerd en Sanne is er een beetje verlegen mee.
'Dat is toch te erg,' aarzelt ze.
'Ach weet je,' zegt Lok. 'Het is ook van tante Geert geweest. Die had er altijd kopjes op staan en zo. Dat zag er echt vrouwelijk uit. En bij mij, nou ja, je ziet het.' Hij wijst en Sanne knikt. Lok gebruikt het kastje nu om zijn oude kranten in op te bergen en er bovenop staat een telefoon.
'Het begint al een beetje te lijden onder al dat papier. Ik kan daar beter een echte krantenbak voor gebruiken.
'Dan ga ik voor jou een krantenbak kopen,' biedt Sanne aan. Lok heft zijn hand op en ze geven elkaar een echte veehandelaarklap.
'Verkocht,' zegt Lok.
'Ik heb mijn eerste ervaring op veilinggebied al binnen,' vertelt

Sanne aan jufrouw Schaap, als ze met de auto op weg zijn naar het veilinghuis. Schaapje knikt tevreden als ze hoort over het servies, het koekblik en het theekastje.
'Oude dingen met goede herinneringen brengen meteen sfeer,' zegt ze.
'Dat vind ik ook,' zegt Sanne eerlijk. Deze opvatting van Schaap over herinneringen kan ze wel delen. Als ze op de gracht naar een parkeerplaats zoeken en langs het veilinghuis rijden, zien ze Yvonne al zenuwachtig op de stoep heen en weer lopen. Yvonne begint meteen enthousiast te gebaren en Sanne stopt. Schaapje draait het raam open.
'Daar verderop is nog een plekje. Zie je? In de verte? Naast die blauwe auto! Zet hem maar meteen neer.'
'Is die even nerveus,' mompelt Schaap. Sanne schiet in de lach en rijdt verder. En dan ziet ze hem aankomen. Ze weet het zeker. Dat is de internetlover van Yvonne. Daar loopt Daniël. Ze draait de parkeerplaats in en als de auto tot stilstand is gekomen, kijkt ze om. Ze ziet hem een beetje gebogen langs de gracht sjokken. Onzeker, verlegen bijna. Hij stopt even en rommelt in de zakken van zijn jack.
'Hé, dat is Daan!' zegt Schaap ineens.

'Kent u hem?' vraagt Sanne verbaasd. Schaapje knikt en doet de autodeur open. 'Ja, ja! Wacht, ik stap meteen uit. Daan!' De man kijkt om. Zijn ogen lichten op, als hij mevrouw Schaap ziet uitstappen.
'Tita! Wat een aangename verrassing,' zegt hij. Mooie stem, denkt Sanne. Wat een prachtig warm en diep geluid. Een echte radiostem. De man komt op Schaapje af en omvat haar uitgestoken hand met beide handen.
'Jongen, ik heb na die cursus nog vaak aan je gedacht,' lacht

Schaap. Hij lacht ook, een prettige lach, voluit. 'Ik was vreselijk, hè?' vraagt hij. Schaap knikt. Dan zegt ze: 'Ik zal je even voorstellen aan Sanne. Want die snapt natuurlijk helemaal niets van ons gesprek. Sanne, dit is Daan. We kennen elkaar van een cursus wichelroedelopen. Daan, dit is Sanne.' De man lacht haar toe, schudt haar hand en zegt: 'Altijd een genoegen om kennis te maken met vrienden van Tita. Altijd een bijzonder genoegen.' Leuke ogen, denkt Sanne.

Inmiddels is Yvonne naar hen toe gelopen. Ze tikt Sanne op haar schouder en zegt: 'Ik ben blij dat jullie er zijn! En dat jullie elkaar allemaal kennen. Dat is toch toevallig! Dag Daniël. Ik ben Yvonne.' Ze is een beetje zenuwachtig. Sanne hoort het aan haar stem. De man keert zich meteen naar Yvonne en zegt: 'Wat leuk om je nu in het echt te ontmoeten! En ken jij Tita ook? En Sanne? Hoe zit dat allemaal?' Yvonne lacht.

'Ik leg het je allemaal uit,' zegt ze. Terwijl ze haar verhaal begint, lopen ze naar de ingang van het veilinghuis. Sanne en juffrouw Schaap lopen achter Daniël en Yvonne aan. Schaap zegt verbaasd: 'Dus Daan is de internetdate van Yvonne? Dat is ook wonderlijk!'

'Dat is het zeker,' zegt Sanne. Ze ziet en hoort haar vriendin geanimeerd praten met de man naast haar. Ze vindt hem leuk, weet ze. Yvonnes ogen stralen, als ze zich omdraait en zegt: 'Daniël stelt voor dat we eerst samen koffiedrinken. Vinden jullie dat ook goed?' Schaapje roept meteen: 'Ja, je denkt toch niet dat ik ook maar een stap zet zonder een fatsoenlijke kop koffie? Natuurlijk gaan we eerst koffiedrinken!' Daniël zegt: 'Ik trakteer. En Sanne houdt ook van koffie? Of ben je meer een thee-mens?'

'Nee. Ook koffie,' zegt Sanne.

Dus zitten ze even later in het koffiehuis naast het veilinggebouw met grote mokken dampende koffie en dikke punten lauwwarme appeltaart. 'Dit is verrukkelijk,' geniet Schaapje.

'Vertel nu eens precies waar jullie elkaar van kennen?' vraagt Yvonne. Schaapje grijnst. 'Ik zat op een cursus wichelroedelopen. Erg interessant' 'Zeker,' knikt Daniël.

‘Wat moet je met wichelroedelopen?’ informeert Yvonne. Schaapje legt uit. ‘Dat gaat om leilijnen. Dat zijn energiebanen. Kerken en kapellen staan vaak op kruispunten van leilijnen. En als je die kan opsporen met een wichelroede, kun je de energie gebruiken. Of afwenden.’ Ze ziet de verbaasde blik op Yvonnes gezicht en zegt: ‘Nou, enfin, kort en goed: Daan zat ook op die cursus. En ik heb nog nooit op welke bijeenkomst dan ook iemand gezien die zo weinig talent had voor het geboden onderwerp. En dan druk ik me toch keurig uit, nietwaar?’ Daniël knikt en zegt: ‘Ik kon er helemaal niks van.’ Schaap vertelt: ‘We begonnen bijvoorbeeld met het speuren naar water en eerlijk waar, zelfs al zat hij in de gootsteen te wichelen, dan nog gebeurde er niets.’ Hij lacht.
‘Het was een treurige periode in mijn leven. Tita hield me op de been met haar onnavolgbare gevoel voor humor. Daarom heb ik tot de laatste bijeenkomst doorgezet. Ik sjokte gewoon maar achter haar aan met die sprieten in mijn handen. Dan ging ik in ieder geval nog een beetje de goeie kant op. Maar ik heb daarna die wichelroede nooit meer aangeraakt.’
‘Maar je hebt dus wel interesse voor, zeg maar, dat soort dingen?’ Yvonne vraagt het licht kritisch. Daniël glimlacht. ‘Ik heb bijna overal interesse in. Ook in “dat soort dingen”, ja. Het maakt me nieuwsgierig. En waarom zou ik niet overal induiken? Ik heb de tijd aan mezelf.’ Yvonne kijkt even snel naar Sanne, als om hulp te zoeken.
‘En je bent dol op veilingen, begrijp ik?’ vraagt Sanne. Daniël veert op.
‘Ja, dat is zo fascinerend! Ik zal jullie rondleiden, want je moet eerst alle spullen bekijken. Straks worden ze geveild. Fantastisch. Je hoopt toch altijd op dat ene koopje, dat ene moment dat je onmiddellijk bereid bent je hele ziel en zaligheid in te zetten om dat ene ding in je bezit te krijgen! Tenminste, ik wel. Daar wacht ik al mijn hele leven op. Maar ik heb het nog nooit gevonden!’ Zijn ogen glanzen. Wat een leuke man, denkt Sanne. Ze ziet ook dat Yvonne gefascineerd naar Daniël kijkt. Alleen

lijkt hij Yvonne nauwelijks te zien. Hij kijkt naar mij, beseft Sanne. Indringend, bewust, onderzoekend. Ze schrikt ervan. Juffrouw Schaap lijkt het ook in de gaten te hebben, want die staat op en zegt: 'Kom maar op met die rondleiding. Ik weet dat Sanne op zoek is naar een krantenbak voor boer Lok. En ik wil ook wel eens dat ene ding tegenkomen waar ik al mijn geld voor wil inzetten.'
'Alsof je de liefde van je leven tegenkomt,' bedenkt Yvonne.
'Dat is het precies. Dat moment. Zo moet het zijn, toch? Kom, we gaan kijken of we dat misschien tegenkomen, vandaag,' lacht Daniël. Yvonne lacht met hem mee. Maar Sanne ziet dat Daniël voortdurend op haar let. Ze wordt er onrustig van. O, Rob, waarom ben jij er niet meer, bedenkt ze opeens wanhopig. Yvonne steekt haar arm door de hare en fluistert: 'Hij is leuk hè?'

Sanne heeft de krantenbak voor boer Lok al meteen in het oog: een degelijk eikenhouten meubel met als extraatje een leeslamp met een geplooide kap. Ook juffrouw Schaap is het met haar eens. Daar moet op geboden worden. 'Alleen een beetje leuk inpakken wordt nog een hele toer,' bedenkt Schaapje. Maar dan staat Sanne al bij een grenen buffetkastje. Ze streelt vertederd over het oude hout en ziet dat de porseleinen kastknopjes beschilderd zijn met roze roosjes. Precies als het servies dat ze van Lok heeft gekregen.
'Vind je hem mooi?' vraagt Schaap.
'Prachtig,' knikt Sanne.
'Dat is nu zo'n moment. Ik ben jaloers op je,' zegt Daniël achter haar. Hij legt even vriendschappelijk zijn hand op haar schouder en voegt eraan toe: 'Nu alvast een maximum bedrag bedenken en daar straks niet overheen gaan. Zelfs echte liefde

kent zijn grenzen en alles heeft zijn prijs.' Sanne knikt en denkt: haal nu die hand maar weg. Dat duurt net iets te lang. Net als ze weg wil lopen om zich van zijn aandacht te verlossen, haalt hij zijn hand weg. Daarna scharrelt iedereen op zijn eigen tempo door de uitstalling van goederen. Sanne ziet veel dingen waarvan ze denkt: Dat zou Rob mooi vinden. Er zijn sieraden, schilderijen, meubels, antieke koffers en een grote verzameling barometers.

'De veiling begint,' waarschuwt Daniël. Sanne kijkt om zich heen. De meeste mensen hebben de ruimte al verlaten. Ze zitten in de zaal waar de veilingmeester klaar staat om de eerste artikelen aan te bieden.

'Spannend, hè Sanne?' zegt Yvonne. Ze lopen naar de zaal en vinden een rij stoelen achterin.

'Ik wil op die broche bieden. Nummer 768. Een camee. Het deed me zo denken aan mijn moeder. Die had vroeger ook zo'n broche. Vreselijk, zo'n veiling. Je wordt er toch hebberig van. En ik had me zo voorgenomen om nergens op te bieden,' verzucht Schaapje. Sanne geniet. Ze zit tussen Schaap en Yvonne in. Daniël zit naast Yvonne. Nu er wat afstand tussen hun beiden is, kijkt Sanne eens stiekem kritisch opzij. Hij is gewoon. Heel gewoon. Saai haar, saaie antieke bril. Saaie kleren, supersaaie jas. Het model dat je in een grote supermarkt koopt met een kledingafdeling. Maar zijn stem is leuk. Zijn taalgebruik ook. Beetje archaïsch, zo bedachtzaam. Prettig.

'En? Wat is het oordeel?' vraagt juffrouw Schaap.

'Valt het zo op?' vraagt Sanne benauwd.

'Mij wel,' grijnst Schaap.

'Ik moet hem keuren, toch? Voor Yvonne?' Sanne lacht er verontschuldigend bij en juffrouw Schaap werpt haar een opmerkzame blik toe.

'Ja. Juist,' mompelt de oude dame kritisch.

'Ik zit heus nergens aan te denken. Ik ben nog zo verknocht aan Rob!' fluistert Sanne geagiteerd.

'Ik weet het, kind,' knikt juffrouw Schaap. 'Maar af en toe ge-

beurt er gewoon iets. Daar kan je niks aan doen. Ik merkte het aan onze wichelroedekampioen. Hou hem maar een beetje op afstand. Dat is het beste advies dat ik je kan geven.' Sanne neemt het advies zwijgend aan. Ze kijkt naar de veilingmeester, die nu de krantenbak te koop aanbiedt. Hij zet in op tien euro. Sanne zwaait met haar catalogus en het nummer dat ze erbij heeft gekregen. Ze krijgt een rode kleur van opwinding. Ik heb geboden! Wow! Helemaal voorin de zaal schijnt nog een liefhebber te zitten, want even later is het bod verhoogd tot twaalfeneenhalf, daarna naar vijftien. Ze houdt haar adem in. Twintig! Prima. Dat is niets in verhouding tot wat ze allemaal van boer Lok heeft gekregen. 'Niemand hoger dan twintig? Eenmaal, andermaal, verkocht aan die mevrouw met die brede glimlach!' Hier en daar kijkt iemand om, ze ziet mensen glimlachen en ze knikt terug. 'Ik krijg die grijns niet meer van mijn gezicht!' fluistert ze blij tegen Schaap en Yvonne. Daniël kijkt haar vertederd aan.
'Je hebt het helemaal te pakken, Sanne,' zegt hij tevreden.
'Straks nog mijn buffetkastje,' zegt ze. Maar eerst komt de broche van juffrouw Schaap. En ze krijgt hem ook nog, voor het bedrag van dertig euro, een koopje, zo verzekert ze Sanne.
'Jongens, wat leuk! Ik denk dat ik hier iedere week heenga. Dit is enig!' juicht Schaapje.
'En dan hebben we hier lotnummer 924. Een oud-Engelse buffetkast. Oud boerengrenen. Laten we zeggen dat de emotionele waarde hier bepalend is. Want u zult het in geen enkele antiekcatalogus tegenkomen. Maar het is origineel en in prima staat. Dus ik open op vijftig euro.' Sanne steekt meteen haar boekje omhoog. 'Zestig? Daar!' De veilingmeester gaat hard aan de slag en Sanne lijkt op te moeten bieden tegen twee en later nog één verbeten mededinger.
'Honderdvijftig, ja?' Verdorie. Dat was eigenlijk de prijs die ze in haar hoofd had voor het eenvoudige kastje. Sanne aarzelt. Maar die knopjes met die roosjes. Ze wil het hebben. Ze knikt als de veilingmeester het bod verhoogt. Dan ziet ze wie daar

tegen haar zit op te bieden. Een oudere dame, grijs opgestoken haar en een donkergrijs jasje. Om haar hals een oudroze sjaal met rode rozen. Ze kijkt even achterom naar Sanne. En Sanne ziet in haar ogen dat ook zij het kastje heel graag wil hebben. Honderdvijfenzeventig. De grijze dame knikt en accepteert het bod. 'Tweehonderd?' vraagt de veilingmeester. Het wordt heel stil in de zaal. Dan knikt Sanne. 'Tweehonderdvijfentwintig?' vraagt de veilingmeester. De grijze dame schudt berustend haar hoofd. Dan zegt de veilingmeester: 'Tweehonderd eenmaal, tweehonderd andermaal, verkocht! Aan die dame achterin met een zo mogelijk nog bredere glimlach als zo-even!"
'Yes,' zegt Sanne tevreden.
'Gefeliciteerd!' roept Yvonne. Ze omarmt Sanne. Schaapje schudt enthousiast haar hand. Dan staat Daniël voor haar. Hij kijkt haar aan en zegt: 'Wat een bijzonder moment...'

Dit is wel heel ongemakkelijk, bedenkt Sanne. Daniël staat voor haar, houdt haar handen vast en kijkt haar zo vol aanbidding aan, dat het lijkt alsof ze hem zo-even een trouwbelofte heeft.
'Ik ben erg blij met de kast,' zegt ze maar gauw. Ze schudt zijn handen af en lacht. Yvonne lacht onbekommerd met haar mee. Juffrouw Schaap ziet kritisch toe en probeert het moment in een andere richting te krijgen met de opmerking: 'Hij zal prachtig staan in je nieuwe huis.' Dat dat totaal mislukt, blijkt meteen. Daniël zegt meteen vol belangstelling: 'Een nieuw huis? Buiten zeker? Met een tuin?'
'Het is echt een schattig huis,' vertelt Yvonne argeloos. 'Zo heerlijk, een totaal nieuwe start voor Sanne.' En als Daniël vragend zijn wenkbrauwen optrekt, vertelt ze in een notendop wat Sanne is overkomen. Dat wakkert zijn aandacht nog meer aan en als Yvonne zegt: 'We gaan wel een keer bij Sanne op bezoek. Dan

kun je het allemaal met eigen ogen zien,' keert hij zich naar Sanne en zegt warm: 'Ik zou dat heel aangenaam vinden.' Sanne zit volkomen klem. Ze kan niet anders dan knikken en zeggen: 'Natuurlijk zijn Yvonne en jij van harte welkom.' In één adem door zegt ze tegen juffrouw Schaap: 'Wij moeten maar eens onze zaken afhandelen en daarna opstappen, nietwaar?' Juffrouw Schaap knikt meteen, maar Yvonne gooit roet in het eten. 'Laten we met z'n viertjes ergens een hapje gaan eten! Is dat geen goed idee?' Ze seint met haar ogen naar Sanne: Toe nou! Ga nog even mee! Maar Sanne schudt haar hoofd.
'Nee, dat gaat niet lukken. Ik moet echt naar huis. Hazel moet uit en ik zou vanavond op Rinke passen, want Wichard gaat uit eten met Jennifer. Dus ik moet echt weg.' Daniël kijkt nog meer teleurgesteld dan Yvonne. 'Bovendien, het is ook belangrijk dat jullie elkaar een beetje beter leren kennen. En dat gaat vast beter zonder ons erbij!' voegt Sanne toe. Yvonne haalt meteen laconiek haar schouders op en zegt: 'Andere keer dan maar. Daniël, zullen wij dan nog een wandeling maken door de stad? En ergens een leuk tentje opzoeken voor een hapje eten?' Daniël knikt. 'Uitstekend. Doen we. En de kennismaking met Tita en Sanne wordt ongetwijfeld op een ander tijdstip voortgezet.'
'Ongetwijfeld,' herhaalt Sanne. Schaap grijnst hoorbaar en herhaalt op haar beurt: 'Ongetwijfeld.'
Samen met Schaapje kijkt Sanne ze na; Yvonne en Daniël lopen naast elkaar. Hij is iets langer dan zij, loopt iets vermoeider, maar Sanne ziet hoe Yvonne geanimeerd met hem babbelt en vrolijk opzij kijkt. Ze vindt hem leuk, ziet ze. Ze vindt hem heel leuk. En dat is hij eigenlijk ook wel. Maar al die aandacht voor mij, dat is een beetje lastig. Juffrouw Schaap schraapt haar keel en zegt dan: 'Hij is als een blok voor je gevallen. Ongemakkelijk hè?'
'Als hij hierna maar als een blok voor Yvonne valt, dan kan ik er wel mee leven,' glimlacht Sanne.
'Ja. Maar dat gebeurt niet. Daniël Dermouw is verliefd. Op jou.'
'Gaat vast wel over.'

'Nou...' Schaap trekt een zuinig mondje.
'Kom, laten we die aankopen afhandelen. Het wordt nog een heel gedoe om die kast naar mijn huis te krijgen.'
'Ja. Laten we eerst maar regelen wat zich laat regelen.'
'Zo is het. Het leven is al ingewikkeld genoeg,' beaamt Sanne.
Een uurtje later heeft Sanne transport geregeld voor de kast, staat de krantenbak aan haar voeten en heeft Schaapje de camee zorgvuldig in haar tas opgeborgen.
'Ik zet u thuis af,' biedt ze aan.
'En dan kom je nog even een kopje thee halen? Rokus is er vast ook.'
'Nee, ik ga gelijk door. Ik wil even lekker met Hazel lopen.'
Schaapje knikt en begrijpt. En Sanne knijpt haar daarvoor even dankbaar in haar arm. Want ze wil even alleen zijn. In alle rust en stilte nadenken over wat er zojuist gebeurde. Eigenlijk afschuwelijk dat die man zo'n interesse toont in haar. Terwijl zij... Alles in haar verlangt terug naar Rob. Wie zou ooit voor hem in de plaats kunnen komen? En zou dat überhaupt ooit kunnen gebeuren? Misschien moet ze ooit weer plaats inruimen voor een nieuwe liefde in haar leven. Misschien wel. En al zal dat zeker niet Daniël zijn, toch heeft hij haar vandaag laten beseffen dat er ooit een moment zal komen dat ze dat aankan. Een nieuw begin in een nieuw huis. En wie weet, ooit... Ze schudt haar hoofd als om al die verwarde gedachten nog even van zich af te schudden en omdat ze het gevoel heeft dat ze er toch wel iets tegen Schaap over moet opmerken, zegt ze, een beetje spottend: 'Ik kan me in ieder geval voorstellen dat ik ooit nog wel eens iets zal voelen.'
Schaapje lacht tevreden en zegt: 'Kijk. De conclusie heb je al. Nu nog de weg er naartoe.'
Als ze Schaap afzet, komt Rokus naar buiten. Hij zwaait met twee armen en wenkt haar.
'Rokus heeft witlof, denk ik. En spruitjes. Wil je?'
'Altijd,' zegt Sanne meteen. Het wordt een enorme rodekool, maar ook daar is Sanne blij mee.
'Ik ga het vanavond nog invriezen,' zegt ze en ze neemt zich voor

meteen langs de groenteboer te rijden voor goudrenetten. 'Daar kunnen we een halfjaar van eten!'
Als ze thuis in de flat de rodekool op het aanrecht legt, ziet ze een briefje liggen van Wichard.
'Mam, ben met Rinke en Jennifer naar haar ouders. Ben na het eten thuis. Tot dan. W.'
'Hmmmm, officieel bezoek,' zegt Sanne hardop. 'Dat wordt spannend!'

'Ja, we gaan uit, lieverd,' zegt Sanne tegen Hazel. Ze legt het briefje van Wichard weer op de keukentafel. Dus die zit nu met Rinke bij de ouders van Jennifer. Ze glimlacht. Hij is vast zenuwachtig. En Rinke zal een vreselijk verhaal vertellen, waardoor hij totaal in verlegenheid wordt gebracht. Dat doen kinderen nu eenmaal altijd op de verkeerde momenten.
Ze doet de hond haar halsband om en zegt: 'We horen het allemaal wel, hè pup?' Pas als ze met Hazel in het park loopt, komt ze helemaal tot rust. De hond is zo verschrikkelijk blij dat ze lekker buiten mag lopen, dat ze in cirkels om Sanne heen rent en steeds naar haar toe komt om haar snuit tegen haar hand te drukken. 'Wat ben je ook een lieffie,' zegt Sanne vertederd. Bij de grote vijver kijkt ze toe hoe Hazel het water inloopt en zich genietend laat zakken. Ze slobbert water en zwemt een rondje. Daarna klimt ze weer op de kant en Sanne springt achteruit, net voordat ze haar vacht uitschudt en een waaier van ijskoude druppels verspreidt. Het is stil in het park. Hier en daar loopt een wandelaar met een hond, waar Hazel even enthousiast op afrent om daarna weer met Sanne mee te lopen. Er zijn een paar kinderen aan het rolschaatsen en er loopt een bejaard echtpaar dat haar tegemoet wandelt. Sanne wil net vriendelijk gedag zeggen, als de mevrouw haar toebijt: 'Je moet die hond aanlijnen.'

‘Pardon?’ Sanne houdt even haar pas in.
‘Die hond moet aan de lijn.’ Twee donkerbruine samengeknepen oogjes kijken haar woedend aan.
‘Volgens mij mag ze hier gewoon los,’ zegt Sanne verbaasd.
‘Dat mag alleen op aangewezen honden-uitrenplaatsen. Verder is het in de hele gemeente streng verboden, mevrouw,’ zegt de man vriendelijk.
‘Gut, dat wist ik helemaal niet,’ zegt Sanne eerlijk.
‘Dan is het hopelijk eindelijk eens afgelopen met die poep overal,’ zegt de vrouw triomfantelijk. Ze geeft een rukje aan de arm van haar man en zegt: ‘Kom.’
‘Prettige middag verder,’ groet de man.
‘Dank u. U ook,’ zegt Sanne plichtmatig. Onderwijl kijkt ze naar Hazel die net de rolschaatsende kinderen begroet met een hoop gekwispel. Ze roept haar en loopt een beetje gehaast door. Onderwijl zegt ze tegen Hazel: ‘Je moet eigenlijk aan de lijn. Dat zei die mevrouw. Jeetje, ik wist dat helemaal niet. Nou ja, goed dat we al snel gaan verhuizen. Daar gaan jij en ik maar eens gauw een datum voor plannen, hè pup? Want waar we straks wonen zal niemand er wakker van liggen dat jij lekker los rondhuppelt. Sjonge, hoe bedenken ze het allemaal?’ Dan ziet ze een bordje aan het eind van het park. Op een smalle groenstrook van een meter of twee breed naast het pad voor brommers en fietsers staat een bordje met het opschrift ‘Uitrenzone’. Dertig meter verderop ziet ze een grote bak voor hondenpoep. Daar houdt de uitrenzone alweer op.
‘Lieverd, als jij een beetje aanzet met die vier pootjes van je, schiet je zo over de grens van de uitrenzone heen,’ vertelt ze aan Hazel. Er klinkt luid gerinkel. Sanne springt opzij voor een colonne wielrenners die de totale breedte van het fietspad nodig hebben. Als ze voorbij zijn, zegt een vrouw naast haar: ‘Je moet je hond daar niet loslaten, hoor. Het is levensgevaarlijk met alle fietsers en brommers die langsrazen.’ De vrouw heeft een grote Ierse wolfshond aan de riem.
‘Uw hond past niet eens op dat grasstrookje,’ lacht Sanne. De

vrouw haalt Hazel aan en vraagt: 'Hoe heet ze?' Ze wisselen namen uit zoals alle hondenbezitters doen, geven nog een laatste kriebel aan de honden en nemen afscheid met: 'Wat een flauwekul, dat aanlijngebod.'
'Alleen maar goed voor mensen die hun hond niet kunnen opvoeden. Maar die honden kunnen nergens los. Vooral niet op zo'n uitrenplekje.'
Dan rinkelt haar telefoon. Ze vist hem uit haar zak en ziet dat Yvonne belt.
'Hé, meissie,' groet ze.
'Hé, Sanne. Ik zit met Daniël in Het Elfde Gebod en daar kwam de mevrouw naar ons toe die tegen jou op zat te bieden bij die kast. Zo gek! Ze vertelde ons dat ze het idee had dat jullie alleen maar de prijs zaten op te drijven en ze wil je nog graag een bod doen. Ik heb haar je adres gegeven. Ze komt bij je langs om een finaal bod te doen. Grappig hè? Dus je kunt er grof geld aan verdienen, denken wij! Wat een mop, niet? Nu weet je het alvast. Dan kun je vast een bedrag bedenken waarvoor je de kast wel van de hand zou willen doen.'
'Joh, ik wil die kast helemaal niet kwijt. Ik ben er juist hartstikke blij mee,' zegt Sanne verbaasd.
'Nou ja, alles heeft zijn prijs, toch? Misschien biedt ze je wel twee keer zoveel! Ik zou er maar eens over nadenken. Trouwens, we hadden het nog over jouw nieuwe huis. Wanneer ga jij verhuizen?'
'Volgend weekend,' zegt Sanne in een opwelling. In gedachten rekent ze na: Daan en Abel kunnen helpen, Wichard is vrij, de kast wordt vrijdag bezorgd en zoveel spullen heeft ze nu ook weer niet, dus als iedereen een paar uurtjes meehelpt, slaapt ze zaterdagavond in haar nieuwe thuis.
'Want Daniël wil ook graag meehelpen!' jubelt Yvonne. Op de achtergrond hoort ze de stem van Daniël. Hij roept: 'Ik sta volledig tot je beschikking!'
'Lief hè?' zegt Yvonne verrukt.

Wichard ziet witjes als hij thuiskomt van zijn kennismaking met de ouders van Jennifer. Maar Rinke zingt onbekommerd dat ze een lieve tante en oom heeft ontmoet en dat het zo gezellig was. 'En ik hoefde mijn bord niet leeg te eten, zei tante Aaltje. Want ik had het niet zelf opgeschept. Dat zeg jij ook altijd, hè oma? Wat je opschept, moet je opeten! En ik mocht nog een spelletje doen en tekenen en we hebben gelachen om moppen!'
'Vond papa het ook leuk?' vraagt Sanne lachend. Wichard kreunt. 'Het was het gebruikelijke drama. Ik heb rode wijn gemorst op een antiek damasten tafellaken dat al generaties lang in de familie zit. Rinke heeft vreselijke moppen opgepikt op het schoolplein. De meeste snapt ze gelukkig zelf niet, maar ze heeft ze wel allemaal verteld.'
'Vond je ze aardig?'
'Ja. Ontzettend aardig. Jennifer heeft de hele avond bemoedigend naar me geknikt, dus het komt allemaal wel goed. Maar ik ben bekaf. En die kleine pop moet nodig naar bed!' Hij rent meteen achter Rinke aan die zich giechelend uit de voeten maakt.
'Mooi,' zegt Sanne hardop in de lege kamer. Als Rinke op bed ligt, vertelt ze wat ze zich heeft voorgenomen: komend weekend verhuizen.
'Ik wil van de week nog wat winkelen voor meubels en wat andere spulletjes en dan ga ik naar het nieuwe huis. Ik bel Daan en Abel en Cathy. De inrichting van mijn slaapkamer hier laat ik achter. Dan heb jij meteen een logeerkamer. En anders klap je het bed op en maak je er een speelkamer van of zo. In mijn nieuwe huis komt een speciale logeerkamer voor Rinke. Die ga ik gezellig inrichten. Wat vind je?'
'Prima. Maar het is allemaal wel snel,' zegt Wichard voorzichtig.
'Ja. Hoewel, misschien lijkt het alleen snel. Het is niet overhaast, toch?'

'Nee. Nee, helemaal niet. Ik moet gewoon nog steeds wennen aan het idee dat je hier straks niet meer woont. En dan zo gauw al.'
'Jij mag af en toe ook wel komen logeren,' biedt Sanne aan. Wichard schiet in de lach en zegt: 'Dat is een pak van m'n hart.'
Dus sleept Sanne de hele week allerlei aankopen naar haar nieuwe huis, zoekt douchegordijnen, badmatjes, beddengoed en vouwgordijntjes uit, belt alle vrienden, smeert de avond ervoor hele stapels broodjes in haar nieuwe keukentje en vertelt daarna nog even aan boer Lok dat het de volgende dag wel druk zal worden op de oprit, omdat ze dan in haar nieuwe huis trekt.
'Dan moet je die vrienden ook even langs sturen voor het theekastje en het servies,' waarschuwt Lok.
'Er komt zelfs een antieke servieskast. Daar zet ik het straks in. Ik kan me daar nu al op verheugen,' lacht Sanne.
'Ik kom wel even inspecteren,' kondigt Lok aan.
'De koffie staat de hele dag klaar. O ja! U krijgt ook nog een krantenbak van me,' zegt Sanne.
'Och kind, dat was maar een geintje,' bromt Lok.
'Zo heb ik dat niet opgevat,' zegt Sanne. Ze verheugt zich nu al op het gezicht van Lok als hij de nieuwe krantenbak ziet. Ze heeft hem al lang in haar eigen woonkamer staan en ze is van plan hem te geven als ze het theekastje ophaalt.
Dus op de ochtend dat het een drukte van belang is in haar kleine huis, loopt ze met de krantenbak naar boer Lok. Ze is maar wat dankbaar dat ze even uit de drukte kan ontsnappen, want Daan en Abel liggen in haar slaapkamer ruzie te maken om een handleiding waarmee ze een bed in elkaar moeten zetten en ze hoorde Daan schreeuwen: 'Het is dat het allemaal voor Sanne is, anders had ik je al lang een klap op je eigenwijze kop verkocht.'
'En dan bloedspetters krijgen op die leuke lamsvachtjes? O, jongen toch, wat bedenk je allemaal,' treiterde Abel terug. Beneden in de kamer stond Cathy te meten en ze riep Sanne nog na: 'Het past er vast niet in. Het is echt een poppenhuisje, Sanne.' Juf-

frouw Schaap is ook gekomen. Zij probeert alles zo veel mogelijk te regelen. Wichard is samen met Jennifer de keukenkastjes aan het vullen en Rinke speelt in de tuin met Hazel.
'Waar ga je naar toe, oma?' vraagt ze.
'Even naar boer Lok. Oma is zo terug. Ga jij maar lekker met de bal spelen. Dat vindt Hazel zo heerlijk.'
'Oké,' belooft Rinke meteen.
Sanne heeft nog een hele sjouw aan de massieve eiken krantenbak met schemerlamp en ze hijgt, als ze eenmaal met het gevaarte bij Lok voor de achterdeur staat. Ze doet de deur open, steekt haar hoofd om de hoek en roept: 'Boer Lok! Ben je thuis?'
'Kom maar binnen,' roept Lok terug. Sanne zeult het gevaarte de drempel over van de keuken en schuift het de kamer in. Dan roept ze: 'Kijk eens wat ik hier heb!' Meteen ziet ze dat Lok niet alleen is. Hij staat midden in de kamer te praten met een mevrouw die ze nu op haar rug ziet. 'Oeps, sorry!' zegt ze meteen. De vrouw keert zich om en dan ziet Sanne wie het is. Dat is de mevrouw van de veiling, die tegen haar op bood om de servieskast.
'U moet ik hebben,' zegt ze meteen. 'U heeft mijn kast.'
'Kind, wat een fantastische krantenbak!' roept Lok dwars door de vrouw heen.
'Ja, mooi hè? Dat vond ik nu echt wat voor u. Lekker stevig, veel ruimte en ook nog een handige leeslamp,' zegt Sanne.
De vrouw maakt een ongeduldig gebaar en zet: 'Zullen we het nu even over mijn kast hebben?'

Mijn kast? Sanne kijkt de vrouw verbaasd aan. Maar boer Lok lacht ontspannen en zegt: 'Ik zal jullie eerst eens even aan elkaar voorstellen. Dit is mijn nieuwe buurvrouw Sanne. En wat een

fantastisch ding heb je meegebracht. Ik vind dit echt een wereldkrantenbak.' Hij streelt langs de eikenhouten voet van de leeslamp en tikt eens op het blad boven het opbergvak voor kranten. 'Dat is tenminste stevig,' knikt hij tevreden.
'Ik vond het precies bij u passen,' zegt Sanne. Maar de vrouw die naast Lok staat, zit helemaal niet te wachten op een verhandeling over een krantenbak. Ze tikt ongeduldig met haar voet en zegt tegen Sanne: 'Ik was naar u op zoek. Ik had dit adres opgekregen van het vervoersbedrijf. Is ie er al?'
Op dat moment gaat de keukendeur van boer Lok weer open en een man roept: 'Vervoersbedrijf Tegelen! Wij hebben een kast bij ons voor mevrouw Van den Broek!' De vreemde vrouw en Sanne roepen tegelijk: 'Mijn kast!' Sanne doet meteen een paar grote stappen naar de deur en zegt tegen de man die bij de deur staat: 'Ik ben Sanne van den Broek. De kast moet naar mijn huis en dat ligt een stukje verderop, aan het eind van de weg. Ziet u die grote heg? Daarachter. U kunt de auto gewoon een stukje doorrijden tot de poortdeur. Daar past ie makkelijk door.'
'Uitstekend,' zegt de man. Dan keert Sanne zich om naar de vrouw en ze zegt: 'Nu vraag ik me toch af wie u bent.'
Boer Lok zegt meteen blij: 'Het is Nella!'
'Petra,' sist de vrouw.
'Nella Gijsbertse,' roept Lok onverstoorbaar vrolijk.
'Petra,' verbetert de vrouw nog een keer. 'Petra Verdonschot.' Ze geeft Sanne een hand.
'Nella zat bij mij in de klas! Op de lagere school! Ik zie ons nog zo zitten. Ze had altijd van die enorme gaten in haar kousen. Ach ja. En ik had van die knokige knietjes en een korte broek met bretels. Weet je nog? In de klas bij juffrouw Van Kampen? Jij kon zo goed zingen, Nella.' Lok kijkt de vrouw totaal gelukkig aan. 'We hebben ooit met elkaar gelopen. Weet je dat nog?' De vrouw haalt ongeduldig haar schouders op en zegt: 'Ik noem mezelf al jaren geen Nella meer. Iedereen noemt me Petra. En ik gebruik de achternaam van mijn tweede man. Verdonschot. Van dat lopen kan ik me ook echt helemaal niets meer herinneren.'

Ze kijkt Lok even wantrouwend aan, keert zich dan weer naar Sanne en zegt: 'U zult inmiddels wel gehoord hebben dat ik erg geïnteresseerd ben in die boerenkast. Ik moet hem gewoon hebben! Maar ik kan beter met u tot een vergelijk komen dan dat ik de prijs als een gek op zit te drijven bij de veiling. Ik heb namelijk een antiekwinkel en die kast zou naadloos passen in mijn opstelling. Ik wil dus echt serieus met u praten.'
'Sanne?' Er komt alweer een hoofd om de keukendeur van boer Lok. Ze herkent de stem. Dat is Daniël, de internetvriend van Yvonne.
'Je moet een huis verderop zijn, Daniël,' roept ze. Maar Daniël staat al binnen en geeft Sanne meteen drie zoenen. 'Wat fijn dat ik je kan helpen op deze belangrijke dag in je leven,' zegt hij warm. Veel te warm, denkt Sanne meteen. Jakkes. Maar omdat hij vol verwachting boer Lok en de vrouw aankijkt, voelt Sanne zich geroepen om iedereen aan elkaar voor te stellen. Bij boer Lok levert dat geen enkel probleem op, maar bij Petra Verdonschot gaat ze een aantal maal in de fout. En boer Lok helpt niet erg om de knoop te ontwarren.
'En dit is Nella...'
'Petra!'
Lok, vertederd: 'Maar eigenlijk Nella. Mijn oude klasgenoot.'
'Verdon... Wat was het ook alweer?'
'Gijsbertse!' Dat is boer Lok weer, die haar monstert alsof hij haar zo weer voor zich ziet met kniekousjes en een rokje vol oprijgjes, die haar moeder op de groei kon uitleggen.
'Verdonschot.' Dat is de afgemeten dame zelf die nu naar voren stapt en Daniël een ferme hand geeft.
'Wij hebben elkaar al eens ontmoet. Toen benaderde ik u omdat ik die kast wilde hebben. Weet u nog? U zat met uw vriendin te lunchen.'
'Met een kennis,' verbetert Daniël nu. Sanne schiet opeens in de lach en zegt: 'Niemand heeft het vandaag in één keer goed, lijkt wel. Maar goed, ik ben aan het verhuizen en ik wil absoluut die kast niet kwijt, dus ik denk dat wij alweer afscheid kunnen ne-

men, mevrouw Verdonschot. Dan neem ik het theekastje mee, boer Lok. Daniël kan me helpen sjouwen. Over een half uurtje heb ik koffie. Als u dan een kijkje komt nemen?' Lok knikt en Petra sputtert. Maar Sanne schenkt geen aandacht aan haar, loopt naar het theekastje en ruimt het uit. Als ze klaar is, pakt Daniël het kleine kastje aan één kant beet, Sanne pakt de andere kant en zo dragen ze het tere meubeltje voorzichtig de deur uit.
'Een echt vrouwendingetje,' knikt Lok nog eens goedkeurend en hij geeft een tevreden klopje op zijn krantenbak.
'Mag ik straks de kast nog even bekijken?' vraagt Petra Verdonschot op de valreep.
'We gaan over een klein uurtje gewoon samen op de koffie bij Sanne. Dan kunnen we nu nog even herinneringen ophalen, Nella. Ga toch lekker zitten kind,' knikt boer Lok geanimeerd. En in een flits ziet Sanne hoe hij naar zijn oude klasgenootje kijkt. Ach, dat is de grote jeugdliefde geweest, weet ze ineens haarfijn.
'Dan zie ik u en Petra straks op de koffie,' knikt ze aanmoedigend.

Daan en Abel hebben hoedjes gevouwen van de Ikea-handleidingen en komen daarmee naar beneden. 'Sanne, het bed is klaar. De kast ook. En er is echt een wonder gebeurd. We hebben geen enkel onderdeel over! Dat is de allereerste keer, hè Daan? Vorige keer hadden we een handvol lange schroeven over. Echt wonderlijk. Weet je nog?' vraag Daan. Abel staat er ijverig bij te knikken.
'Willen jullie dan de servieskast verder inrichten? En het theekastje?' vraagt Sanne. Cathy helpt Willem die met de afstandsbediening voor de televisie ligt om alle netten op een redelijke

volgorde te krijgen. 'Nee, Willem, eerst Duitsland. Wat moet Sanne nu met de BBC?'
'Ik vind de BBC leuker dan Duitsland, hoor' zegt Sanne snel. 'Ik kijk vaak naar dat programma waarbij ze oude spullen veilen die ze op een rommelmarkt hebben gekocht. En naar de Weakest Link.'
'Kan jij dat dan volgen?' vraagt Daniël vol bewondering. 'Wat knap!' Hij zet samen met Yvonne de boeken in de boekenkast. Sanne heeft in de afgelopen tijd nog aardig wat titels aangeschaft, maar vergeleken bij haar oude boekenverzameling is het een armoedig rijtje. Als ze het ziet, knijpt haar hart even samen. Niet aan denken, maant ze zichzelf. Alleen mooie herinneringen toestaan en omdat Yvonne heeft besloten dat ze alles op alfabet is. Onderwijl zegt Yvonne trots: 'Sanne heeft een talenknobbel. Ze kan fantastisch Engels spreken en haar Frans is ook heel redelijk. Dat oefent ze natuurlijk altijd in de Ardennen.'
Juffrouw Schaap ruimt buiten de tuin op. 'Het is me veel te lekker weer. Straks kunnen we wel buiten koffie drinken. Ik heb je tuinset al in elkaar geschroefd. Heerlijk hè?' Er landt een stelletje houtduifjes op het dak van het schuurtje en achter in de tuin scharrelt met veel lawaai een dikke zwarte merel.
'Ik ga hier heel gelukkig worden,' zegt Sanne. Wichard en Jennifer zijn klaar in de keuken en roepen: 'Nog een kwartiertje, dan gaan we koffiedrinken!'
'Dan maak ik nog even een beginnetje met je linnengoed,' zegt Yvonne. Ze loopt samen met Sanne naar boven en samen maken ze een doos handdoeken open.
'Yvonne!' Juffrouw Schaap roept beneden aan de trap. 'Mag ik jouw auto even? Alle andere auto's staan klem. Dan haal ik appeltaart!'
'Ik rijd wel even mee,' fluistert Yvonne lacherig tegen Sanne. 'Ik kan me niet voorstellen dat juffrouw Schaap zonder deuken terugkomt.' Dus ze roept: 'Ik ga wel even met u mee!'
'Pak mijn portemonnee even uit mijn tas. Ik betaal, hoor,' zegt Sanne.

'En ik meld me als vervanger,' zegt Daniël. Hij gaat even opzij om Yvonne te laten passeren en komt dan Sannes slaapkamer binnen. 'Wat moet er gebeuren?'
'De handdoeken moeten in de kast. Op deze plank, denk ik. Of misschien toch...' Sanne aarzelt.
'Weet je wat? Ik geef ze aan en jij legt ze op de goede plank.' Daniël houdt haar gedienstig een paar handdoeken voor. Sanne pakt ze aan. Zijn handen raken de hare. Ze pakt de volgende stapel anders aan, om het contact te vermijden, maar dat lukt niet. Alweer strelen zijn vingers langs de hare. Nu is ze zo geprikkeld, dat ze bijna met haar vingertoppen het volgend stapeltje probeert aan te nemen. Maar evengoed maakt hij contact. Dan is ze het zat.
'Ik vind dit heel ongemakkelijk. Je hoeft me toch niet steeds aan te raken?' zegt ze geïrriteerd.
'Ik hoef toch niet wat?' vraagt Daniël verbaasd.
'Me aan te raken. Me iedere keer aan te raken als je me een paar handdoeken geeft,' zegt Sanne.
'Jeetje, sorry hoor. Het is helemaal niet mijn bedoeling om... nou ja, waar gaat het eigenlijk over? Ik weet niet wat je je nu in je hoofd haalt, maar als ik mijn handen naar achteren doe, klappen die handdoeken om en moet je ze allemaal opnieuw vouwen. Ik snap niet waar al die commotie voor nodig is,' zegt Daniël oprecht verbaasd. Sanne aarzelt. Stel ik me nu aan? Ben ik overgevoelig of zo?
'Ja, sorry,' zegt ze gauw. Hij staat op en zegt op gekwetste toon: 'Ik ga wel even vragen of iemand anders je hiermee komt helpen. Dat lijkt me beter.' En hij kijkt haar aan met van die droevige hondenogen die niet snappen waarom het baasje zo tegen hem snauwt.
'Ach nee,' zegt Sanne gehaast. 'Dat is helemaal niet nodig. Sorry, echt, ik ben denk ik wat nerveus. Het spijt me echt.'
'Ik snap het wel,' zegt hij lief. En dan begint het hele gedonder weer van voren af aan. Bij de dekbedhoezen streelt hij haar onderarm vanaf haar elleboog en bij de badlakens staan alle haar-

tjes op haar armen overeind van ergernis. Dan klinkt er tot haar grote vreugde een brul van Daan.
'Koffie!' En van Abel.
'Taart!'
'Kom,' zegt ze. Ze klapt de laatste stapel in de kast en wil meteen naar beneden lopen. Maar dan staat Daniël voor haar en hij zegt: 'Sanne, ik zou je zo graag beter willen leren kennen.' Ze schudt meteen haar hoofd.
'Sorry, daar ben ik nog helemaal niet aan toe. Niets zeggen verder. Kom, we gaan koffiedrinken.' Bespaar je nu die ongemakkelijke afgang, denkt ze wanhopig, als hij toch aandringt.
'Je moet net als ik voelen dat er een wonderlijke band tussen ons bestaat. Zomaar. Op het eerste gezicht al. Laten we onze kennismaking een kans geven, Sanne.'
'Nee, nee, geen sprake van. We gaan koffiedrinken en jij kijkt of je met Yvonne misschien iets leuks kunt opbouwen en verder niks,' zegt Sanne snel. Hij pakt haar arm vast en zegt: 'Is dat het? Yvonne? Maar wij hebben alleen een vriendschappelijke relatie. Verder is er niets tussen ons. Wat ik voor jou voel, is zo anders. Sanne?'

'Sanne, schiet het hier al een beetje op? Abel heeft koffie!' Cathy staat in de slaapkamer en kijkt tamelijk kritisch naar Sanne en Daniël.
'We komen er aan. We hebben een privégesprek,' zegt Daniël op een nogal bestraffend toontje. Cathy trekt even haar wenkbrauwen op en Sanne zegt meteen: 'Dat hebben we niet! Ik kom.' Ze loopt naar de deur en laat Daniël achter. Cathy laat haar passeren en zegt dan tegen Daniël: 'Het gesprek is blijkbaar al afgerond. Dag!' Ze keert zich om en loopt achter haar zus aan. Op de trap kijkt Sanne om. Haar zus knipoogt naar haar en lacht.

‘Ik stond er al een tijdje,’ zegt ze. ‘Wat een rare man. We hebben het er nog wel over.’
‘Je bent een redder in nood,’ fluistert Sanne. Maar dan komt Daniël ook de overloop op. Hij zegt: ‘Ik heb het laatste linnengoed op de middelste plank gelegd. Dan moet je zelf maar kijken waar je het hebben wilt.’
‘Dank je. Hartstikke goed,’ knikt Sanne. Ze is blij als ze allemaal in de kamer zitten met koffie en appeltaart en ze kijkt de kring eens rond. Wat een heerlijk stel mensen heeft ze om zich heen verzameld. Alleen als haar blik die van Daniël kruist, wordt ze onrustig. Hij zit vrijwel onafgebroken naar haar te kijken en ze weet dat hij haar volgt met zijn ogen, waar ze ook gaat. Het is een verontrustende gedachte en ze voelt zich absoluut niet gevleid door zijn aandacht. Het ergert haar enorm. Ze ziet hoe haar zusje even een kritische blik werpt op Daniël en ook juffrouw Schaap ziet ze even opmerkzaam naar hem kijken. Maar Yvonne heeft niets in de gaten. Dat weet ze zeker. Rinke springt voor haar op en neer en vraagt: ‘Mag ik hier ook een stukje tuin, oma? Rokus wil me helpen. Dan gaan we radijsjes zaaien en worteltjes.’
‘Jij mag alles,’ belooft Sanne meteen gul. Wichard vraagt verbaasd: ‘Sinds wanneer lust jij dan radijsjes?’ Rinke antwoordt meteen: ‘Sinds ik ze zelf laat groeien.’ Iedereen lacht.
Dan stappen boer Lok en Petra Verdonschot binnen. Sanne stelt hen voor aan iedereen en Petra zegt meteen: ‘Er is al zoveel verwarring over mijn naam geweest, dat Jan en ik hebben besloten dat ik hier ga luisteren naar de naam Petronella.’ Boer Lok grijnst tevreden en Sanne begrijpt dat die twee elkaar toch vaker gaan zien dan Petronella aanvankelijk van plan was. Daan haast zich stoelen uit te klappen om plaats te maken voor de twee nieuwe gasten en Abel schenkt koffie in en snijdt nog twee punten van de appeltaart.
‘Wat heb je een schattig huis, Sanne,’ prijst Petronella. Ze kijkt naar de antieke grenen buffetkast, waar nu het oude servies in prijkt dat Sanne van boer Lok heeft gekregen. Hij wijst erop.

‘Dat is het servies van tante Geert.’ Sanne knikt. ‘Mooi hè?’
‘Het heeft hier een goede plek gekregen,’ zegt Lok plechtig.
‘Wat een lieve man,’ fluistert Cathy en Sanne knikt. Ook juffrouw Schaap zit tevreden te knikken.
‘Als je die kast ooit weg doet...,’ zegt Petronella tegen Sanne. Die knikt meteen. ‘Dan bel ik je op. Laat je het adres achter van je winkel? Ik ben heel nieuwsgierig, want ik kan nog wel wat extra sfeer gebruiken hier.’
‘Ik heb genoeg. Leuk email voor in de keuken en fantastische kussens voor op je bank. Veel porselein en veel kleine meubeltjes. Er staat een voetenbankje, dat past hier als een handschoen! Je moet gewoon langskomen. Hier heb je mijn kaartje,’ zegt Petronella meteen.
‘Anders neem je dat voetenbankje mee als je bij me komt eten? Dan kan Sanne het meteen zien,’ zegt Lok.
‘Goed idee,’ knikt Petronella. ‘Dat doe ik.’
Dus er is een etentje in het verschiet. Die Lok! Sanne kijkt vertederd naar de twee mensen die dicht naast elkaar zitten, alsof er geen twijfel over hoeft te bestaan: ze horen bij elkaar. Tenminste vandaag, nu, op deze plaats. En wie weet?
‘Wil je nog koffie, Sanne?’ vraagt juffrouw Schaap. Ze staat voor haar en heeft Sannes kopje uit haar hand genomen. Sanne kijkt haar aan en knikt. Dan bromt Schaap: ‘Je blijft een onverbeterlijke romanticus, hè?’
‘U zit toch niet weer in mijn hoofd, hè?’ lacht Sanne. ‘En zit ik er naast?’
‘Je kon wel eens gelijk hebben,’ glimlacht Schaap. ‘Daar bloeit wel wat.’
‘Er bloeit straks van alles in de tuin,’ vult Rokus aan. ‘Je moet uitkijken waar je gaat spitten. Het is beter om eerst alle seizoenen af te wachten en te kijken wat er opkomt.’ Sanne houdt haar gezicht netjes in de plooi en knikt braaf. ‘Dat klinkt ook wel zo relaxed. Ik ga misschien wel heel andere dingen doen dan tuinieren. Een beetje kijken naar de vogels, wandelen met Hazel, nadenken over het leven en zo.’

'Vooral dat laatste is van grote importantie. Dat moet je vooral ruimte geven,' zegt Daniël.
Kwijlebabbel. Sanne denkt het zo fel, dat Schaapje, die net de kamer inkomt met nieuwe koffie, haar verschrikt aankijkt.
Ze is blij als iedereen besluit dat er vrijwel niets meer is waar ze Sanne mee kunnen helpen. 'Je moet maar gewoon een lijstje maken van wat er ontbreekt. Als er dingen opgehangen moeten worden, komt Wim graag helpen. Hè Wim?' zegt Cathy lief. Willem knikt. 'Jullie zijn fantastisch,' zegt Sanne. Ze neemt van iedereen afscheid, zoent, zwaait en schudt haar hoofd tegen iedereen die haar aanbiedt: 'Kom je vanavond bij ons eten?'
'Nee, nee. Ik ga zo boodschappen doen, ik bak een ei en ik ga op de bank zitten. Mijn eigen bank,' zegt ze telkens. Maar van Daniël is ze niet zo makkelijk verlost.

Hij staat voor haar en houdt haar hand met beide handen vast.
'Dit was een heel bijzondere dag voor mij,' begint hij.
'En voor mij helemaal,' lacht Sanne. Ze maakt haar hand los uit zijn greep en dat gaat nog niet eens zo makkelijk.
'Ga met me eten. Nu. Je bent vast heel moe.'
'Nee, nee, je hebt gehoord wat ik tegen iedereen heb gezegd. Ik zal blij zijn als ik languit op de bank lig.'
'Ik snap het,' zegt hij ernstig. 'Maar je weet het; ik bel je op. Of ik sta ineens voor je neus en dan gaan we verder waar we ons gesprek moesten beëindigen.' Omdat Sanne nu haar handen op haar rug houdt, heeft hij haar schouders vastgepakt.
'Nou, dat gesprek was wel klaar,' zegt Sanne gauw. Hij buigt voorover en kust haar zacht op haar wang.
'Ga je mee, Daniël? We moeten Renée nog ophalen,' zegt Yvonne. Ze komt net de kamer weer in en lacht Sanne zorgeloos toe. 'We gaan met z'n drietjes pannenkoeken eten. Gezellig hè?'

Sanne knikt sprakeloos. Dat heeft ie dus met Yvonne afgesproken! Als ik had gezegd dat ik graag met hem zou willen eten, had hij Yvonne nu nog aan de kant gezet. Met Renéetje en de pannenkoeken erbij. Wat walgelijk! Over de rug van een kind. Ze ziet aan het gezicht van haar vriendin dat ze dolgelukkig is met het vooruitzicht samen aan tafel te zitten en een gezinnetje te vormen. Sanne slikt een aanval van misselijkheid weg en zegt tegen Yvonne: 'Ga maar gauw. Ik bel je nog.' Yvonne zwaait en loopt achter Daniël aan naar buiten. Dan is iedereen weg. Behalve Hazel, die overal rondsnuffelt en alle kruimels van de appeltaart voor haar opruimt. Ze zucht eens diep en zegt tegen Hazel: 'Zullen we kijken of we de kikkers de sloot in kunnen jagen?' En Hazel, die de meest wonderlijke uitnodigingen begrijpt, staat meteen voor haar te kwispelen. Pas als ze met Hazel het koeienpaadje afloopt en de zonnebadende kikkers weg ziet springen, komt ze een beetje tot rust. En helemaal tot rust komt ze achteraan het weiland, als ze het grasland, de brede sloot met de rietkraag en de weidse wolkenlucht daarachter overziet.
'Ik ben weer thuis,' zegt ze. En ze krijgt tranen in haar ogen door de emotie van het moment.
Sanne geniet in haar nieuwe kleine huis. Langzaam krijgt alles zijn plek en langzaam begint het huis haar te passen als een oude vertrouwde regenjas; behaaglijk, ruim genoeg, met hier en daar wat slijtage. Rinke komt een nachtje bij haar logeren en dat is een feest op zich. Iedere avond belt er wel iemand op om te vragen hoe het met haar gaat en vrijwel dagelijks komt ze boer Lok tegen op het erf. Kazan blaft al lang niet meer als hij haar ziet; hij komt kwispelend op haar af en gaat lekker tegen haar aanleunen, als ze hem achter zijn oren kroelt. Hazel is iedere keer weer onverdeeld enthousiast als ze de grote herder ziet. Sanne merkt dat er een rust over haar komt, die ze in tijden niet heeft gevoeld. 's Avonds maakt ze het kleine open haardje aan en overdag rommelt ze in haar tuin. Ze haalt glanskatoen om een lappendeken van te haken en geniet als ze de kleurtjes combineert en het ene vierkantje na het andere aan de stapel toevoegt. Boer

Lok komt op een namiddag aankloppen met een bijzondere boodschap. Hij schraapt langdurig zijn keel en zegt dan: 'Sanne, Nella komt eten.'
'Petronella,' knikt Sanne.
'Juist. En ik ga koken. En ik kook eigenlijk nauwelijks. Ik bedoel, niet voor een diner of zo... Meer aardappelen, groente en vlees. Boerenpot. Maar nu vraag ik me af, wat moet ik maken? Wat zou een vrouw als zij nu lekker vinden?'
'Oesters. En verse kreeft,' bedenkt Sanne. Maar als ze de wanhoop ziet toeslaan bij Jan Lok, lacht ze: 'Nee hoor! Ik plaag u maar wat! Ik denk dat ze het fantastisch vindt om gewoon te eten wat u ook altijd eet. Ik bedoel, gewoon echt scharrelvlees, groenten uit eigen tuin en room en eitjes en zo. Lekker puur en echt en zonder rommel erin.'
'Denk je?' aarzelt Lok.
'Ik weet het zeker,' knikt Sanne.
'Ik heb peultjes. Die zijn boterzacht. En er ligt nog een mooi lamsboutje in de vriezer. En er zijn nieuwe aardappeltjes. Die kan ik in de oven doen. Met echte boter en verse rozemarijn. En dan misschien...' Sanne heft haar hand en roept: 'Stop maar. Als u nog even doorgaat, dan kom ik ook eten. Geen tien paarden die me nog tegenhouden!' Tevreden lachend loopt Lok weer naar buiten.
En net als Sanne bedenkt dat er weinig meer aan haar geluk ontbreekt en dat ze een stevige basis aan het vormen is om haar leven weer op te pakken, gaat op een avond haar keukendeur open en stapt Daniël haar kamer binnen. Sanne, die eerst nog verbaasd opkeek omdat ze meende dat boer Lok aan de deur stond en tegen zijn vaste gewoonte in haar naam niet riep, kijkt hem oprecht ontsteld aan.
'Ik had het je gezegd. Op een dag sta ik voor je en dan zetten we het gesprek voort dat we hier boven zijn begonnen,' glimlacht hij. Sanne springt meteen op van de bank en zegt: 'Ik heb je niet uitgenodigd. En ik wil ook niet dat je blijft. Ik heb je duidelijk genoeg gezegd wat ik van je voorstellen vond. Dat je aanhield,

terwijl je al met Yvonne had afgesproken om met haar en Renéetje pannenkoeken te gaan eten, vind ik regelrecht onsmakelijk.'
Hij lacht gevleid en zegt: 'Wat amusant! Je bent jaloers!'

Sanne voelt een intense woede opkomen. Jaloers? Is die man niet goed snik? Ze voelt het bloed naar haar wangen stijgen van woede en dat wordt alleen maar erger als Daniël twee passen op haar af doet en zegt: 'Je hoeft niet zo te blozen! Kom nou, we zijn toch geen kinderen meer? We weten allebei heel goed wat we willen.' Nu staat hij vlak voor haar. Sanne doet een stap achteruit en zegt: 'Ik vraag je vriendelijk om nu meteen te vertrekken.' Hij lacht.
'Je hoeft er niet tegen te vechten, schat.' Hij doet een stap naar voren en pakt haar arm. Ze schudt zich los en stapt naar achteren. Maar dan is ze al bij de bank en doordat ze haar evenwicht verliest, valt ze achterover in de kussens. Hij laat zich meteen met haar mee vallen en landt half over haar heen.
'Ga weg!' roept Sanne gesmoord.
'Lieverd,' kreunt hij in haar nek.
'Gek!' schreeuwt ze. Hazel blaft opgewonden en Sanne schreeuwt harder.
'Ga van me af, idioot! Donder op!' Hazel blaft nu vlakbij haar oor en Sanne beseft dat de hond gedacht moet hebben dat dit wel een heel leuk spelletje is, zo stoeien op de bank. Want ze is boven op Daniël gedoken en blaft en likt naar Sannes gezicht. Dan pas blijkt dat Daniël het gedrag van de hond heel anders interpreteert. Hij gilt ontzet en gooit met zijn ene arm Hazel op de grond. Tijdens de val raakt de hond de poot van de salontafel. Jankend kruipt ze weg.
'Klootzak!' schreeuwt Sanne verontwaardigd. Met al haar kracht gooit ze Daniël van zich af, ze stoot hem met haar armen

in één keer ver naar achteren. Sanne ziet hoe hij nog probeert om zich vast te houden aan de armleuning van de bank, maar hij glijdt weg zonder houvast en daarbij knalt hij op zijn beurt onzacht met zijn hoofd tegen de hoek van het glazen tafelblad. Hij roept niks. Hij kreunt alleen maar en glijdt langzaam op de grond. Daar blijft hij stil liggen.

Met grote ogen kijkt Sanne naar Daniël, uitgestrekt op het vloerkleed.

'Daniël?' Ze vraagt het zachtjes, alsof ze hem eigenlijk liever niet wakker wil maken. Hazel jankt nog een keer en komt op haar af. Ze likt Sannes hand en Sanne sust: 'Stil maar, lieverd. Jij kan er niks aan doen.' Onderwijl kijkt ze naar het lichaam van Daniël dat daar in een tamelijk vreemde krul om haar salontafel heen ligt. Ze ziet bij zijn oor een dun straaltje bloed.

'Klootzak.' Ze zegt het nog een keer. Nu een stuk zachter. Als een nuchtere constatering. Ze haalt eens diep adem, staat op, trekt haar kleren recht en zegt tegen Hazel: 'Kom, we gaan even naar de boerderij. Hulp vragen.' Hazel gedraagt zich onmiddellijk alsof ze gewoon een stukje gaan wandelen. Ze kwispelt en is blij dat alles weer gewoon lijkt. Sanne loopt op een draf naar de boerderij, doet de keukendeur open en roept: 'Lok? Boer Lok? Bent u thuis?'

'Kom maar binnen, Sanne! Petronella is er ook!' Sanne haalt opgelucht adem. Ze stapt de stoep voor de keukendeur op, gaat naar binnen en valt maar meteen met de deur in huis. 'Ik heb jullie hulp nodig. Daniël, die man die er ook tijdens de verhuizing was, is tegen de salontafel gevallen. Hij is bewusteloos. Ik weet niet wat ik moet. Hij viel me eigenlijk nogal aan. Hij stortte zich bovenop me, zal ik maar zeggen. Het is allemaal een beetje ongemakkelijk.' Ze kijkt van de één naar de ander. Lok en Petronella kijken haar aan, met open mond. Het duurt even voor de wonderlijke boodschap door begint te dringen. Petronella is de eerste die overeind komt. Ze zegt: 'Kom Jan. Sanne heeft hulp nodig.' Ze pakt nog snel haar servet en veegt haar mondhoeken af. Dan loopt ze kordaat achter Sanne aan. 'Toe maar snel. Ik

volg wel,' zegt ze geruststellend, als Sanne bezorgd omkijkt of ze niet te hard loopt. Boer Lok en zij lopen hand in hand en Kazan komt achter hen aan. Dus is het in de kleine kamer van Sanne opeens behoorlijk vol, met die man op de vloer en twee grote honden en drie mensen er omheen. Petronella bukt en luistert naar de ademhaling van Daniël. Ze voelt met haar vingers in zijn nek. Daniël kreunt en beweegt zich.
'Niks aan de hand. Die komt zo bij. Maar hij moet wel blijven liggen. Misschien heeft hij een hersenschudding of erger. We moeten onmiddellijk een ambulance bellen,' raadt Petronella aan. Sanne heeft de telefoon al in haar hand. Ze toetst het alarmnummer in en geeft rustig de boodschap door. Haar naam, het adres, wat er aan de hand is, alles netjes op een rijtje. De telefonist zegt: 'Hoogstens een minuut of tien, mevrouw. Dan komen de hulpdiensten. Bent u verder alleen?'
'Nee, ik heb mijn buren hierheen gehaald. Want ik was even totaal in paniek. Zij zijn nu bij me.'
'Dat is prachtig. Als er iemand van u aan de weg wil gaan staan om de eerste wagen die arriveert naar u toe te loodsen, dan zou dat helemaal prima zijn.'
'Komt in orde,' belooft Sanne. Ze verbreekt de verbinding en zegt: 'Er moet iemand aan de weg gaan staan. Ik ga wel.'
'Prima, kind. Wij blijven wel bij deze meneer,' zegt Petronella. Ze zit op haar hurken bij Daniël en als Sanne naar buiten loopt, hoort ze haar zeggen: 'Nee, meneer. U mag niet overeind komen. Blijft u alstublieft rustig liggen. U hebt een lelijke val gemaakt.'

Ze hoort het geluid al in de verte. De ambulance. 'Hij is al dood, hij is al dood.' Dat versje zong ze vroeger met Cathy als ze in de verte de vier tonen hoorden. Van wie hebben ze dat geleerd? Van

vader? Sanne krijgt een rilling over haar rug bij de herinnering aan de tekst die ze als kind zo onbekommerd zong en die nu zo gruwelijk klinkt. Ze zwaait met haar armen naar de ambulance, die meteen het erf opdraait.
'Het huis achteraan!' wijst ze gehaast. De broeder achter het stuur knikt en rijdt door. Sanne rent mee en loodst de mannen mee naar binnen. Als ze opzij stapt om ze te laten passeren, ziet ze in een flits dat Petronella in een vreemde beweging omhoog springt en dat Lok zijn hand weghaalt van de mond van Daniël. Even twijfelt ze. Zag ze dat goed? Petronella kijkt haar aan, strak en onbewogen. Boer Lok staat erbij en hij kijkt Sanne verontschuldigend aan. Er hangt zo'n rare sfeer dat zelfs de ambulancebroeders even hun pas inhouden voor ze neerknielen bij het slachtoffer.
'Meneer, blijft u maar rustig liggen,' hoort Sanne de ene man sussend zeggen. Ze ziet de benen van Daniël bewegen en een tel later hoort ze hem gillen: 'Eerst probeerde zij me te vermoorden en toen kwamen die anderen om het af te maken! Haal me hier weg!'
'U bent in veilige handen, meneer,' zegt de andere broeder.
'Ik wil hier weg!' krijst Daniël. Zijn vuist raakt de broeder die het dichtst bij hem zit vol in het gezicht. De man kreunt even beheerst tussen zijn tanden door en zegt dan: 'We zullen u even rustig maken, meneer.' Even later ligt er een brancard naast Daniël en nog een paar tellen later ligt hij stevig vastgebonden op het smalle bedje.
'Neem me mee. Weg van die moordenaars, die schurkenbende. Die hond wilde me nog bijten toen ik al bijna buiten bewustzijn was! Mijn hoofd! Het knalt uit elkaar! Dat heeft zij gedaan. Ze heeft een wapen! Zoek het op. Voor ze het verstopt!'
'Alles komt goed, meneer,' zegt de broeder voor de zoveelste keer. Hij klapt de brancard omhoog en begint de constructie naar buiten te rijden.
'Hij is helemaal in de war. Hij blijft maar moord en brand schreeuwen,' zegt Petronella hoofdschuddend. Boer Lok mom-

pelt: 'Nou, meer moord, minder brand, zou ik zeggen.' Sanne zegt: 'Ik hoop dat alles in orde komt met hem.' De broeder die achteraan loopt, werkt de wieltjes handig over de drempel en zegt over zijn schouder: 'De politie is er al. Daar kunt u een complete verklaring aan afleggen. We brengen meneer naar het Medisch Centrum Stad.'

'Dank u,' knikt Sanne. Onderwijl denkt ze: politie. Shit. Dat had ik niet verwacht.

Er stappen twee jonge mensen binnen, een meisje met een lange blonde paardenstaart en een jonge man met kort zwart haar en een klein ringetje in zijn oor.

'We komen even uw verklaring opnemen,' zegt de vrouw. Ze geeft Sanne een hand en stelt zich voor. Ook de man schudt handen en noemt zijn naam. Boer Lok en Petronella staan nog steeds, totdat de vrouwelijke agent zegt: 'Ik wil u ook graag horen. Dus gaat u zitten. Wie wil beginnen?' Sanne haalt diep adem en zegt: 'Ik. Ik woon hier. Boer Lok en Petronella heb ik gehaald toen het allemaal al gebeurd was. Oké. Ik zat dus op de bank. Gewoon. En toen ging ineens de deur open.' Ze vertelt het hele verhaal. Zonder ook maar iets weg te laten. De agenten maken aantekeningen, knikken en stellen af en toe een korte vraag. Petronella en boer Lok vertellen wat er gebeurde nadat Sanne hen was komen halen.

'Toen is Sanne aan de weg gaan staan en wij hebben op die man gepast. Hij was nogal wild. Hij wilde gaan staan. Dat was wel heel onverstandig, want voor hetzelfde geld heeft hij een schedelbasisfractuur of zo. Dat tafeltje geeft niet bepaald mee,' wijst Petronella.

'We hebben die man nogal hardhandig op de grond moeten houden,' vult Lok aan. 'Voor zijn eigen bestwil. De ambulancebroeders moesten hem aan een brancard vastbinden. Maar zoiets hadden wij natuurlijk niet voorhanden.'

'En hoe heeft u dat gedaan?' vraagt de agent.

'Ik heb mijn hand over zijn mond gehouden en Petronella is bovenop hem gaan zitten,' zegt boer Lok plompverloren. Sanne

krijgt een onbedwingbare lachkriebel. Ze kan het niet tegenhouden. Gelukkig is ze niet de enige. Ze ziet dat de agente ook haar lachen niet kan houden. Maar haar mannelijke collega vertrekt geen spier, noteert iets in zijn kladblokje en zegt: ‘Dat heeft het slachtoffer natuurlijk geïnterpreteerd als een poging om de moordaanslag te vervolmaken.’
‘Dat denken wij wel,’ knikt Petronella berustend.
‘We begrijpen het. Het is allemaal heel vervelend afgelopen. Maar meneer heeft het zelf ook wel enigszins bont gemaakt. Wilt u nog aangifte doen?’
‘Ik?’ vraagt Sanne verbaasd.
‘Misschien niet zo gek om te doen,’ knikt de agente. ‘Huisvredebreuk, aanranding, poging tot verkrachting, al is het maar als tegenwicht tegen de beschuldigingen die de man nu tegen u uit. We hebben al uw gegevens al. Ik zou het maar doen.’
‘Misschien voorkom je daar wel een hoop gelazer mee, Sanne,’ knikt boer Lok. Ook Petronella is het daar mee eens. ‘Wie weet wat die man allemaal nog meer gaat roepen. Het lijkt mij ook het meest verstandig.’
‘Dan moet u morgenochtend even voor de afronding naar het bureau komen. Daar kunt u de verklaring nalezen en ondertekenen,’ biedt de agent aan.
Sanne aarzelt.

Dan knikt ze. ‘Ik doe aangifte. U heeft gelijk. Dit kan ook niet zomaar. Ik vind die man echt eng.’ De agenten knikken goedkeurend.
‘U kunt bovendien altijd de aanklacht nog intrekken, mocht er van zijn kant ook een ander inzicht zijn ontstaan,’ zegt de man formeel. ‘Die ontwikkeling lijkt me niet geheel ondenkbaar.’
‘Ja,’ verzucht Sanne. ‘Dat zou wel het prettigst zijn. En dan doe

ik voortaan 's avonds mijn deur maar op slot.' Petronella reageert ontsteld. 'Ach, nee! Dat zou toch treurig zijn! Dat hoort niet in een dorp, hoor. Hier moet je lekker vrij kunnen leven. Met de deur open, als je dat wilt.' Boer Lok knikt tevreden. 'Ja, zo hoort dat hier. Alle deuren open en nooit iets aan de hand.'

'Nou mensen, we willen jullie niet ongelukkig maken, maar houd er maar rekening mee dat dat ook in een dorp eigenlijk niet meer kan,' waarschuwt de vrouwelijke agent. 'Maar wij stappen op. We gaan meneer opzoeken in het ziekenhuis en kijken of hij is staat is om een verklaring af te leggen.' Sanne loopt nog even mee naar de keukendeur en met een korte groet verdwijnen de twee naar hun auto.

'Ik heb ontzettend behoefte aan een glas wijn,' bekent Sanne. 'Dan doen wij mee, hè Jan?' zegt Petronella. En even later gieren ze met z'n drieën om de manier waarop Petronella Daniël in bedwang heeft gehouden.

'Eerlijk is eerlijk, ik ben geen licht elfje. Ik ben een stevige dame. Als ik eenmaal bovenop je zit, kom je er niet zo gemakkelijk onderuit!' giechelt Petronella. Sanne heeft nu tranen in haar ogen van het lachen, temeer om de dromerige blik die boer Lok in zijn ogen krijgt bij de bewering van Petronella. Als hij ernstig knikt en zegt: 'Ik probeer me er iets bij voor te stellen,' houdt Sanne haar buik vast en ze zegt: 'Hou op, jongens, ik heb overal pijn van het lachen!'

'Dat zijn deels zenuwen hoor,' zegt Petronella ter geruststelling. Boer Lok knipoogt naar haar.

Die nacht wordt Sanne een paar keer wakker. Hoort ze daar iets op het erf? In de tuin? In de kamer? Ze gaat een paar maal op haar tenen haar bed uit, doet voorzichtig het gordijn iets opzij om naar buiten te kijken. Maar Hazel slaat geen enkele keer aan, dus ze moet het zich haast wel inbeelden. En ze beseft dat de gebeurtenis haar erger van slag heeft gebracht dan ze aanvankelijk had gedacht.

De volgende ochtend laat ze Hazel heel vroeg uit. Ze geniet van de ochtendnevel, waardoor het lijkt alsof alle schapen zonder

poten boven het weiland zweven. Het ruikt helder en zuiver buiten en totaal opgefrist komt ze weer binnen. Ze heeft net haar koffie en haar broodje op en ze kijkt de laatste pagina van de krant door, als de telefoon gaat. Yvonne. Ze ziet het op het display. Zou die het al weten van Daniël? Wat aarzelend neemt ze op. Maar Yvonne steekt meteen van wal.
'Sanne, het is zo erg! Daniël ligt in het ziekenhuis. Hij heeft een heel ernstig ongeluk gehad en hij ligt in coma! Ik ga er straks heen, maar ik ben helemaal in de war. En nu vroeg ik me af, wil jij met me mee? Want ik ben bang dat ik een ongeluk veroorzaak, zo zenuwachtig ben ik. Shit, Sanne, nu ben ik eindelijk weer eens gelukkig met een man en dan gebeurt er zoiets! Weet je dat we morgen zouden gaan shoppen? Daan, Abel, Daniël en ik? Hij zou helemaal in de make-over en hij had er echt zin in. Zo leuk! Het is zo'n schat, Sanne. En nu, nu..'
'Yvonne, je moet even naar me luisteren!' Sanne probeert een paar keer het geratel van Yvonne te onderbreken, maar Yvonne luistert niet.
'En nu gaat hij misschien wel dood! Of hij is voor de rest van zijn leven verlamd! Waarom mag ik nou nooit eens gelukkig zijn? Waarom niet?'
Eindelijk heeft Sanne een gaatje gevonden. Ze knalt de boodschap er uit. 'Lieve schat, luister eens naar mij. Daniël is bij mij in de kamer met zijn kop op de tafel gevallen.'
'Wat?'
'En hij wordt vast wel beter, want gisteravond ging hij nog vreselijk tekeer. Dus het zal allemaal wel meevallen. En ja, ik wil wel met je mee, maar helaas, dit is niet de man van je dromen. En zeker niet van mijn dromen. In de auto zal ik alles wel uitleggen. Ik kom je meteen halen.'
'Maar wat is er dan allemaal gebeurd? Bij jou op de tafel? Daniël? Hoe kan dat nou?'
'Straks, Yvonne. Ik kom eraan.'
Yvonne staat haar al op te wachten voor de flat. Ze springt meteen in de auto, als Sanne voorrijdt.

'Vertel.' Ze zegt het kort. Boos, bijna. Sanne vertelt. Yvonne luistert zwijgend. Af en toe maakt ze een klein geluidje of schudt ze haar hoofd.
'Dat meen je niet,' fluistert ze uiteindelijk.
'Dat meen ik wel. Ik heb op aanraden van de agenten zelfs aangifte gedaan. Het spijt me meer dan ik je kan zeggen. Ik heb er nooit iets van laten merken, omdat ik dacht: het waait wel over. Maar van het begin af aan was er bij hem een vreemd soort fascinatie. En ik heb hem echt geen aanleiding gegeven, Yvon. Echt niet. Het spijt me zo enorm.' Het is een tijdje stil in de auto. Pas als Sanne het parkeerterrein van Medisch Centrum Stad oprijdt, zegt Yvonne: 'Ik wil ook zijn verhaal horen.'
'Natuurlijk,' zegt Sanne meteen.
'En jij gaat niet met me mee. Wacht maar in de koffiecorner,' voegt Yvonne eraan toe.

Sanne installeert zich met een kop koffie bij het raam. Terwijl ze naar buiten kijkt, naar de eindeloze stroom mensen die het ziekenhuis bezoekt, bedenkt ze dat ze helemaal niet van plan was om Daniël op te zoeken. Hij zou onmiddellijk gaan krijsen als hij haar zag. Bij die gedachte moet ze zelfs even glimlachen.
Het duurt lang, heel lang voordat Yvonne op haar af komt lopen. Ze ziet er bleek en opgewonden uit. Sanne kijkt haar vragend aan.
'Hij is gewoon bij kennis. Weinig aan de hand, eigenlijk. Hij mag vandaag naar huis. Maar hij moet nog wel een paar dagen rustig aan doen. Hij heeft een hersenschudding,' vertelt Yvonne.
'Gelukkig maar,' zegt Sanne opgelucht. Want ook al zag ze de toestand van Daniël niet zo somber in door al zijn kabaal de vorige avond, toch hield ze ergens in haar achterhoofd rekening met de mogelijkheid dat zijn toestand plotseling verslechterd

zou kunnen zijn. Je weet maar nooit wat er allemaal in een hoofd kan beschadigen door zo'n rare klap.
'Hij weet zich niets meer te herinneren van gisteravond,' zegt Yvonne tot haar stomme verbazing.
'Hè?' Ze kijkt haar vriendin vol ongeloof aan. Maar die schudt haar hoofd.
'Nee. Echt. Hij weet niet eens dat hij bij jou is geweest. Hij dacht dat hij thuis was gevallen. Raar hè?'
'Weet hij ook niet meer dat hij door boer Lok en Petronella rustig is gehouden? En dat hij de ambulancebroeder een kaakstoot gaf?' Yvonne schudt haar hoofd.
'Hij weet helemaal niks. Hij heeft een gat in zijn geheugen van een paar uur. En hij kan zich niet voorstellen dat hij zo raar heeft gedaan. Hij vermoedt dat het komt door zijn medicijnen. Hij slikt pillen, weet je dat? Tegen epilepsie. En nu denkt hij dat hij misschien de dosering niet in de gaten heeft gehouden. Daar kan je helemaal van in de war raken. Het kan best zijn dat hij totaal verkeerd gereageerd heeft op zijn medicijnen.' Yvonne kijkt Sanne trouwhartig aan. Sanne zegt meteen: 'Yvon! Dat geloof je toch niet? Wat een flauwekulverhaal is dat. Nee, kom nou. Hij zit zich gewoon schoon te praten!'
'Sanne, het kan best. Hij zei ook nog dat hij je graag wilde zien. Om zijn verontschuldiging aan te bieden. Want hij gelooft geen moment dat jij liegt. Dat moest ik je nog zeggen.' Sanne kijkt Yvonne verbijsterd aan.
'Nee, natuurlijk gelooft hij niet dat ik lieg! Ik heb een blik vol getuigen! Yvonne, die man is slecht nieuws. Kap zo snel mogelijk met die idioot. En nee, dank je wel, ik hoef meneer niet te zien. Nu niet en nooit niet.' Yvonne krijgt tranen in haar ogen door de afgemeten toon waarop Sanne de laatste zin eruit gooit.
'Sanne, doe nou niet zo hard! Ik ben je vriendin. Al zo lang. En ik ben dol op Daniël. Ik wil hem niet kwijt! Toe nou...'
'Ik moet nog naar het politiebureau. Ga mee. Dan kun je daar horen wat Daniël allemaal heeft verklaard. Want gisteravond brulde hij nog dat ik een moordaanslag op hem had gepleegd en

dat boer Lok en Petronella hebben geprobeerd om mijn mislukte poging af te maken. Dan gaan je ogen misschien open,' zegt Sanne.
'Maar dan wil ik daarna meteen naar huis. Ik moet schone kleren ophalen bij Daniël, want hij heeft nu alleen zo'n ziekenhuisponnetje aan,' besluit Yvonne.
'Spaar me alsjeblieft de details,' verzoekt Sanne. Ze krijgt kippenvel op haar armen als ze zich Daniël voorstelt in een nachthemd dat met een koordje op zijn rug zit dichtgeknoopt. Jakkes!
In de auto is het stil. Yvonne heeft duidelijk haar eigen gedachten en Sanne bedenkt dat ze er akelig dichtbij is om haar vriendin te verliezen.
Op het politiebureau mag ze meteen een spreekkamer in. Yvonne volgt haar en samen gaan ze aan een tafel zitten met een formica blad. De agent met het ringetje in zijn oor komt een minuut of wat later binnen, begroet ze, gaat zitten en legt een kladblok voor zich neer.
'Mevrouw Van den Broek, om maar meteen met de deur in huis te vallen: de heer Dermouw heeft geen aanklacht tegen u ingediend. Toen we hem in het ziekenhuis opzochten, was hij totaal vergeten wat er allemaal was gebeurd. Hij keek er nogal van op dat hij bij u in huis gevallen was. Hij verkeerde in de veronderstelling dat hij thuis een ongelukje had gehad als gevolg van een absence of een lichte epileptische aanval. Zijn verklaring leek ons legitiem, dus we hebben uw aanklacht ook maar even laten liggen. Wellicht besluit u nu uw aanklacht ook op te schorten?'
'Prima,' zegt Sanne meteen. 'Maar ik geloof helemaal niks van die zogenaamde absence.' De agent schraapt zijn keel en leest van zijn bloknoot: 'Volgens de artsen is het zeker mogelijk dat de heer Dermouw onder invloed van medicijnen of juist gebrek daaraan gedrag heeft vertoond dat niet strookt met zijn persoonlijkheid.' Hij kijkt Sanne aan en vervolgt: 'Dat zei de dienstdoende arts gisteravond. Ik heb het maar opgeschreven. Ik houd wel van dat soort zinsconstructies.'

'Het is ook niet mis,' beaamt Sanne.
'Zie je nou wel?' sist Yvonne. 'Hij kan er helemaal niks aan doen!'
'Dan laten we het hier maar bij,' besluit Sanne. Ze staat op en steekt haar hand uit naar de agent. 'Maar als de heer Dermouw op zijn besluit terug komt, dan hoop ik wel dat jullie mij even bellen.'
'Vanzelfsprekend,' knikt de agent.
'Wat ben je toch achterdochtig,' zegt Yvonne verdrietig. 'Daniël verdient dat niet, Sanne. Echt niet. Hij huilde zo, toen ik net bij hem was.'

'Hij weet zich niets meer te herinneren? Wonderlijk,' vindt boer Lok.
'Nu is het net alsof ik alles heb verzonnen,' zegt Sanne.
'Ja, nou ja, daar was verder natuurlijk ook niemand bij,' antwoordt Lok. Sanne kijkt hem aan. 'Maar Petronella en u hebben hem toch rustig gehouden terwijl ik op de ambulance wachtte?' Lok knikt.
'Jazeker. Dat is zo. Ik bedoel dat stuk daarvoor! Toen hij viel, zeg maar. En jou aanviel...'
'Zie je. Dat bedoel ik,' zegt Sanne somber. Ze staat op en bedankt voor de koffie. Lok wuift. 'Voor nou en nog er eens, zeggen we dan. En zet dat hele geval nu maar uit je hoofd. Het is wel de vriend van je beste vriendin, moet je maar denken.'
'Het zal wel moeten, denk ik,' zegt Sanne. Ze ziet weer voor zich hoe blij Yvonne keek, toen bleek dat Daniël snel zou opknappen en dat zijn hoofdletsel enorm meeviel. En dat Daniël onder invloed van zijn medicijnen in de war is geraakt, daar twijfelde ze geen moment aan.
'Sanne, de doktoren hebben het zelf gezegd! Hij weet er hele-

maal niets meer van. Laat het nu met rust!' Ze hadden uiteindelijk allebei tranen in hun ogen en toen Sanne Yvonne thuis afzette en nog een keer naar haar wuifde voor ze wegreed, wist ze dat er definitief iets was veranderd tussen hen beiden. Er is een scheurtje gekomen in die lange hechte vriendschap, wist ze. Een gemene diepe scheur zelfs, allemaal door die man. Daniël Dermouw. Bah. Boer Lok gaf haar nog wel de gelegenheid om het hele verhaal te vertellen, maar doet het in haar ogen ook maar luchtig af met zijn 'Zet het hele geval uit je hoofd.' Teleurgesteld loopt ze naar haar huis, waar Hazel haar kwispelend tegemoet komt.
'Kom, ik zet je in de auto. We gaan bij juffrouw Schaap langs,' besluit Sanne. 'En dan lopen we eerst een stuk door het bos. Bij de oude camping.' Hazel blaft vrolijk. Die vindt het allemaal prima.
Het bezoekje doet Sanne goed. Hazel ligt aan haar voeten, helemaal tevreden na de lange wandeling en al die spannende geursporen waar ze achterna rende tot ze te moe was om te blaffen. Juffrouw Schaap heeft een grote pot thee en zelfgebakken pindakoekjes. En Rokus heeft vier grote kroppen andijvie en een kilo sperziebonen. Sanne geniet.
'Vertel. Wat is er allemaal gebeurd,' gebiedt Schaap, als Rokus weer naar zijn tuin vertrokken is. Sanne vertelt. Schaapje lacht af en toe en schudt haar wijze hoofd. 'Scheuren komen alleen in het nu. In het heden,' doceert ze. 'Het verleden, daar kan toch niets aan veranderen? Of ga je ineens anders kijken naar vroeger? Nou dan. En de toekomst moet nog komen. Dus over wat voor scheurtje hebben we het? Niks aan de hand. Dit is zo makkelijk te lijmen dat je er straks niks meer van ziet. Maak je maar niet druk.'
'Zoiets zei boer Lok ook al.'
'Verstandige man. Dat zag ik meteen,' knikt Schaapje goedkeurend. Ze pakt nog maar eens het trommeltje met koekjes en houdt het voor Sannes neus. 'Hier, eet. Van koekjes word je gelukkig, wist je dat? En helemaal van pindakoekjes.' Ze lacht en

neemt er zelf ook nog eentje. 'En ik schenk je nog een kopje thee in. Dan lees ik daarna de theebladeren in de pot. Kijken wat die zeggen.'
'Leuk,' zegt Sanne meteen. Juffrouw Schaap gaat er eens goed voor zitten. Ze sluit even haar ogen en wrijft wat met haar handen. Dan schenkt ze neuriënd Sannes kopje in en zet de pot neer. Sanne durft niets meer te zeggen. Het vreemde geneurie bezorgt haar kippenvel en net als altijd voelt ze zich vreemd opgewonden door de wonderlijke gaven van Schaap. Pas als die stopt met neuriën, haar keel schraapt en doodnormaal aankondigt: 'Ziezo. Kijken wat de theepot schaft,' durft Sanne weer te bewegen. Schaapje is gaan staan om beter op de bodem te kunnen kijken.
'Zozo,' mompelt ze. 'Dus er komt iets aan. Ha! Jawel. Er komt duidelijk iets aan.'
'Iets?' Sanne kijkt haar vragend aan. Schaapje steekt haar vinger op, alsof ze in de verte iets hoort. Dan zegt ze: 'Neen. Iemand. Gauw, jawel, heel gauw. Héél bijzonder! En oude spullen krijgen een nieuwe glans. Oei, wat een drukte op het erf. Ziezo.' Ze gaat zitten en kijkt Sanne tevreden aan.
'Wat gebeurt er nu allemaal?' vraagt Sanne.
'Genoeg. Je hebt toch wel geluisterd?' vraagt Schaapje een beetje beledigd. Sanne knikt. 'Maar ik kon er geen touw aan vastknopen,' bekent ze.
'Meer kan ik er niet van maken. Hier,' zegt Schaap en ze houdt de koektrommel alweer omhoog. 'Neem nog een koekje.'
In de auto zegt Sanne hardop: 'Volgende keer maak ik een opname van alles wat Schaap zegt. Zo heb ik er natuurlijk niets aan.' Hazel reageert op haar stem met enthousiast gekwispel.
Een paar dagen lang denkt Sanne niet meer aan de voorspelling van juffrouw Schaap. Ze is druk bezig met haar huis, heeft Rinke een weekendje te logeren, belt met Yvonne, hoort dat Daniël alweer thuis is en dat het zo goed met hem gaat én ze krijgt een uitnodiging van Wichard voor een etentje.
'Het lijkt Jennifer en mij leuk om haar ouders en jou eens bij een

gezellig dinertje aan elkaar voor te stellen. We wonen vrijwel samen. Jen heeft haar flat al opgezegd. Dus, wat vindt je?'
Sanne moet zich meteen vermannen. Oei, wat steekt dat. Dan zit ik daar alleen. Helemaal alleen. Even golft het verdriet onhoudbaar door haar lijf en haar ziel. Maar ze zegt dapper: 'Hartstikke leuk!'
's Avonds zit ze lang met het fotoalbum op schoot en bladert beeld voor beeld door het verleden. En als ze Hazel uitlaat voor het slapen gaan, fluistert ze tegen de hond: 'Vrouwtje heeft zo veel van de baas gehouden. Zo heel veel.'

'Kind, dan gaan wij toch met je mee? Daan en ik?' Abel biedt het meteen aan, als Sanne hem belt en vertelt dat ze tegen het etentje opziet.
'Nee, joh,' lacht Sanne. 'Het is alleen een vervelend idee; die ouders van Jennifer aan tafel en dan ik. In mijn uppie. Brrrr.'
'Snap ik toch, schat,' troost Abel. 'Daarom zeg ik dit ook. Jij mag van Wichard heus je vriendjes wel meenemen. Toch? Dan ben je niet meer alleen.' Sanne krijgt op slag een visioen van twee stokoude mensen in quaker-achtige kostuums die naar Daan en Abel zwaaien met een oude Statenvertaling van de bijbel. De vrouw nijpt haar dorre lippen tot een strooien mondje en de man schreeuwt: 'In de bijbel staat het al! Sodom en Gomorra zijn verwoest vanwege deze ontucht, die een gruwel is in de ogen van de Heer!' met witte vlokjes spuug in zijn mondhoeken.
'Ik red het wel alleen,' zegt Sanne. 'Als jullie in de geest maar bij me zijn. Dat is wel genoeg.'
'Goed hoor, kind,' antwoordt Abel. 'En als het je te veel wordt, bel je ons op. Dan komen wij je redden. Dan verzinnen we een list! Daan is daar altijd heel goed in. Maar nu even iets anders.

Daniël is behoorlijk opgeknapt. Dus we gaan binnenkort shoppen voor zijn make-over. Heb jij nog suggesties?'
'Dat feest moet maar buiten mij om,' zegt Sanne. 'Ik heb daar even helemaal geen hoofd voor.'
'Als je je bedenkt: ik geef je de datum nog wel door. En ik dacht het voor hem te zoeken in blauwtinten. Vind je niet? Gris-bleu, petrol, misschien zelfs neigend naar lavendel. Wat denk je?' Het kan me werkelijk geen laars schelen wat die Daniël aantrekt. Voor mijn part loopt hij in een strakke grijze vuilniszak, bedenkt Sanne. Maar ze zegt hartelijk: 'Ik vertrouw erop dat jullie smaak van iedereen iets moois kan maken. Ik zie het allemaal nog wel een keer.' Ben ik bang… Dat denkt ze erachter aan. Maar dat zegt ze niet hardop.
'Je wordt waarschijnlijk op slag verliefd op hem,' plaagt Abel, die geen idee heeft wat er zich tussen Daniël en Sanne allemaal heeft afgespeeld.
'When hell freezes over,' zegt Sanne somber. Maar als Daan meteen roept: 'Kind, ik wist niet dat jij zulk beeldig Engels sprak,' moet ze alweer lachen. En als ze eindelijk de telefoon neerlegt, doet haar oor pijn. Drie kwartier is zo om, als je Daan of Abel aan de lijn hebt. Hazel staat meteen kwispelend voor haar neus. Gaan we nog een rondje voordat we gaan slapen? Sanne staat op en krijgt een lik langs haar hand als dank. Als ze de deur uitstapt, haalt ze meteen diep adem. Wat ruikt het weer lekker! Gras en grond en mest en prut. Grappig dat ik veel als vanzelfsprekend kan gaan beschouwen, maar dat ik iedere keer weer zo'n geluksgevoel krijg van die echte buitenlucht. De geur van buiten. De geur van het land. Hazel rent het erf op en Sanne ziet dat Kazan opspringt om hen te begroeten. Dan ziet ze de keukendeur van de boerderij opengaan. Petronella komt naar buiten, keert zich om naar boer Lok die haar uitlaat, en zoent hem vol op de mond. O jee. Nu heeft ze ze betrapt! Sanne krijgt er een kleur van en ze kucht even, om aan te geven dat zij ook op het erf loopt. Petronella laat boer Lok los en kijkt om. Jan Lok lacht vrolijk, als ze roept: 'Ben jij het,

Sanne? Dan mag jij het als eerste weten! Jan heeft me ten huwelijk gevraagd!'
'Echt waar?' Sanne loopt meteen op hen af en ziet twee vrolijke gezichten, innig tevreden met hun pas gevonden geluk. 'Gefeliciteerd!' Ze schudt handen, boer Lok schuttert en stottert een beetje en Petronella ratelt van opwinding dat het allemaal zo onverwacht is en zo mooi en zo grappig en zo... nog veel meer.
'En ik heb gedacht om hier, in de koeienschuur, mijn bric-à-brac-winkeltje in te richten. Winkel aan huis! Wat wil je nou nog meer? En dan kan jij me helpen, Sanne. Hoe vind je dat? Heb je daar geen zin in? Want ik wil eigenlijk maar drie dagen per week in de winkel staan en dan nog een dag op pad om in te kopen. Dus als jij dan drie dagen staat, zijn we alle dagen open, behalve zondag. Dat is ideaal. Maandag zouden we het kunnen redden met een bel. Dat je op afroep naar de winkel gaat en de boel open doet. Want op die dag is er vaak weinig aanloop. Maar dat spreken we allemaal nog wel af. Jan gaat eerst een stuk schuur afscheiden voor het kleinvee. Dat heeft nu zoveel ruimte. Die moeten een beetje opschuiven voor mij, als ze straks naar binnen gaan. Trouwens, de meeste schapen blijven bijna het hele jaar buiten, vertelde Jan. En, wat vind je?' Sanne heeft haar al die tijd met open mond aan staan staren. Een antiekwinkel op het erf! In de schuur! Dat is een fantastische kans. Wat leuk!
'Ik loop veel te hard van stapel, hè?' zegt Petronella verontschuldigend. 'Je hebt er vast geen zin in.'
'Het lijkt me fantastisch,' zegt Sanne gauw.
'Echt waar? O, leuk! Zie je nu, Jan! We gaan mooie tijden tegemoet.' Petronella straalt en zegt: 'En misschien zeg ik nog wel een keer ja!' Dan huppelt ze naar haar auto en zwaait nog een keer voor ze instapt.
Sanne kijkt verbaasd naar boer Lok. Die zegt somber: 'Ze wil hokken.'

'Ja, lach maar,' zegt boer Lok somber, als Sanne in de lach schiet. 'Voor mij heeft het huwelijk nog waarde.'
'Ik vond alleen dat "hokken" zo mal klinken,' verontschuldigt Sanne zich.
'Petronella noemt het ook niet zo. Maar trouwen, dat wil ze niet. Ze is al zo vaak getrouwd, zegt ze. En dan zeg ik op mijn beurt: Niet met mij! Nog nooit met mij! En weet je, ik houd al van haar sinds de lagere school.' Hij zucht diep. Sanne smelt. De schat, denkt ze vertederd. En ze zegt: 'Nou ja, ze zei dat ze misschien wel een keer ja gaat zeggen. Toch? En wat meer is: ze komt hier wonen. En werken. Een winkel in de schuur. Vol mooie, gekke, leuke, bijzondere spullen. Wat een zaligheid.'
'Ach, je hebt gelijk,' zegt Lok. 'Ik heb eindelijk gekregen waar ik een heel leven van heb gedroomd en dan sta ik te piepen omdat ze niet met me naar het altaar wil. En als ze het wel wilde, stond ik nu te zeuren dat ik geen stropdas om wil.' Hij lacht bulderend en Sanne lacht mee. Dan zegt hij: 'God, wat ben ik gelukkig.' Hij steekt nog een keer zijn hand op en fluit naar Kazan. Die komt op een holletje aan en glipt langs hem naar binnen. 'Truste!' Sanne groet terug. Samen met Hazel loopt ze langs de stille weg. En ze bedenkt: Ik heb een huis. Een fantastisch huis op een goede plek. Ik heb een baan. Min of meer. En al gauw ook. Want Petronella is niet bepaald het type om lang te aarzelen voordat ze haar plannen uitvoert. Ik heb een kleinkind en een zoon die zijn geluk weer heeft gevonden. En ik heb Hazel, die altijd bij me wil zijn. Ik ben eigenlijk bovengemiddeld gelukkig, als je mijn leven vergelijkt met dat van veel anderen. Dus ik moet niet zo zeuren. Ik trek mooie kleren aan en ik ga kennismaken met de ouders van Jennifer. Jennifer die hopelijk Wichard heel gelukkig zal maken en als een moeder zal zijn voor Rinke. Het wordt hoog tijd dat ik mijn aanstaande schoondochter beter ga leren kennen. En daar horen die ouders dus ook bij. Vooruit

met de geit. Ze haalt nog eens diep adem en zegt: 'Hazel, ga je mee terug? Jij gaat morgen met me mee naar het diner. Dus ik ben helemaal niet alleen, hè?' En Hazel duwt kwispelend haar snuit tegen Sannes hand.

Ze staat op de avond van het diner lang voor haar kast. Wat moet ik in hemelsnaam aan? Die broek zit eigenlijk te strak. Die wil ik alleen aan met iets langs over mijn kont. Ik wil niet dat die vader van Jennifer denkt dat ik om hem te plezieren een string heb aangetrokken. Misschien draagt haar moeder wel van die grote onderbroeken met elastiek. Krijgt die man een hartaanval als hij mijn billen ziet. Waar denk ik allemaal aan? Dat truitje is te laag. En dat shirt zit wel heel mooi, maar dan zie je mijn bh-bandje. Ik heb trouwens ook helemaal geen zin in mooie schoenen waar ik eigenlijk nauwelijks op kan lopen. Ik wil gewoon mijn flatjes. Dus geen rok. Of die wijde linnen rok? Die is wel erg leuk. Maar die heeft een overslag. Als ik op een lage bank ga zitten, valt ie open. En dan moet ik erbij nadenken dat ik hem netjes dichtsla. Getverdegetver. En linnen kreukt natuurlijk als een gek. Sanne trekt allerlei kleren aan en weer uit, verbaast zich dat ze er in zo'n korte tijd in is geslaagd om zoveel kleren te verzamelen waar ze eigenlijk maar weinig goede combinaties mee kan maken en kiest uiteindelijk voor het zwarte jurkje met de kapmouwtjes. Het valt net boven haar knie en ze kan het prima combineren met simpele lakleren schoenen met een klein hakje. Parelkettinkje erbij, helemaal goed. Beschaafd en toch leuk. En als die ouders er heel woest uitzien, kan ik altijd nog die parels afdoen en mijn haar erg in de war maken met gel van Wichard, besluit ze. Voorlopig kiest ze voor behoudend en beschaafd.
Als ze de lift uitstapt en de galerij oploopt, staat Rinke al in de deur te wachten.
'Oma!' Twee kinderarmen om haar heen en een stapel natte zoenen in haar nek.
'Dag lekkere lieverd van me,' groet ze haar kleindochter. 'Wat

ben je alweer gegroeid! Straks ben je zo groot, dan til je oma op! Met gemak!'
'Kan ik nu al een beetje,' pocht Rinke. Ze omklemt Sanne en probeert haar een stukje op te tillen.
'Nee, schooier. Niet doen! Straks liggen we hier languit! Kom, we gaan naar binnen. Wat gaan we eten?'
'Dat is een verrassing,' groet Wichard, die de gang inkomt met zijn schort voor.
'Het ruikt al fantastisch,' prijst Sanne. Rinke zit op de grond met twee armen om Hazel heen en jubelt: 'Mag Hazel straks ook lekker eten?'
'Ik heb een tuppertje voor haar mee met eten. Sperziebonen, brokken en wat blikvoer. Luxe labradorprut, zeg maar,' lacht Sanne. Ook Jennifer is op het rumoer afgekomen. Ze geeft Sanne een hand en dan ziet ze Hazel.
'O jee, heb je de hond mee?' vraagt ze tamelijk overbodig aan Sanne. Die zegt dan ook: 'Ja, dat zie je goed! Hazel en ik horen bij elkaar, weet je.'
'Tuurlijk,' knikt Jennifer verontschuldigend. 'Dat weet ik toch? Het is alleen dat mijn moeder nogal, eh...' Ze maakt haar zin niet af, schudt haar hoofd, maakt een gebaar naar de kamer en zegt: 'Kom, laat ik je voorstellen aan mijn ouders.'

Sanne loopt de kamer in en ziet meteen het ouderpaar van Jennifer op de bank zitten. In één oogopslag heeft ze gezien, geoordeeld en gedacht: Lelijk van je om meteen wat van die mensen te vinden. Doe dat toch niet. Ze stapt op ze af, steekt haar hand uit en zegt: 'Leuk om u te ontmoeten. Ik ben Sanne. De moeder van Wichard.' De man staat het eerst rechtop. Hij is klein en slank, op het magere af, een beetje nerveus type. 'Mevrouw, aangenaam. Kortijn.'

'Wat een grappige naam,' zegt Sanne zonnig. Ze keert zich naar de vrouw die zich met moeite overeind heeft gehesen van de bank, een dikke beringde hand uitsteekt, die op slag weer terugtrekt, naar de gang wijst en roept: 'Wat moet die hond hier?!'
'Dat is...' begint Sanne, maar Jennifers moeder gilt er overheen: 'Jenny, je wéét hoe allergisch ik ben. Dat kan niet. Ik kan niet tegen haren. Ik vind ze vies. Zó vies! En waarom zit dat kind met haar armen om die hond? O bah, bah, bah. Weten jullie niet wat voor ziektes je daar allemaal van kan krijgen? Dit is te erg. Te erg!'
'Misschien kan de hond in de gang blijven?' stelt Jennifers vader timide voor.
'Nee, nee, dat gaat niet. Ik ben daar veel te gevoelig voor. Dan zit ik de hele tijd te niezen, mijn ogen gaan lopen, ja sorry hoor,' ze wendt zich met een suikerzoet lachje naar Sanne. 'U zult wel denken, wat een gedoe allemaal. Maar ja, als we een gezellige kennismakingsdinertje willen hebben, kan ik moeilijk doodziek aan tafel zitten, nietwaar? Nu, alles zal verder wel geregeld worden, denk ik zo. Aangenaam, mevrouw, ik ben de moeder van Jennifer.' Sanne ziet dat Jennifer de kamerdeur dicht doet. Nu staat ze alleen in de kamer met het echtpaar. Ze zegt: 'Ja, het is een beetje vervelend, natuurlijk, maar ik had geen idee...', schudt onderwijl de hand van Jennifers ma, babbelt en bedenkt dat ze nu allerlei excuses staat te maken voor het feit dat ze Hazel heeft meegenomen, terwijl alles in haar schreeuwt: Je hebt zelf toch ook háár, mens!
Wichard komt binnen. Hij heeft zijn schort nu in zijn handen en zegt: 'Hazel is zo lang in de keuken. Alles is onder controle.'
'In de keuken?' hijgt Jennifers ma ontzet. 'Bij het voedsel?!' Sanne ziet dat Wichard zijn rug recht en diep adem haalt, voor hij zegt: 'Lieve Aaltje, daar staat ook een kattenbak.' Sanne kijkt aandachtig toe en bedenkt: Hij noemt haar bij haar voornaam. Dus zo heet ze. Aaltje. En ze merkt meteen op dat de mondhoek van Kortijn een onderdrukt lachje verbergt. Aaltje ligt achterover op de bank alsof ze bijkomt van een hartritmestoornis.

‘Het is toch niet waar,’ zegt ze.
‘Ik houd alles altijd heel goed schoon. Daar moet u maar op vertrouwen,’ verzekert Wichard haar. ‘En als u wel eens een aflevering van *De Smaakpolitie* op televisie heeft gezien, dan beseft u dat een uiterlijk keurig restaurant ook nog wel eens wat onregelmatigheden verbergt. En werkelijk waar, op mijn keuken en mijn hygiëne is verder niets aan te merken. Dus...’ Hij kijkt afwachtend naar Aaltje. Die heeft haar ogen gesloten. Kortijn vermant zich en zegt: ‘Ik denk dat het straks wel zakt, Wichard. Aaltje moet even wennen aan het idee. Maar als ze geen last heeft van haar ogen en haar ademhaling, dan moet het allemaal wel lukken.’
‘Ze ademt wel zwaar,’ zegt Sanne. Dat is vals, beseft ze. Maar ze kan het niet laten. Wichard schudt meteen snel zijn hoofd naar haar. Niet doen, mam! Geen olie op het vuur! Maar alles in Sanne roept rebelse teksten op. En ze weet dat ze niet zoveel moeite hoeft te doen om Aaltje en Kortijn de flat uit te krijgen. Dan arriveert Jennifer. Die ziet er zo triest en opgefokt uit, dat Sannes hart smelt. Jennifer zegt: ‘Mama, de hond...’ ‘Hazel,’ mompelt Sanne tussendoor. ‘...Hazel blijft in de keuken en mag daar op een kussen.’ Ze kijkt meteen verontschuldigend naar Sanne. ‘Rinke is nu bij haar en ze zijn samen aan het spelen met een bal. Uiteindelijk is Hazel echt helemaal niet zo lang alleen.’
‘Wat maakt dat nu uit?’ vraagt Aaltje verbijsterd.
‘Dat maakt heel veel uit,’ zegt Sanne akelig vriendelijk. ‘Een hond is een roedeldier. Ze hoort bij mij en ook een beetje bij Wichard, Rinke en Jennifer. Als je haar zomaar afsnijdt van de roedel en ze hoort en ruikt dat je wel in de buurt bent, kan ze vreselijk in paniek raken.’
‘Dat lijkt me toch een kwestie van opvoeding,’ snuift Aaltje.
‘Dat ziet u dan helemaal verkeerd,’ zegt Sanne. Haar kaak staat strak van de glimlach die ze koste wat kost in stand wil houden.
‘Wat vind jij, Hubert?’ vraagt Aaltje aan Jennifers vader.
‘O, ik dacht dat u Kortijn heette, dat heb ik dan helemaal verkeerd verstaan,’ lacht Sanne.

‘Kortijn is mijn achternaam, mevrouw,’ zegt de man.
‘Juist. Goed dat ik het weet, Hubert,’ zegt Sanne liefjes. Onderwijl denkt ze: nee, jij bent ook niet leuk. Al dacht ik dat je een glimlach onderdrukte. Maar wat jij wilt, jongen! Ik noem jou Hubert, haar Aaltje en zeggen jullie allebei maar mevrouw tegen mij. Ik vind alles prima. Ze laat zich op de tweezitsbank zakken, kijkt Wichard stralend aan en zegt: ‘Doe mij maar een glaasje droge witte wijn. Of ga jij over de drank, Jennifer?’
‘Jennifer heeft de glazen opgepoetst. Dus zij mag ze vullen. Ik ga nog even naar de oven kijken,’ zegt Wichard.
‘Moet u niet meer rijden?’ vraagt Aaltje.

‘Het diner was een drama,’ vertelt Sanne aan Daan en Abel. Die zijn een fietstocht aan het maken en hebben bij Sanne een lunchstop gepland.
‘Vertel!’ wuift Abel aanmoedigend. Hij ligt achterover in de luiste terrasstoel die Sanne bezit en neemt een slokje van zijn witte wijn. De lathyrus geurt en het met klimop bedekte schuurdak ritselt van de mussen. Abel kijkt er eens naar en voegt toe: ‘Behalve als je deze idylle met dat verhaal van je verstoort. Wat is het hier toch heerlijk!’
‘Jij bent trouwens gek, weet je dat? Witte wijn bij de lunch en straks nog dat hele eind trappen. Dat zakt totaal in je benen’, waarschuwt Daan. En meteen er achteraan tot Sanne: ‘Ja, vertel, meid! Kom op met dat verhaal!’
Sanne vertelt over het rampzalige etentje, de snibbige ma van Jennifer, de akelige steken onder water en haar vermoeden dat die ouders de verbintenis tussen hun dochter en Wichard niet direct zien zitten.
‘De stemming was ijzig. En die arme Jennifer kreeg nog een lachbui van de zenuwen toen Rinke een heel flauw mopje ver-

telde. Ze kwam haast in een lachstuip terecht. Griezelig gewoon.'
'Wat was dat voor mop?' wil Daan weten.
'Waarmee breng je een varken naar het ziekenhuis? Met een hambulance,' herhaalt Sanne somber. Daan schudt zijn hoofd. 'Nee, die is inderdaad niet leuk.' Waarop Abel verschrikkelijk in de lach schiet. Hij kan even geen woord uitbrengen.
'Ik zie jullie in gedachten zitten! Hahahaha! En dat arme kind maar lachen! Hahaha! En niet kunnen stoppen! Wat een vreselijke mop! Hahaha, hambulance!'
'Het is net alsof Jennifer een beetje op slot zit. Dat komt natuurlijk door die dominante moeder,' bedenkt Sanne.
'Meid, maak je niet druk. Ze worstelt zich vanzelf wel onder die moeder uit,' vindt Daan.
'Daar onderuit krabbelen wordt nog een hele toer. Moeder is tamelijk fors gebouwd,' zegt Sanne kritisch. 'Maar misschien heb je gelijk. Iemand nog meer aardbeien? Iets drinken?'
'Ik wil nog wel een beetje wijn,' knikt Abel. Daan schudt zijn hoofd.
Als ze even later afscheid nemen, is Abel in een uitgelaten stemming. Daan zegt, voordat hij afzet met zijn voet en op zijn zadel gaat zitten: 'Wedden dat ik hem straks de halve weg moet duwen?'
'Ik ben in topvorm!' roept Abel. En hij gaat zo slingerend de weg op, dat een auto die aan komt rijden moet uitwijken naar de andere kant van de weg.
'Zoek maar gauw een fietspad op. Dat is wel zo veilig,' raadt Sanne aan. Ze zwaait ze na tot ze de hoek om zijn.
Als ze terugloopt, gaat de telefoon. Het is Wichard.
'Mama, mag Rinke een nachtje bij jou? Ja? Mooi. Dan komen we haar straks brengen. Ze mocht ook bij haar vriendinnetje, maar ze wilde liever naar oma toe, hè pop? Nou, tot zo dan. Jennifer en ik gaan vanavond uit. Lekker de kroeg in. Zie je!' Snel ruimt Sanne de lunchboel op. Het lijkt hier wel 'bed and breakfast', bedenkt ze. Of 'bed and lunch'. Even een snelle inspectie

op de logeerkamer. Alles staat klaar om Rinke te ontvangen. Onder het kussen ligt een geurzakje dat nog vaag naar vanille ruikt en als Sanne de ramen opendoet, komt de geur van de lathyrus naar binnen wolken. 'Heerlijk,' zegt ze hardop.
Wichard parkeert zijn auto naast de heg en Rinke springt er meteen uit.
'Oma Sanne! Gaan we pannenkoeken bakken?'
'Welja,' lacht Sanne meteen. 'Pannenkoeken met aardbeien. En die eten we in de tuin.'
'Ik wil ook blijven,' zegt Wichard meteen. Sanne lacht, maar Jennifer geeft hem een zetje.
'Hè! We zouden de stad in, toch?'
'Is maar een geintje,' troost Wichard goedig. Maar Sanne ziet dat hij graag na de pannenkoeken de stad in had willen gaan. En Jennifer ziet het ook.
'Je kan hier altijd nog pannenkoeken eten. Dat is heel wat anders dan samen in de stad aan een klein tafeltje, met een karaf wijn in het midden en kaarslicht en Franse chansons. Hmmmm, daar krijg ik bijna ook zin in,' zegt Sanne. Jennifer kijkt haar aan. En zegt dan ineens: 'U zult uw man wel missen.' Het komt zo onverwacht, dat Sanne even moet slikken. Dan knikt ze en ze forceert een dappere glimlach.
'Ja. Op de meest onverwachte momenten. Als het dopje altijd op de tandpasta zit geschroefd. Of als er nooit meer een vies overhemd onder het bed slingert. Of als ik voor de zoveelste keer alleen zit te eten, met een bordje op schoot, voor *Man Bijt Hond*. Ik mis hem altijd, zelfs al besef ik het niet altijd.'
'Wat verdrietig,' zegt Jennifer.
'Ja,' zegt Sanne. Even heeft ze het gevoel dat ze Jennifer een klein beetje beter leert kennen. Ze kijkt haar even aan. En ze denkt: Als je mijn kind maar gelukkig maakt. En mijn kleinkind. Dat is eigenlijk het enige dat ik van je eis. Maar wee je gebeente als je ze ongelukkig maakt. Ze schrikt ervan, zo heftig slaat dat besef ineens toe. Dus ze vermant zich en zegt: 'Maar wat lief dat je daar naar vraagt. Dat stel ik echt op prijs.'

‘We staan vaak stil bij jouw verdriet, mam. Maar we praten er misschien wel te weinig over. Je lijkt ook zo sterk,’ zegt Wichard lief. Jennifer knikt.
‘Nou, zo kan ie wel weer,’ lacht Sanne. ‘Willen jullie nog thee? Koffie? Fris? Voordat jullie op stap gaan?’ Jennifer schudt haar hoofd. ‘We gaan ook nog even shoppen!’ Wichard trekt een gezicht.
‘Ik heb ook slagroom op die aardbeien,’ prijst Sanne aan. Jennifer verstrakt en zegt tegen Wichard: ‘Zal ik maar alleen gaan?’

Sanne is opgelucht als ze Jennifer en Wichard kan uitzwaaien. Ze zou het liefst hardop haar vermoeden willen uiten dat Wichard behoorlijk onder de plak zit bij ‘die lieve Jennifer’. Maar vanwege Rinke houdt ze netjes haar mond.
‘Gaan we naar boer Lok? Bij de schaapjes kijken?’ Rinke staat te springen van pret.
‘Tuurlijk,’ belooft Sanne. Ze treft alleen Petronella aan in de huiskamer van de boerderij, op de bank met een kopje thee en een doos kersenbonbons. Ze houdt de doos meteen uitnodigend onder Sannes neus.
‘Lekker,’ zegt Sanne. Rinke haalt haar neus op.
‘Daar zit drank in,’ griezelt ze.
‘Ja. Heerlijk,’ geniet Petronella. ‘Ik heb even pauze. Hèhè. Jan is druk bezig in de schuur. Ik ben hier de boel aan het uitruimen. Op papier ben ik al verhuisd en volgend weekend breng ik mijn boeltje hierheen. Maar Jan kan geen keuzes maken. Dus krijg ik de vrije hand. Ik schuif nu apart wat weg moet. Dat is toch lastig, hoor. Maar ach, we kunnen straks alles gewoon in de winkel zetten. Als Jan dan spijt krijgt, ruilen we het zo weer om!’ Haar ogen stralen.
‘Wat enig. En ik denk wel dat je nieuwe gordijnen wilt?’ vraagt Sanne. Ze wijst op de zware diepgroene velours gordijnen.

'Die zijn gemaakt voor de eeuwigheid. Wat een drama. Ja, ik wil inderdaad iets lichters. Maar die stof kunnen we nog wel gebruiken in ons rariteitenkabinet! Desnoods gaan we er een oude bank mee stofferen. Kan je dat? Stofferen? Nee? Leer ik je. Dat is zo verschrikkelijk leuk!'
'Dus als je hier eenmaal zit, gaat boer Lok de schuur uitruimen en inrichten voor de winkel?'
'Daar is ie als het goed is nu al mee bezig. Hij loopt stro en mest te kruien en te schrobben. En er gaan wat schapen naar de markt, volgende week vrijdag.'
'Er blijven toch wel lammetjes?' vraagt Rinke bezorgd. Petronella lacht.
'Lieve schat, zonder lammetjes zou boer Lok niet kunnen leven. Nee, heus, die komen ieder jaar weer. Echt waar.'
'Gelukkig,' zucht Rinke.
'We gaan Lok even opzoeken,' zegt Sanne. Samen met Rinke loopt ze de schuur in, waar ze boer Lok betrapt, languit op een paar balen stro.
'Kind, het is zwaar werk. Maar de liefde geeft je vleugels, nietwaar?' lacht Lok.
'En af en toe een rustpauze kan ook geen kwaad,' lacht Sanne.
'Ja, weet je, als ik nu naar het huis ga, dan houd ik daar de boel weer op. Dus ik neem hier maar even lekker mijn momentje.'
'Groot gelijk,' zegt Sanne.
'Gaan we nog naar de schaapjes?' vraagt Rinke ongeduldig.
'Schat, we lopen er zo heen. Maar de potlammeren krijgen geen melk meer, hoor,' zegt Sanne.
'Ze herkennen me vast nog wel,' dringt Rinke aan. Boer Lok kijkt bedenkelijk.
'Weet je wat leuk zou zijn voor die kleine? Een pony. Zo'n shetlander. Als we dat nu eens kochten?
'Jaaaa!' Rinke springt als een malle in het rond en Sanne schudt haar hoofd.
'Nu bent u schapen aan het verkopen en dan komt er weer een paard voor terug?'

'Ach, wat voor ruimte neemt dat nou? Ik zal wel eens kijken. Goed?'
'Ja, dat is leuk! Dan ga ik leren rijden!'
'Volgens mij ben je daar nog veel te klein voor,' waarschuwt Sanne.
'Welnee, die paardjes zijn net zo hoog als een flink uit de kluiten gewassen hond,' bromt Lok.
'Nou,' aarzelt Sanne.
'We zien wel,' besluit Lok.
Hij vergeet het misschien wel, denkt Sanne. Of hij ziet zo'n beest en bedenkt dan wat ie er eigenlijk mee moet. Nee, niks toch? Alleen voor die keer dat Rinke langs komt.
'Ik ga vanavond pannenkoeken bakken. Met aardbeien. En met spek. Als jullie zin hebben? Dan maken we er een pannenkoekenpartijtje van,' biedt ze in een opwelling aan.
'Ik kom. En Petronella ook. Die heeft na zo'n drukke dag vast ook geen zin om te koken,' zegt Lok meteen.
'Leuk!' Rinke springt alweer rond.
'Kom, dan gaan we naar de schapen. We zien jullie vanavond wel? Vanaf een uur of halfzes,' zegt Sanne.
'Komt goed,' groet Lok.
Ze zitten buiten aan de tuintafel van Sanne. Rinke heeft haar tweede pannenkoek volgeladen met aardbeien, Petronella is ook aan haar tweede bezig, Lok legt net de derde spekpannenkoek op zijn bord en Sanne schenkt koele rosé en appelsap in. Hazel ligt languit naast Kazan; de twee honden zijn bekaf van een dolle renpartij in het hoge grasland. Dan klinkt er een stem.
'Hallo? Is daar iemand?' Hazel heft haar kop op en laat een lui 'woef' horen. Kazan staat meteen op en begint te blaffen.
'Hier!' zegt Lok tegen de hond. En Sanne roept er achteraan: 'Hier is iemand!' Petronella schiet in de lach. De tuindeur gaat open en een man steekt zijn hoofd om de hoek. Even schrikt Sanne. Die man lijkt zo op Rob! Maar als ze beter kijkt, ziet ze dat hij totaal anders is. Het is het type man. Het type Rob, bedenkt ze. Onderwijl staat ze op en zegt: 'Kan ik iets voor u doen?'

'Ja, misschien,' zegt de man. 'Ik ben op zoek naar mijn moeder. Ze heet Gijsbertse.'
'Ik heet Van den Broek,' zegt Sanne. 'En dat is boer Lok en mevrouw Verdonschot. En de kleine Rinke heet Molenaar.'
'Gijsbertse?' herhaalt boer Lok verbaasd.
'Ja. Gijsbertse. Ze schijnt hierheen te zijn verhuisd?'
'Gijsbertse,' zegt Lok weer. Hij kijkt naar Petronella.

Petronella staart de man aan. Ook boer Lok kijkt gefascineerd naar de vreemde man in Sannes tuin. Die zegt: 'Mijn moeder, ja. Die zoek ik. Ik ben al een tijdje intensief op zoek en nu had ik een adres. Daar kom ik net vandaan. Maar daar was niemand thuis. De buurvrouw kende de naam Gijsbertse niet, maar ze vertelde dat de vrouw die daar woont, gaat verhuizen. Hierheen. Naar de boerderij hiervoor. Dus ik dacht...' De man maakt een vragend gebaar en kijkt Sanne aan. Daarna blijven zijn ogen rusten op Petronella. Gijsbertse, denkt Sanne. Noemde Lok haar niet zo? Was dat niet...? Ineens herinnert ze het zich. Petronella gebruikt de achternaam van haar tweede echtgenoot. Verdonschot. Maar haar meisjesnaam is Gijsbertse. Maar ze kan zijn moeder toch niet zijn, denkt Sanne. Daar is ze nog te jong voor. Toch? En trouwens, hoe zit dit allemaal in elkaar? Ze aarzelt. Als ik die man vraag om verder te komen, weet ik niet hoe dit gaat aflopen.
'Ik ken geen Gijsbertse,' zegt Petronella. Haar stem klinkt hoger dan normaal. 'En jij ook niet, hè Jan?' vraagt ze dan aan boer Lok. Ze kijkt hem aan en legt haar hand even dwingend op zijn knie. Lok aarzelt. 'Tja, vaag. Die naam heb ik misschien wel eens gehoord...' zegt hij warrig.
'Wij hebben pannenkoeken,' zegt Rinke vrolijk.
'Dat zie ik,' antwoordt de man vriendelijk. Hij klinkt vermoeid,

vindt Sanne. En hij ziet er zo aardig uit. Voor ze er goed over heeft nagedacht, flapt ze eruit: 'Wilt u niet iets drinken? En misschien wel een pannenkoek?'
'Nou, eerlijk gezegd, ik heb een hele autorit achter de rug en ik moet straks ook nog dat hele eind terug. Ik zou heel graag iets willen drinken,' glimlacht de man. Hij is leuk, denkt Sanne. En hij komt zomaar mijn tuin in wandelen.
'Appelsap?' vraagt ze.
'Graag. Maar waar zijn mijn manieren? Ik zal me even voorstellen. Luuk Bol. Aangenaam.' Hij geeft haar een stevige hand en kijkt haar recht aan. Ze knikt hem toe en zegt: 'Sanne van den Broek. Aangenaam. Ik zal een glas appelsap voor je halen.'
Terwijl ze wegloopt, geeft Luuk de rest van het gezelschap een hand, te beginnen bij Rinke. Maar Petronella staat meteen op en zegt: 'Nu herinner ik me dat ik vanavond nog naar Netty had moeten bellen! Oei, helemaal vergeten! Ik ga snel naar huis. O, o, wat dom. Wat zal ze wel niet zeggen! Dat is de leverancier van mijn serviesgoed, weet je. Die afspraak kan ik niet laten zitten. Sorry, sorry! Ik zie je straks wel, hè schat? Dag allemaal. Dag Sanne! Bedankt!' Sanne heeft zich omgekeerd en kijkt verbaasd toe hoe Petronella gehaast opstapt. Dan zwaait ze en stapt ze de keuken in. Eerst maar wat te drinken halen.
Als ze terugkomt, zit Luuk geanimeerd te babbelen met Rinke en boer Lok. 'Bedankt. Leuke dochter heb je,' knikt hij tegen Sanne, als ze de appelsap voor hem op tafel zet.
'Ja, zo maak je wel vrienden,' lacht Sanne. 'Het is mijn kleindochter.'
'Echt waar?' Hij reageert zo oprecht verbaasd, dat Sanne in lachen uitbarst. 'Nou ja, ik ben een beetje tegenovergesteld, denk ik. Ik ben 52 en ik heb een zoon van 17,' zegt hij met een glimlach.
'Lastige leeftijd,' zegt Sanne.
'Vinden jullie het erg als ik opstap?' zegt Lok. Hij heeft in noodtempo zijn derde pannenkoek naar binnen gewerkt en giet daar nu de rosé achteraan. Hij slikt alles door en zegt: 'Sorry.

Maar ik vind het zo vervelend dat Petronella nu in haar eentje zit te werken. Dan zet ik meteen een lekker kopje koffie voor haar.'

'Tuurlijk,' zegt Sanne begripvol. Maar ze verbaast zich enorm over het gedrag van Lok en Petronella. Wat is er in hemelsnaam met die mensen aan de hand?

'Ga jij ook al weg?' vraagt Rinke aan Luuk.

'Ik heb nog steeds een stapel pannenkoeken. Wel niet zo veel meer, maar toch...' Sanne kijkt Luuk aan.

'Ik doe eigenlijk een moord voor een pannenkoek. Met spek. Joh, het water loopt in mijn mond als ik dat hardop zeg.' Hij lacht haar toe. Mooie tanden, ziet Sanne. En ze denkt meteen: hou op! Waarom doet hij me ook zo aan Rob denken?

'Komt eraan,' belooft ze. Ze weet dat hij haar nakijkt, als ze naar de keuken loopt en die wetenschap geeft haar een prettig gevoel van opwinding.

Even later zitten ze met zijn drietjes aan tafel. Sanne heeft toch maar een tweede pannenkoek genomen en Luuk wil ook wel een glaasje rosé.

'Eentje kan wel,' zegt hij. Als hij de eerste slok heeft genomen, merkt hij bedachtzaam op: 'Je bent vast nieuwsgierig naar de reden van mijn zoektocht.'

'Inderdaad,' zegt Sanne eerlijk.

'Kijk, dat zit zo. Ik ben geadopteerd. Mijn biologische moeder heeft me weggegeven. Mijn adoptieouders hebben me opgevoed als een zeer gewenst eigen en ook enig kind. Mijn moeder kon geen kinderen krijgen, moet je weten. Mijn vader overleed tien jaar geleden. Mijn moeder een jaar geleden. Ze hebben nooit verzwegen dat ik geadopteerd was. Heel bijzonder. En mijn moeder wist de achternaam van mijn biologische moeder. Gijsbertse. Die had ze per ongeluk gezien op mijn dossier. Ze heeft me dat vaak verteld. Ze had gevoel voor drama, mijn mam. Dan zei ze: 'Ergens ooit was er een meisje Gijsbertse dat hete tranen om jou heeft gehuild. Zorg maar dat je niet nog meer vrouwen aan het huilen maakt!' Mooi hè? Dat was nu mijn moeder ten

voeten uit! Maar goed. Mijn zoon heeft leukemie. Hij heeft een beenmergdonor nodig. Ze kunnen de geschikte donor niet vinden en mijn weefseltypering voldoet niet.'
'Maar die van je moeder misschien wel...' fluistert Sanne.

Sanne kijkt de man verbijsterd aan. Wat een afschuwelijke speurtocht. Eerst dacht ze nog dat het wel heel bijzonder is dat een man zo veel moeite doet om zijn moeder op te zoeken, maar nu ze beseft dat hij het allemaal doet om zijn zoon te kunnen redden, krijgt de zoektocht wel een heel emotionele lading.
Rinke vraagt: 'Oma Sanne, mag ik binnen televisiekijken?' Ze knikt verstrooid.
'Ja. Dat is goed. Neem je limonade maar mee.' Rinke laat zich van haar stoel zakken en pakt haar glas. Hazel staat meteen op als Rinke beweegt. Kwispelend wacht ze af.
'Mag Hazel ook naar binnen?'
'Veeg wel even haar pootjes af. Ze tilt ze zelf op, als je het aangeeft. De hondenhanddoek hangt bij de deur,' wijst Sanne. Luuk kijkt, net als zij, het kind met de hond na.
'Wat een prachtig plaatje, zo'n jong kind met zo'n trouw beest naast haar,' zegt hij. 'Wij hebben nooit huisdieren gehad. De moeder van Niels is weggegaan toen hij nog een peuter was. Anderhalf jaar oud was hij. Dan heb je geen ruimte in je huishouden voor een hond. We hadden alleen speelgoedbeesten.'
'En hoe zit het met het beenmerg van de moeder van Niels?' vraagt Sanne.
'Zijn moeder is dood, gestorven aan een infectieziekte. Ze woonde destijds in een hippiekolonie in Goa, India. Bij een of andere swami die allemaal onduidelijke wijsheden prevelde. Daar vond ze haar bestemming, vertelde ze me keer op keer door de telefoon. Veganistisch eten, mediteren en onthechten van haar aard-

se bezittingen. En daar hoorde haar zoon ook bij.' Hij zegt het smalend. Minachtend zelfs. Sanne kijkt hem onderzoekend aan. Dat iemand al zo snel zo veel vertrouwelijks vertelt over zijn privéleven, verbaast haar.
'Ik ben al heel lang op zoek naar iemand die mijn zoon kan redden. Ik vertel iedereen meteen alles waarvan ik ook maar in de verte vermoed dat ze het willen weten. Ik heb geen geheimen, zie je. Ik heb een doodziek kind,' zegt hij.
Ze knikt. 'Ik begrijp het.' Dan is het stil. Sannes hoofd draait op topsnelheid. Die moeder, dat moet Petronella zijn. Dat kan niet anders. Meisjesnaam Gijsbertse. Als het allemaal klopt, moet Petronella ongeveer vijftien jaar oud zijn geweest. Dat kan. Ja, dat kan natuurlijk best.
'Weet je hoe oud je moeder was, toen je geboren werd?' Hij schudt zijn hoofd.
'Weet je een voornaam?'
'Nee, was dat maar waar.'
'Weet je verder iets?'
'Ik heb een spoor gevolgd, via het kraamcentrum waar ik ben geboren. Dat werd destijds gerund door nonnen. Nu is het een privékliniek, maar het oude archief staat nog steeds in de kelder. Ik ben daar binnen geweest, met een vervalst identificatiebewijs van het waterleidingbedrijf. Compleet in overall en met gereedschapskist. Zo ver ga je dus. Doodeng.' Sanne luistert met open mond toe. Luuk vertelt over zijn speurtocht alsof het een spannend jongensboek is.
'Ik meldde me dus eerst bij de receptioniste. Het is nu een privékliniek voor plastische chirurgie. Dus het lijkt in niets meer op het voormalige nonnenhospitaaltje. En ik zei dat er een melding was geweest van overmatig watergebruik, mogelijk lekkage. Dus dat ik in de kelder de boel moest doormeten. Voor de grap deed ik dat met een beetje een Gronings accent. Ik kijk veel naar streektelevisie. Dat vind ik zo mooi, die verschillen in tongval tussen de streken in Nederland. Maar goed, die receptioniste liet me meteen door. Ze stuurde nie-

mand met me mee en ze zei alleen een beetje verveeld: 'Als je wat nodig hebt, dan hoor ik het wel.'Dus ik vertelde meteen dat het wel een paar uurtjes zou duren en dat ik het prima in mijn eentje afkon. Maar als er een collega kwam, dat ze die dan meteen naar de kelder moest sturen.' Hij proest van het lachen.
'Maar hoe wist je waar je zijn moest?' vraagt Sanne.
'Van mijn moeder. Die heeft me verteld via welke kliniek de bemiddeling destijds had plaatsgevonden. We zijn er wel eens langs gereden, en dan vertelde ma me: 'Daar ben jij geboren.' Dus ik aan het zoeken en graven en spitten in die metalen kasten. Ik wist bij welk jaar ik moest kijken en ik had een naam. Ik zat in het archief als '07-02-1956. Gijsbertse. Jongen. 3640 gram. 52 cm.' En er was een adres van de moeder. Dus dat was mijn volgende aanknooppunt. Ik zal je alle details besparen, maar uiteindelijk kwam ik een dochter op het spoor van de familie Gijsbertse. Die vertelde me dat er maar één zuster in aanmerking zou kunnen komen voor zulk liederlijk gedrag. Ik citeer nu, hè? Enfin, ze had geen enkel contact meer met die zus, weigerde een naam te noemen, maar gaf me wel een adres. Die liederlijke zus bleek jong getrouwd met een oudere man. Dat spoor heb ik almaar gevolgd. En nu ben ik hier. Maar ik geloof niet dat ik succes ga hebben bij mijn moeder.' Hij kijkt Sanne indringend aan. 'Of denk jij van wel?'
Sanne heeft geen zin om zich van de domme te houden. Ze zegt meteen: 'Je moeder weet niet vanuit welke drijfveer je op zoek bent.'
'Ze heet dus Gijsbertse?'
'Haar meisjesnaam is Gijsbertse.'
Luuk laat zich achterover zakken in zijn stoel. Hij zucht. 'Dus ik heb haar eindelijk gevonden. Ik dacht het al. Die plotselinge aftocht was wel heel apart. Maar wat nu? Denk je dat ze anders zal reageren als ze weet wat de reden van mijn zoektocht is?' Hij fronst somber zijn wenkbrauwen en schudt zijn hoofd. 'Ze ontkende glashard haar meisjesnaam!'

‘Dan moet je haar onder druk zetten. Het gaat tenslotte om je zoon,’ vindt Sanne.
‘Als ik daar nog maar genoeg tijd voor heb,’ zegt Luuk triest.
‘Ik help je,’ besluit Sanne. ‘We gaan nu meteen naar haar toe.’

Luuk staat meteen op. ‘Oké,’ zegt hij.
‘Even Rinke waarschuwen,’ zegt Sanne. Ze loopt snel de kamer is, vertelt Rinke dat ze even naar boer Lok loopt en dat ze maar hoeft te roepen als er iets is.
‘Dan hoor ik je meteen,’ belooft ze. Rinke zit op de grond voor de televisie en Hazel ligt met haar kop op haar schoot.
‘Goed hoor,’ knikt ze.
Luuk en zij lopen naar de oude boerderij.
‘Het uur van de waarheid,’ fluistert hij, als Sanne de hordeur openmaakt.
‘Volk! Ik ben het. Sanne!’ roept Sanne. Lok komt meteen naar de deur. Hij heeft zijn vinger op zijn lippen.
‘Sssst! Petronella is al naar bed. Ze is zo moe, die arme meid. Ze heeft de laatste tijd ook zo hard gewerkt. En dan die pannenkoeken en die glazen rosé, ze stortte helemaal in.’ Hij lacht erom en bedenkt dan: ‘Maar waar kan ik jullie mee helpen?’ Sanne aarzelt even. Ze kijkt Luuk aan. Die knikt. Dus ze zegt: ‘Petronella is de moeder van Luuk. Dat denken wij tenminste. En Luuk zoekt haar niet omdat hij nieuwsgierig is, of omdat hij haar verwijten wil maken of haar leven overhoop wil halen, niets van dat al. Luuk heeft een zoon.’ Boer Lok luistert toe en vertrekt geen spier. Totdat Luuk knikt en toevoegt: ‘Niels. Zo heet mijn kind. Zeventien jaar oud en dodelijk ziek. Leukemie.’ Boer Lok maakt een klein gebaar met zijn hand. Hij schrikt ervan, ziet Sanne. Luuk vervolgt: ‘Niels heeft een beenmergdonor nodig. Er is geen geschikte donor voorhanden. Ook mijn weefseltypering komt

niet genoeg overeen met die van hem. Verder is er geen familie. Mijn hoop is gevestigd op mijn moeder.' Hij zwijgt en wacht af. Lok aarzelt maar heel even. Dan zegt hij: 'Ik ga even kijken of ze nog wakker is. Dan zal ik het uitleggen. Wacht hier maar even.' Hij wijst naar het oude houten bankje onder het raam.
'Het zal wel even duren voor ik terug ben,' zegt hij dan. 'Petronella wil de naam Gijsbertse liever nooit meer horen. Ze wil niets meer met haar familie te maken hebben.'
'Ze heeft veel meegemaakt,' zegt Luuk.
'Heel veel,' knikt Lok. Hij sluit de hordeur, maar laat de keukendeur openstaan. Ze horen hem naar de gang lopen en daarna is alles stil.
'Ze zal het begrijpen,' zegt Sanne.
'Ik hoop het,' fluistert Luuk. Binnen blijft alles rustig. Het wachten lijkt lang te duren, maar als Sanne op haar horloge kijkt, ziet ze dat er maar vijf minuten verstreken zijn.
'Wat duurt het lang,' zegt ze evengoed tegen Luuk.
'Dat lijkt niet erg gunstig,' zegt Luuk somber. Maar dan klinken de voetstappen van Lok weer en ze gaan meteen rechtop zitten. Vol verwachting kijken ze naar de deur. Boer Lok opent de hordeur en stapt naar buiten. Hij kijkt hen aan en haalt diep adem. Dan zegt hij: 'Ze slaapt. Ik ben me wezenloos geschrokken, want ze slaapt heel diep. Dus ik dacht even dat ze... Nou ja, hoe dan ook, ze heeft een slaappil genomen. Eén slaappil, ja. En die neemt ze zelden, want het potje zit vrijwel nog helemaal vol. Maar die pil hakt er evengoed behoorlijk in. Ik krijg haar niet wakker. Ze is helemaal onder zeil. Dus ik vrees dat het vanavond niet gaat lukken.'
'Maar als je morgenochtend het verhaal vertelt, dan zal ze toch wel...' Sanne maakt haar vraag niet af. Ze kijkt naar boer Lok. Hij haalt zijn schouders op.
'Ik heb geen idee. Geen enkel idee. Misschien is de herinnering aan alles zo erg, dat ze er niets van wil horen. Wie zal het zeggen?' Hij kijkt in de verte. En vervolgt dan: 'Weet je, ik heb haar ouders gekend. Harde mensen. Heel harde mensen. Recht was

recht en krom was krom. Geen gesprek was er mogelijk. Ze regeerden hun gezin met de knoet. Letterlijk. Ze heeft een nare jeugd gehad, mijn Petronella. En ze was heel jong vertrokken. Het dorp fluisterde daar nog even over, maar omdat ze door haar familie werd doodgezwegen, vergaten ze haar al snel. Behalve ik. Ik heb mijn hele leven aan haar gedacht.'
'Ik hoef verder niets van haar. Wilt u dat tegen haar zeggen? Alleen maar haar beenmerg, als haar weefsel tenminste overeenkomt met dat van Niels. Dat is alles. In eerste instantie hoeft ze alleen maar een beetje bloed te geven. Daar kunnen ze het al aan zien. Als u dat uitlegt, dan scheelt dat misschien. En dat beenmerg, dat gebeurt onder narcose. Ze kan Luuk ook gewoon zien als een mens dat zij misschien als enige kan redden. Dan hoeft ze hem niet te zien als een kleinkind en mij niet als zoon. Dat vind ik allemaal prima.' Luuk besluit zijn pleidooi met zo'n moedeloos gebaar, dat Sanne denkt: wat is dit hartverscheurend. Wat triest.
'Ik voel met je mee, kerel,' zegt boer Lok. Ook hij is zichtbaar aangedaan door het verhaal.
'Misschien kan ik in de buurt een hotel boeken en haar morgen zelf spreken,' bedenkt Luuk ineens.
'Dat is misschien wel een goed idee. Zoals jij het nu vertelt, nou ja, dan denk ik, daar moet ze toch wel gevoelig voor zijn,' zegt Lok.
'Een hotel in de buurt,' denkt Sanne hardop.
'De Rode Leeuw?' vraagt Lok. Sanne schudt haar hoofd.
'Die is al een paar jaar dicht. Ik denk dat je dan toch naar de stad moet,' zegt Sanne. En dan, voor ze er goed over kan nadenken: 'Of bij mij op de bank.'

Ze wordt wakker van de telefoon. Wie belt haar zo vroeg? Ineens weet ze het weer. Beneden op de bank ligt Luuk te slapen. En het

is zo laat geworden, dat ze de wekker maar niet heeft gezet. Om een uur of halfdrie heeft ze Luuk een slaapzak gegeven en een laken.
'Ik red me prima. Als ik maar wel even de badkamer in mag. En heb je misschien een joggingbroek voor me? Om in te slapen? Meer heb ik niet nodig,' had hij gezegd. Zij was Hazel nog even gaan uitlaten en toen ze terugkwam, lag hij al gestrekt op de bank. Hij sliep. Ze had even verbaasd naar hem staan kijken en was daarna glimlachend naar boven gegaan. Op de een of andere manier voelde het prettig aan, dat gevulde huis. Rinke in de logeerkamer, Luuk op de bank en Hazel in haar mand. Heerlijk. Ze was al snel weggedoezeld en ze had geslapen als een blok.
Sanne pakt de telefoon van haar nachtkastje en ziet dat Wichard belt.
'Hé lieverd,' zegt ze meteen. Maar Wichard klinkt helemaal niet gezellig. Die zegt meteen: 'Mam, ik was net bij je in de woonkamer en daar ligt een man.'
'Was jij in de woonkamer? O! Nou, dat is Luuk.'
'Luuk? Moet ik die kennen dan?'
'Nee lieverd. Die ken je niet. Maar als je nog even blijft, dan zul je hem ongetwijfeld leren kennen. En dan hoor je meteen wat ie daar op de bank doet.'
'Dat hoor ik dan graag.' Hij klinkt zo afgemeten, dat Sanne denkt: Ik ga geen verantwoording afleggen voor het feit dat Luuk hier op de bank ligt, mannetje. Wat denk je eigenlijk wel? Dus ze leidt het gesprek in een andere richting en vraagt: 'Ben je hier met Jennifer?'
'Ja, ik ben hier met Jennifer. We komen Rinke ophalen. Het is al bijna tien uur.' Nou ja. Sanne begint zich nu te ergeren aan de toon van haar zoon.
'Jongen, het is weekend. Weekend! Als in: uitslapen, luieren, doen waar je zin in hebt. Rinke is ook nog niet wakker, anders had ik haar al lang gehoord.' Aan haar stem is nu duidelijk te horen dat ze hem waarschuwt een beetje pas op de plaats te maken. Maar Wichard heeft het allemaal nog niet door.

‘Ja, het is vroeger dan we hadden gepland. Maar we wilden je ook wat vertellen. Hoewel...’ Sanne heeft er genoeg van. Wichard gedraagt zich als een jaloerse kleuter en daar moet hij maar snel mee stoppen. Ze zegt: ‘Ga lekker in de tuin zitten. Ik ben zo beneden. Even onder de douche en klaar. Jullie krijgen zo koffie. Ik ga meteen even kijken of Rinke al wakker is. Je ziet me zo.’ Ze drukt meteen de verbinding weg en rekt zich nog eens goed uit. Allemachtig, wat heb ik geslapen! Dat is in geen tijden gebeurd. Zonder wakker te schrikken en te denken aan alles wat er is gebeurd. Haar hoofd voelt helderder dan het in tijden heeft gevoeld. Het oude gevoel van ‘Ik kan de hele wereld aan’ komt terug. Ze laat haar benen uit bed rollen en staat op. Zachtjes loopt ze naar de kamer van Rinke.
‘Rinke? Ben je wakker?’
‘Ja, oma Sanne,’ zegt Rinke meteen. ‘Ik werd wakker van jouw telefoon!’
‘Heb je lekker geslapen?’
‘Nou!’
‘Papa en Jennifer zijn er al. Ze zijn in de tuin,’ vertelt Sanne.
‘Leuk!’ Rinke staat al bij de kamerdeur, met haar haren in de war en nog een slaapblos op haar wangen.
‘Ga maar meteen kijken. Ik ga even snel onder de douche. O ja, Rinke!’ Het kind is haar al gepasseerd en staat op de bovenste tree van de trap.
‘Ja?’
‘Luuk ligt op de bank. Hij is blijven slapen. Maak hem ook maar wakker. Maar zeg hem wel dat ik nu de douche in stap.’
‘Oké.’ Rinke huppelt de trap af en Sanne verdwijnt in de badkamer. Voordat ze de deur dichtdoet, hoort ze Rinke roepen: ‘Luuk! Je moet wakker worden! Oma is nu onder de douche en jij mag daarna. Ik ga naar buiten! Ben je wakker? Dag! Papa is buiten!’ En ze hoort Luuk zeggen: ‘Goeiemorgen meid! Wat een leuke manier om wakker te worden! Ik loop wel even met je mee!’
Dat zal Wichard gezellig vinden, bedenkt Sanne met een grijns. Ze doet de badkamerdeur dicht en zet de douche aan.

Tien minuten later staat ze beneden. Ze ziet het viertal in de tuin zitten; Rinke in haar pyjama, Luuk in de joggingbroek die ze in de opruiming heeft gekocht en die haar veel te groot is, Wichard met een gezicht alsof hij de dominee is die op bezoek komt bij de notoire dorpszondaar en Jennifer. Wat is er met Jennifer?

Sanne bekijkt iedereen door haar keukenraam. Jennifer lijkt een beetje te lijden hebben gehad onder de avond ervoor. Ze is uitgeweest met Wichard, natuurlijk. Maar hebben ze wel feestgevierd? Jennifer ziet er zo gevlekt uit. Heeft ze gehuild?
Ze loopt de keuken in, zet haar oven aan, legt afbakbroodjes op het rooster en zet haar koffiezetapparaat aan. Ziezo, nog wat beleg op een blad leggen, wat bordjes, wat mesjes en klaar. Bijna. Boter en krentenbollen. Glazen en vruchtensap. Eitjes. Hopla, in een pannetje. Dopjes, lepeltjes, zout. Sanne begint ongemerkt te fluiten. Ze beseft het ineens. Ik loop te fluiten! Ze moet er bijna hardop om lachen. Als ze een dienblad heeft volgeladen, loopt ze naar buiten. Jennifer springt meteen van haar stoel.
'Kan ik je helpen, Sanne?'
'Graag,' zegt ze meteen. 'De eieren koken nog. En er staan broodjes in de oven. De koffie is nu ook wel klaar. Wacht, ik loop met je mee.' Samen lopen ze naar binnen en als Jennifer met haar in de keuken staat, vraagt ze: 'Alles goed?' Jennifer knikt.
'Beetje hectisch allemaal. Er is veel gebeurd.'
'Wil je het me vertellen?' vraagt Sanne. Jennifer schudt haar hoofd.
'Is een beetje lastig, nu. Met die vreemde man erbij. Het schoot Wichard even helemaal verkeerd. We zijn bij mijn ouders ook al

zo eigenaardig ontvangen en dan ligt er bij jou een blote man op de bank!' Bij de laatste woorden schiet Jennifer in de lach. Sanne doet meteen mee.
'Hoho! Niet bloot. Hij had mijn joggingbroek aan,' zegt ze ter verdediging. Jennifer lacht nu nog harder.
'Hij leek erg naakt,' zegt ze.
'Heb ik een keer een blote man op de bank, wordt mijn zoon meteen pissig,' grapt Sanne.
'Ja, het is treurig,' vindt Jennifer ook. Ze kijken elkaar aan en lachen.
'Is alles wel goed? Tussen jullie, bedoel ik?' vraagt Sanne nog even gauw. Jennifer knikt.
'Ja. Alles is goed. En dat blijft het ook wel. Maar hij kan soms zo antiek zijn,' zegt ze eerlijk. Sanne knikt.
'En zo heb ik hem toch niet opgevoed!'
'Nee, dat snap ik. Na die kerel op je bank,' lacht Jennifer. Ze lopen samen naar buiten en zetten alles op tafel.
'Wat gezellig,' zegt Luuk vergenoegd. Hij heeft al een bordje gepakt en besmeert een krentenbol met boter.
'Ik heb straks ook nog lekkere warme broodjes,' prijst Sanne aan.
'Fantastisch. Dit is veel beter dan een hotel,' knikt Luuk.
'Misschien begin ik wel een 'bed en breakfast',' bedenkt Sanne.
'Ja, zeker op je bank,' zegt Wichard effen. Daar moet Luuk zo om lachen, dat het even lijkt alsof Wichard een heel aardig grapje maakt. Maar Sanne hoort het toontje. Ze waarschuwt hem met een korte, felle blik, die zegt: 'Denk erom. Je gedraagt je correct tegenover mijn gast, want anders stuur ik je meteen weg!' Hij pikt het tot haar opluchting meteen op, lacht met Luuk mee en zegt: 'Ik schrok me lam, toen ik je zag liggen op die bank! We waren naar binnen geslopen, Jennifer en ik, om een verrassingsontbijt te maken.'
'Wat vreselijk lief,' zegt Sanne. Ze ziet Jennifer ontspannen doordat Wichard ineens wel gezellig kan doen. Luuk lacht.
'Nou, ik kan me voorstellen dat je schrok. Volgens mij snurk ik ook nog eens enorm!'

‘En we wilden nog wel iets officieels komen vertellen,’ zegt Wichard ineens een beetje plechtig.
‘We gaan trouwen,’ zegt Jennifer meteen. Ze steekt haar vinger naar voren met een ring. Een zilveren ring met een barnsteen.
‘Echt waar?’ zegt Sanne. Er gaan allerlei gedachten door haar hoofd. Ik ken je nog zo slecht. Je hebt vreselijke ouders. Je bent zo jong. O jee, wat nu?
‘Word jij mijn mama?’ vraagt Rinke. Ze is gaan staan en ziet er een beetje ontdaan uit. Jennifer steekt haar armen uit naar Rinke en zegt: ‘Lieffie, jouw mama is Hannah. Dat blijft altijd zo. Maar ik wil wel proberen om heel lief te zijn voor jou en voor je papa. En ik wil naar je luisteren en je helpen en voor je zorgen. Vind je dat wat?’ Sanne krijgt er bijna tranen van in haar ogen. Rinke laat zich meteen op Jennifers schoot vallen en zegt: ‘Oké!’ Ze slaat twee armen om haar nek en geeft haar een dikke zoen.
Sanne staat op en zegt: ‘Jongens, ik hoop dat jullie met zijn drietjes heel gelukkig worden. Dat hoop ik vanuit de grond van mijn hart. Wat een bijzonder besluit. Prachtig.’ Ze kust Jennifer en Rinke, omhelst daarna Wichard en ziet ineens het gezicht van Luuk. Hij heeft tranen in zijn ogen.

Het is een bijzonder moment. Ze staan heel dicht bij elkaar, Jennifer, Wichard, Rinke, Sanne en Luuk. Hazel loopt om hen heen te kwispelen. Het lijkt een omhelzing, zonder dat iemand elkaar aanraakt. En juist op dat moment komen boer Lok en Petronella de tuin in lopen. Luuk kijkt als eerste op. Hij doet een stapje in hun richting en stopt dan. Petronella houdt maar even haar pas in. Dan versnelt ze, met haar armen wijd. Boer Lok blijft staan en kijkt toe hoe Petronella op Luuk afloopt. Zonder ook maar een woord te zeggen, valt ze in zijn armen. Hij omarmt haar,

wiegt haar heen en weer. Er ligt een wonderlijke stilte over de tuin. Alleen de mussen tjilpen in de klimop. Verder houdt alles en iedereen zijn adem in. Luuk laat Petronella los. Jennifer trekt vragend haar wenkbrauwen op. Wichard zoekt ook al een antwoord op Sannes gezicht. Maar Rinke maakt het eerste geluid. Ze spreekt de enige tekst uit die op dat moment van toepassing is. 'Boer Lok, tante Petronella, willen jullie ook koffie?'
Lok schiet meteen in de lach en Petronella veegt snel wat tranen weg. Ze knikken allebei. Sanne rent om meer stoelen bij te zetten en Jennifer loopt met Rinke naar de keuken voor extra koffie. Luuk schraapt zijn keel en vertrekt zijn mond ook al in een brede grijns.
Het wordt een gezellig ontbijt met veel koffie, maar na een uur staat Petronella op en zegt: 'We gaan afscheid nemen. Ik kan niet wachten om kennis te maken met Niels, mijn kleinzoon. En we moeten meteen langs het ziekenhuis om mijn bloed te laten testen. Luuk heeft verteld dat ze zelfs in het weekend paraat staan om een eventuele donor te testen. We mogen geen tijd meer verliezen. Jan en ik rijden wel achter je aan, Luuk.'
Luuk springt meteen op en lacht: 'Ik heb me altijd afgevraagd van wie ik dat kordate optreden had. Nu weet ik het.'
Even later neemt Luuk met een ferme handdruk afscheid van Sanne. Ze kijkt hem aan en zegt: 'Ik hoop zo dat het allemaal goed komt.'
'Er is al veel meer gebeurd dan ik ooit had durven dromen,' zegt Luuk dankbaar. Hij omvat haar hand nu met beide handen en zegt: 'Ik hoop oprecht je nog eens te zien.' Sanne aarzelt geen moment. Ze zegt: 'Ik ook.' Een glimlach. Een knik. Klaar. Lok en Petronella stappen in, Luuk stapt in zijn auto en weg zijn ze.
'Wat hoop ik dat het allemaal goed afloopt voor die jongen,' zegt Jennifer.
'Nou. Ik ook,' zegt Sanne. 'Maar ik heb er een heel goed gevoel bij.'
'En wij gaan trouwen,' zingt Rinke, terwijl ze om iedereen heen danst. 'Ik krijg een heel mooie jurk en Hazel krijgt een strik!'

Hazel ligt languit op het gras en tilt even haar kop op bij het horen van haar naam.
'En jij opent over een tijdje je rommelwinkeltje,' lacht Wichard naar Sanne.
'Antiek. Semi-antiek op zijn minst,' verbetert ze.
'Wat een plannen allemaal. Heerlijk!' geniet Jennifer. 'Nu moet ik het alleen nog zover zien te krijgen dat mijn ouders een beetje gezellig meedoen.'
'Misschien moeten we een feestje geven. Voor iedereen. Dan nodigen we jouw pa en ma uit en dan wordt alles anders,' bedenkt Sanne.
'Denk je?' vraagt Wichard bedachtzaam. Hij ziet in gedachten de wonderlijke vriendenkring van zijn moeder en vraagt zich af of de ouders van Jennifer daar tussen zullen passen. Maar Sanne aarzelt geen moment. 'Natuurlijk!' zegt ze meteen. Rinke juicht. 'Gaan we dan ook pannenkoeken eten, oma Sanne?'
'Nou, dat is wel veel werk. Laten we maar wat op een barbecue gooien. En een lekkere vruchtensalade en stokbrood en kruidenboter en sausjes en maïskolven en gepofte aardappels en zo. Hè, ik krijg alweer trek als ik daarover praat!' Rinke springt rond en zingt: 'Feest!'
'Agenda,' gebiedt Sanne.
Ze plannen een feest in het volgende weekend, stellen een boodschappenlijst samen en bepalen meteen dat Jennifer en Wichard op die avond hun officiële trouwplannen meedelen aan iedereen.
'Vraag dan ook wat collega's en misschien vrienden, vriendinnen?' oppert Sanne.
'Mijn beste vriendin Suus natuurlijk. En misschien Anky en Mustafa? Van ons werk? Enneh...' Jennifer gaat met Wichard aan tafel zitten om hun eigen lijstje te maken en als Sanne zegt: 'Denk je aan familie!', schrikt Jennifer ervan. 'Tante Dirkje! Shit ja, dat is de enige familie die ik heb. Zus van mijn moeder. Draak van een mens. Ze hebben vaak ruzie, maar nu even niet geloof ik. Tante Dirkje ook maar, dus!' Ze rolt met haar ogen en iedereen lacht.

'We sturen tante Dirkje meteen door naar juffrouw Schaap. Dat komt allemaal goed,' belooft Sanne.
Wichard moet er nu al diep van zuchten.

Iedereen is er. Daan en Abel bemannen de barbecue en kibbelen over de kip.
'Die is nog lang niet gaar. Straks zit iedereen op de wc. En dan komt dat door jou,' verzucht Abel.
'Die kip is al gaar,' troost Sanne. 'Die moet alleen opgewarmd.'
'Ja, als je hem gaat steunen, is er straks helemaal geen land meer met hem te bezeilen,' klaagt Daan.
Zus Cathy en zwager Willem babbelen met de pa en ma van Jennifer en dat lijkt wonderbaarlijk goed te gaan.
'Ik wilde eerst helemaal niet komen. Waar is het eigenlijk voor?' vraagt Cathy zich af. Aaltje knikt vol begrip. 'Ach ja, een mens heeft wel iets aan zijn hoofd, nietwaar?' Cathy knikt en Willem staart in zijn lege glas. 'Bob jij, schatje?' zegt hij dan aller-beminnelijkst. Als Cathy knikt, vraagt hij meteen: 'Hubert, jij nog een biertje?'
'Welja, Aaltje drinkt alleen wijn die we zelf opleggen,' zegt Jennifers pa vrolijk.
'Ik verdraag geen supermarktkwaliteit,' schudt Aaltje. Cathy schudt mee. 'Op het gebied van feestjes heeft Sanne niet echt...'
Wat ze niet heeft, hoort Sanne niet meer. Ze loopt vrolijk door, blij dat Jennifers vader en moeder er zijn en dat alles schijnbaar in harmonie verloopt. Haar nichtjes Loes en Marijke zijn er, de dochters van Cathy, met aanhang en met de kleine Jonathan die rondrent met Rinke. Hazel rent weer achter de kinderen aan en Sanne waarschuwt: 'Kijken jullie uit dat Hazel geen stukjes vlees of botjes eet?' Ze beloven haastig, zonder te luisteren, en huppelen weer door. Jennifer trekt aan haar arm en zegt: 'Sanne,

mag ik je voorstellen? Dit is Suus. Mijn beste vriendin.' Sanne schudt handen van vrienden, kennissen en collega's van Wichard en Jennifer, babbelt wat algemeen en heel af en toe ook wat in het bijzonder en geniet. Het is een prachtige namiddag. De hele dag is het heerlijk weer geweest en nu nog is het warm en zwoel. Het ruikt naar gras en hooi en zomer. Vanuit de kamer klinkt zachte muziek. Schaapje komt met Rokus de tuin in en geeft haar drie warme zoenen. 'Mooie berichten voor de toekomst,' zegt Schaap nadrukkelijk. 'Echt?' vraagt Sanne met een glimlach.
'Er komen goede tijden. Alle tekenen wijzen daarop,' zegt Schaap beslist.
'Mooi,' zegt Sanne. Ze heeft geen enkele reden om aan de voorspellingen van juffrouw Schaap te twijfelen. Rokus zoent haar ook drie keer, met bokkige bewegingen, onhandig en aandoenlijk. 'Boer Lok verheugt zich al op jullie komst,' vertelt ze.
'Die wil natuurlijk weer spreuken uitwisselen,' geniet Schaapje meteen.
'Wie is boer Lok?' vraagt Rokus jaloers.
'Mijn voorbuurman. Zijn aanstaande heet Petronella,' zegt Sanne. 'Hij zal jullie wel aan haar voorstellen.' Ze loopt voorop en krijgt meteen een zoen van Petronella. Ze fluistert: 'Ik ga over twee dagen al naar het ziekenhuis. Voor een donatie van beenmerg. Het komt allemaal goed. Vast en zeker.' Haar stem bibbert een beetje bij de laatste woorden en Sanne voelt tranen opkomen.
'Ja, het komt vast goed. Juffrouw Schaap hier voorziet goede tijden,' zegt ze gauw. Als de vier mensen handen staan te schudden, loopt ze weer verder, recht in de armen van Yvonne.
'Yvon!' Of ik even een vriendin terug heb, bedenkt ze, dat korte moment. Maar achter Yvonne staat Daniël. Als ze hem een hand toesteekt, pakt hij die, keert hem om en geeft er een handkus op. 'De schone Sanne,' zegt hij zwoel.
Sanne zegt niets, glimlacht, keert zich naar Yvonne en vraagt: 'Waar is Renéetje?' Yvonne wijst. 'Daar!' En Sanne ziet Renée

met Rinke en Jonathan giebelen en aardbeien vissen uit de enorme schaal fruit.
'We moeten nog steeds een afspraak maken voor jouw make-over, schat,' roept Abel tegen Daniël. Yvonne schiet in de lach en zegt: 'Gaan jullie maar een afspraak maken. Ik ga met Sanne mee.'
'Maar eerst Jennifer verlossen van haar tante Dirkje,' ziet Sanne. Jennifer staat met een gezicht als een oorwurm te luisteren naar een dame die sprekend op haar moeder lijkt.
'Bent u nou tante Dirkje? Wat leuk! Ik zal iets voor u inschenken. Loopt u even met me mee? Dit is Yvonne, mijn vriendin.' Ze leidt tante Dirkje babbelend mee, ver van Jennifer.
Alles klopt, ziet Sanne. Alles is in evenwicht. Alles is goed. Ze mist Rob intens. Maar verdriet begint langzaam plaats te maken voor goede herinneringen. En ergens is hij altijd bij haar, naast haar, in haar hoofd en in haar hart. Daar is ze dankbaar voor.
Wichard rammelt met een lepeltje tegen zijn glas en maakt een aankondiging. 'Jennifer en ik gaan trouwen!' Iedereen klapt en drinkt op hun geluk. Sanne veegt een traan uit haar ooghoek.
De tuindeur gaat weer open. Er komt een man binnen die zoekend rondkijkt. Sanne kijkt op. Hij loopt op haar af, pakt haar hand en zegt: 'Dag Sanne.'
Sanne glimlacht. 'Dag Luuk,' zegt ze.

Voor Jenny, Gerdie, Linda, Alida, Ilze, Yvonne, Hilde, Loes,
Sylvia, Thea, Corina, Erica, Monique, Sandra, Elly, Tineke,
Jolanda, Jozé, Marja, Jetty, Corrie, José, Mieke, Margit,
Marian, Diana, Janna, Ingrid, Marjolein, Nathalie, Marijke,
Carla, Trudi, Peter, Hugo, Wim, Jeannette, Ymke, Cecile,
Monique, Erica, Emilie, Nel, Gerda, Henrike, Joke, Wilmie,
Veronique, Heleen, Sabrina, Ans, Marian, Angela, Anneke,
Annemiek, Agnietje, Brigitte, Esther, Mary, Sylvia, Marja,
Ria, Nancy, Els, Lia, Anke, Annelies, Arieta, Tonny, Merel,
Amber, Kirsten, Wilma, Caroline, Astrid, Greet, Ellen, Helma,
Gerri, Betsy, Tineke, Ivonne, Ria, Grietje, Daniëlle, Conny,
Elsje, Tineke, Aafke, Jellie, Sandra, Jacqueline, Anke,
Rianne, Corrie, Trudy, Harma, Corin, Trudi, Henny,
Leontine en Ilona!